Universale Economica F

PINO CACUCCI

LA POLVERE DEL MESSICO

NUOVA EDIZIONE AMPLIATA

Feltrinelli

Prima edizione nell' "Universale Economica" gennaio 1996
Quattordicesima edizione riveduta e ampliata
nell'"Universale Economica" aprile 2004
Diciottesima edizione ottobre 2006

ISBN 88-07-81796-9

Prologo

Un ricordo, in modo particolare, riaffiora ogni volta che penso a come sia cominciato il coinvolgimento vero, l'inizio di una vaga intuizione, divenuta poi consapevolezza che nulla sarebbe più stato come prima. È un'immagine curiosa nella sua banalità, la semplice attesa davanti alla macchina con l'ennesima rogna al motore, standosene sotto una tettoia di zinco su cui batteva una pioggia fine. Il meccanico la guardava senza dire niente, e ogni tanto sbirciava me, con un mezzo sorriso indecifrabile. La pioggia era solo una scusa. A nessuno, lì, importava nulla di bagnarsi, faceva abbastanza caldo da infradiciarsi comunque per l'umidità, e starsene sotto quella tettoia era soltanto una buona occasione per smettere di fare le cose di sempre. L'uomo aveva un'età indefinibile, forse era molto più vecchio di quanto apparisse, indossava una tuta di cui si era smarrita ogni memoria dell'originario colore, e teneva le mani in tasca senza decidersi a fare quel che io speravo: dire cosa secondo lui avesse il motore e quanto tempo ci sarebbe voluto per rimetterlo in sesto. Il suo volto era perfettamente *messicano,* secondo l'immaginario di cui disponevo in quel mio primo viaggio: tratti vagamente "apache" come ero abituato a vederli al cinema e lontane eredità andaluse, un po' spagnolo e un po' indio, ma di quelli alti, da yaqui del Nord. Più, ovviamente, i baffi bianchi e spioventi, che completavano il mio bagaglio da grande schermo ricco di Villa e Zapata posticci.

Lui continuava a non dire niente, e la pioggia a battere sulla lamiera di zinco. La strana sensazione che avvertivo l'avrei afferrata molto più tardi: stavo perdendo la fretta, l'ansia dei ritmi che mi ero portato appresso cominciava a sfaldarsi, e il sintomo impalpabile era quel semplice ascoltare la pioggia e smettere di chiedere al meccanico quanto tempo ci sarebbe voluto. Il mio tempo non era il tempo della realtà che mi circondava. Fino a quel momento lo avevo speso male, illudendomi di vedere più cose andando più in fretta. A un certo punto, mi ha detto: "Credo che pioverà anche domani". Alla mia espressione vagamente contrariata, l'uomo aveva sorriso scuotendo la testa. Sapeva che non potevo capire, ma che era il momento giusto per cominciare a provarci. Così, stando fermi, ad ascoltare la pioggia.

Raccontandolo, non sembra significare granché. È solo un frammento, un punto di partenza. Ma ben poche altre cose, avrei scritto, senza quell'inizio, e senza il contatto, la conoscenza a volte fugace ma sempre profonda, di tante persone come lui. Il meccanico non saprà mai quanto sia stato utile per me quel lungo pomeriggio, fino al tramonto, fermi in mezzo a cumuli di ferraglia arrugginita e macchine spente. O forse l'ha saputo fin dal primo momento, notando il lento sgretolarsi della mia fretta di andare da nessuna parte. È per questo che sorrideva, e se ne stava zitto.

Le letture, il cinema, e ovviamente un po' di fantasia in funzione riciclante, mi sono sempre serviti, certo. Ma ho l'impressione che sarebbero rimasti un magma senz'anima, un'accozzaglia di dati, senza la vita vissuta accanto a genti così diverse da quelle tra cui sono cresciuto, senza la graduale scoperta di una differente dimensione del tempo e della percezione delle cose. Per me è stata la "messicanità", come per altri può essere stata l'India o parte dell'Africa, a segnare il punto di svolta, a imprimere quel qualcosa di indefinibile che si respira nell'aria e si assorbe dai pori per poi tentare di trascriverlo sulla pagina, o di narrarlo su uno schermo per immagini, o su una tela, o in chissà quanti altri modi. E in ogni caso, esistono luoghi, i grandi "altrove" che non ci danno requie quando ne siamo lontani, capaci di scatenare pulsioni latenti, forse non di crearne di nuove, ma soltanto – e non è poco – rievocare sensazioni smarrite, assopite, rimaste in qualche meandro ad aspettare la scintilla che le risvegli.

Il Messico è il paese che per me rappresenta in modo sublime come la mescolanza di tante razze arricchisca immensamente una terra e un popolo, genti così abituate alla diversità da potersi concedere senza la minima riserva, pur conservando una forma di autodifesa istintiva, il freno naturale di fronte all'invasione di becere *ways of life* geograficamente vicinissime eppure tenute a distanza siderale da millenni di civiltà. Uno di quei luoghi dove si comincia a capire qualcosa solo quando si rinuncia a capire. Senza pretendere di trarne una regola universale, credo comunque che il contatto con "l'altro", a qualsiasi latitudine, inizi con un gesto di resa incondizionata: la rinuncia a propri schemi e abitudini, liberandosi dall'inconfessata certezza che la realtà sia univoca e unidimensionale, e che tutto possa venire interpretato da un solo modo di guardare. L'ingrediente più nefasto della cultura occidentale credo sia proprio questa nostra ormai istintiva consuetudine ad analizzare e giudicare, filtrando i comportamenti altrui attraverso una rete di convenzioni che ci illudiamo siano assolute e scontate.

P.C.

Settembre 1995

Chi ha respirato la polvere
delle strade del Messico
non troverà più pace
in nessun altro paese.

MALCOLM LOWRY

Quando il sole scompare
dietro le montagne,
la polvere sulle strade
assume un colore dorato...

ROUBAIX DE L'ABRIE RICHEY

Parte prima

EL MONSTRUO

Cantinas de México

"Il bere è un rito collettivo. Nessun vero messicano si ubriacherebbe mai da solo," dice don Venustiano arrotolando un altro *taquito de carnitas*, il mignolo abilissimo nel sostenere l'involtino di tortilla senza perdere una sola goccia di salsa. Don Venustiano avrà almeno settant'anni, ma si muove coi gesti di un ragazzo dallo sguardo malizioso e il sorriso ammiccante. A tradirne l'età è solo la pelle *curtida* del volto, conciata come il cuoio di una sella che oltre al sole e al vento della Sierra Madre ha dovuto affrontare l'anidride solforosa della megalopoli. Nel profondo, resta il *norteño* che lasciò Zacatecas mezzo secolo fa, le sue case di pietra rosa ai piedi del deserto dove la División del Norte di Pancho Villa vinse una delle battaglie decisive. Don Venustiano venne a Città del Messico per trattare la vendita degli ultimi cavalli del padre, e col ricavato rilevò una piccola cantina che allora era in estrema periferia, ma che oggi costituirebbe un prezioso pugno di metri quadri in un quartiere esclusivo. "L'ho venduta perché alla famiglia di mia moglie, quello del *cantinero* sembrava un mestiere balordo... ma se fossero ancora vivi per vedere quanto può fruttare una cantina ai giorni nostri, altro che convincermi a entrare nell'esercito!" e batte il pugno sul tavolo, per poi sollevarlo col minuscolo bicchiere tra le dita ancora robuste. Nel reggimento di artiglieria non ebbe una carriera brillante, e la disciplina lo convinse a congedarsi prima che lo cacciassero, dopo avergli tolto i gradi da caporale. Dei mille mestieri che seguirono sembra rimpiangere sempre lo stesso, il cantiniere. Senza dubbio, si sta rivelando la migliore guida che potevo incontrare in questo strampalato girovagare nei meandri del cuore vero e pulsante della città.

La cantina per i messicani non è un semplice bar in cui bere e mangiare *botanas*, piatti gratuiti che aiutano lo stomaco a ricevere più alcol possibile. La cantina è un luogo sacro, il tempio dello stare insieme in un luogo protetto, nella terra di nessuno dove non entrano i ritmi sfiancanti della capitale, dove si passano giornate intere a un tavolo di domino o ci si incontra per trattare un affare al riparo dal clima falso dell'ufficio, dove ci si unisce ai cori dei *mariachis* e ti puoi ubriacare con la certezza che qualcuno ti seguirà fino all'ultimo bicchiere senza disprezzarti. Certo, può essere anche un luogo dove è facile rimediare una bottigliata se non sei ancora capace di *agarrar la onda*, frase intraducibile che potrebbe suonare come "intendere l'antifona", "cogliere la situazione". Ma senza questa possibilità sempre presente, mancherebbe un pezzo fondamentale al caleidoscopio che è il vecchio Messico, il paese di una ballata che dice "Qui la vita non vale niente, la si scommette e si rispetta chi l'ha vinta...".

Ci troviamo a un tavolo de La Opera, nella centralissima 5 de Mayo a pochi passi dallo Zocalo. Qui, nel 1914, Pancho Villa si prese la soddisfazione di entrarci a cavallo sparando una revolverata sul soffitto: il foro è ancora ben visibile; e fu un gesto significativo, perché La Opera, all'epoca, era il punto di ritrovo dell'oligarchia capitolina. Ma a don Venustiano il locale non piace, con i suoi lussuosi interni di legno pregiato e gli stucchi dorati e i lampioncini, la sua clientela composta e rispettosa, i camerieri azzimati. "Ormai è diventata roba per turisti. Qui non c'è *ambiente*, non te ne accorgi? Lo respiri nell'aria, che è tutto fasullo." Per alleviare il fastidio ordina un'altra tequila Herradura, che a ogni bicchiere gli strappa un'imprecazione sul prezzo inaudito che ha raggiunto. Si blocca un attimo a fissarmi, col mezzo sorriso ironico a piegargli su un lato i folti baffi grigi. "Ma tu mi capisci quando parlo di *ambiente*?" Gli dico che il termine è uguale in italiano. Scuote la testa. "Ma no, sono sicuro che da voi non può avere lo stesso senso."

Mi lascio guidare verso un'altra cantina, in cerca di un ambiente più genuino. Nella calle Bolívar c'è solo l'imbarazzo della scelta. Entriamo a Los Portales, "che già va meglio, ma ancora non ci siamo. Giusto per arrivarci un po' alla volta, senza traumi", dice col solito sarcasmo, varcando gli archi da cui la cantina prende nome. Nel salone affollato ci immergiamo in un clima ben diverso dal precedente. Quanto meno, più allegro e chiassoso. Un tipo gira fra i tavoli lanciando urla disumane, gridando che mancano solo due numeri e poi procederà all'estrazione. È la *rifa de pollos*, una sorta di lotteria che ogni mezz'ora assegna due polli arrosto al cliente fortunato. "Simón sorteggia polli da venticinque anni, e ancora non ha perso la voce," spiega don Venustiano ordinando birra Bohemia. Col bere, arrivano valanghe di botanas a ciclo continuo: pagando solo un paio di birre veniamo sommersi da piatti di *chicharrón*, cioè cotica fritta, e tacos, brodo di gamberetti, cartilagini bollite, persino grassi pesci che saziano solo a guardarli sul tavolo. "Sono *mojarras*, e corre voce che li peschino loro stessi nel canale dietro la cantina." Rido, ma lui chiama subito Simón perché confermi la sua sparata. E gli chiede se siano pesci di mare o di fiume. "Di fogna," risponde quello con un urlaccio.

"Los Portales sarà aperta da una quarantina d'anni. Ma la più antica di tutte credo sia La Ola, nella calle Uruguay..." "No," lo interrompe Simón, apprestandosi a estrarre i numeri dall'astuccio di cuoio, "la più vecchia è El Chinchunchan, nella zona di Tacuba, che c'era già ai tempi di don Porfirio." Si intromette un cameriere, che spezza la sua lancia in favore del Gallo de Oro, ricevendo il disprezzo di don Venustiano che lo liquida con "un altro postaccio per damerini".

Nelle cantine solo da pochi anni è stato tolto il divieto di entrata alle donne, mentre resta in vigore per chiunque indossi una divisa. "Ci sono donne che creano ambiente più di tanti uomini," dice il mio Caronte stringendosi nelle spalle. "Di sicuro, non ci sono poliziotti che meritino di bere al mio tavolo," conclude afferrando una manciata di *chicharrones*. "Per certi versi preferisco la *pulqueria*, che sarebbe la cantina dei poveri. Il *pulque* te lo vendono a secchi, meno di un litro non vale neppure la pena. E rispetto alla tequila, costerà un decimo... La *borrachera* di pulque è in genere più allegra, solo che, raggiunto un certo limite, si perdono i contatti col mondo. Comunque, per bere un buon pulque bisogna andare nei *pueblos*, perché in città quello buono non arriva neppure. Del resto non si può imbottigliare, così o lo bevi il più vicino possibile a dove lo estraggono, o ti rifilano una sbobba allungata con polpa di cactus."

La prossima tappa è La India, quasi di fronte a Los Portales. Sembra molto vecchia, ma nessuno sa dirmi in che anno sia stata aperta. In ogni caso esisteva già nel 1929, perché la sera del 10 gennaio da questa porta a molle uscì il rivoluzionario cubano Julio Antonio Mella per incontrarsi con la sua compagna Tina Modotti. Era al suo braccio, quando pochi minuti dopo venne abbattuto da due revolverate. "È una storia che non conosco," dice don Venustiano studiando le crepe del soffitto. "Nel '29 avevo una decina d'anni, e i discorsi politici che sentivo in casa riguardavano ancora Villa e Zapata."

Nella India don Venustiano ritrova l'ambiente che cercava. Una tavolata di uomini dal tasso alcolico medio-alto ci elegge a bersaglio privilegiato. Forse la presenza della mia guida con tanto di sombrero norteño non basta, soprattutto considerando che mi hanno visto scattare una foto, gesto tipico da *pinche güero*: l'aggettivo è più o meno traducibile con "fottuto", mentre *güero* è chiunque abbia la pelle chiara, in questo caso uno straniero "viso pallido". Uno dei tipi fa un cenno agli altri, dice che va "a prendere certe cose in macchina", esce, e quando torna distribuisce ben tre macchine fotografiche agli amici. Mi scattano una dozzina di flash, e io alzo il bicchiere brindando all'indiscutibile uno a zero per loro. Un altro ordina una canzone ai tre musici del posto, che brandendo le chitarre attaccano una ballata *ranchera* apparentemente innocua. Don Venustiano mi spiega che, in realtà, si tratta di un messaggio: nelle cantine spesso la musica è usata col fine opposto di una serenata con dedica. Si pagano canzoni indirizzate a un tavolo vicino per provocare, per lanciare la sfida. E così, conclusa la suonata, don Venustiano chiama i tre accalorati chitarristi con un impercettibile gesto dell'indice. E ordina *Sacaremos ese güey de la barranca*, la cui traduzione potrebbe essere "quel tipo lo butteremo fuori". Al tavolo avversario accusano il colpo. Dopo un po', il tizio delle macchine fotografiche si alza e viene verso di noi. Don Venustiano si limita ad alzare un sopracciglio e a ricomporsi i baffi: ma da una vaga smorfia che potrebbe assomigliare a un sorriso compiaciuto, si intuisce che il vecchio cantinero è finalmente nel suo territorio. L'altro viene con la scusa di brindare insieme, ma le battute che si mescolano alle presentazioni non suonano affatto leggere. Il gioco è avviato: sto assistendo all'arte dell'*albur*, termine che raccoglie lo scambio di "cortesie" con doppi e tripli sensi, quasi sempre volgari e sul filo dell'offesa ma senza superarne il labile confine, e che nelle cantine costituisce una sorta di duello verbale, un misurarsi sul botta e risposta dall'equilibrio precario. Ad ogni frecciata col sorriso sulle labbra ci si può aspettare un rovesciamento di tavoli e volo di sedie, ma alla fine lo scontro si risolve con l'invito a bere tutti allo stesso tavolo e grandi pacche sulle spalle. Negli occhi di don Venustiano c'è un lampo ammiccante che sancisce la vittoria sul campo. Più tardi, uscendo, dice: "È brava gente. Ma se non sai come tenerli a bada, si lasciano prendere un po' la mano...".

Soddisfatto per averli sistemati, saluta i presenti sfiorandosi la tesa del sombrero. Si è guadagnato il loro rispetto, lo vedo da come levano i bicchieri al nostro passaggio.

Ci incamminiamo verso l'avenida Juárez, in cerca di altro ambiente. "In questo paese il rispetto non è cosa che si regali. Te lo devi conquistare in ogni istante, dietro ogni angolo di strada come al tavolo dove bevi. E se credi che noi siamo soltanto un mucchio di pazzi attaccabrighe... va bene lo stesso, tanto, il Messico, non c'è straniero che possa capirlo fino in fondo."

Per avermi detto questo, vuol dire che don Venustiano comincia ad apprezzarmi.

Davanti alla porta della Mascota si ferma un attimo e dice: "Questa è anche più vecchia della India". Dà una sbirciata dentro, ma c'è poca gente. Tiriamo dritto. Altra sosta alla Mesón del Castillano. È strapiena, e sembra accogliente. Ma i variopinti affreschi alle pareti e l'aspetto formale dei camerieri fanno storcere il naso a don Venustiano. "Immigrati spagnoli, tutti commercianti di liquori e salumi," sentenzia riprendendo il suo passo spedito. Dopo circa un chilometro, tenergli dietro comincia a farsi arduo.

"Capita anche l'ubriaco che ce l'ha col mondo, e magari ti ritrovi coinvolto in un mulinare di sedie senza che sai nemmeno da dove arrivino," dice fissando la strada davanti a sé. "Ma non è che nelle cantine ci siano molte scazzottate. In genere i camerieri sono veloci e ben addestrati a scaraventare fuori i contendenti."

Si ferma a studiare il percorso più breve scrutando le diramazioni di un incrocio.

"E anche se trovi il tipo nella giornata storta che ti rompe una bottiglia in testa... pazienza, *arrieros somos y en el camino nos encontraremos.*"

Parte deciso verso la calle Bucareli. L'*arriero* è il mandriano che percorre incessantemente i sentieri della Sierra in cerca di pascoli, e quindi presto o tardi deve per forza tornare a incrociare il cammino di quello che gli ha fatto un torto.

Entriamo nella cantina Reforma, e sedendoci dobbiamo renderci conto di essere ormai mezzi ubriachi. "*A gusto,* prego, siamo semplicemente a gusto," corregge don Venustiano, che ridacchia ordinando tequila per lui e birra per me.

Ci troviamo nella zona dei principali quotidiani della capitale. "Qui ci vengono quelli dell''Excelsior', mentre i giornalisti dell''Universal' vanno più avanti, all'Habana." Scrolla le spalle, e aggiunge: "Che bella categoria di fessi, i giornalisti. Pensano alla concorrenza anche quando devono ubriacarsi".

Un'ora dopo siamo di nuovo in strada, le gambe gommose e la messa a fuoco ritardata. È buio, ce ne accorgiamo dai fari delle auto. "Qui vicino c'è la Montecarlo, ci arriviamo a piedi." Tento una debole resistenza. Lui si toglie il sombrero per grattarsi la nuca, pensieroso. "Te l'avevo detto: mangia botanas ben unte, che l'olio sta sempre a galla e tiene l'alcol in basso..." Poi, con uno sguardo di commiserazione, accetta la mia resa. Ferma un taxi, e dice: "Va bene, andiamo a fare una partitina". Ordina all'autista di portarci nella calle Colima, colonia Roma.

Arriviamo così alla cantina Covadonga, che è un immenso salone dove tutti giocano a domino. Altro giro di birra e tequila. Mentre sistemiamo anche noi i pezzi per una partita, da un tavolo vicino si leva un frastuono di colpi secchi. I quattro uomini battono i bicchierini sul ripiano e appena si riempiono di schiuma la trangugiano prima che debordi. "Giochetti per rendere vario il bere. Tanto il finale è sempre lo stesso," commenta don Venustiano studiando i suoi pezzi. "Mettono della gazzosa nella tequila e la sbattono per fare la schiuma. Così picchia più forte in testa. Ce ne sono tanti, di modi per sbronzarsi giocando..." e poi prende un boccale di birra vuoto, lo capovolge, e ci infila dentro il bicchierino di tequila, appoggiando il bordo contro il fondo del boccale, che può essere così rimesso dritto senza che dal bicchierino rovesciato esca la tequila. Quindi versa la birra, e ne beve un lungo sorso controllando la tequila che fuoriesce dal *caballito* a ogni rimbalzo sul fondo. “Si chiama ‘sottomarino’: più bevi la birra, e più la tequila si rovescia fuori.” Si asciuga i baffi, e conclude: “Tutte scemenze per perdere tempo”.

Don Venustiano appoggia lentamente il primo pezzo. *“Mula de seis,”* mormora scoprendo il doppio sei.

La partita è lunghissima, altri giri di “sottomarini” la renderanno complicata, credo che a un certo punto lui ordini una bottiglia di Herradura per risparmiare i viaggi al cameriere... Però non ricordo chi abbia vinto, a domino.

Tenochtitlán

"Sembrava una leggenda incantata... non riuscivamo a pronunciar parola, a creder che fosse vero ciò che appariva alla vista." Bernal Díaz del Castillo, che entrò nella Gran Tenochtitlán al seguito di Hernán Cortés, annota nelle sue memorie l'immenso stupore davanti alla capitale dell'impero azteco. Ardite strade sopraelevate larghe tanto da "permetter il passaggio di otto cavalieri affiancati", protese sulle acque del Lago Texcoco pullulante di canoe, e bianchi palazzi di dimensioni sconvolgenti, il maestoso Templo Mayor che si staglia su ogni altra costruzione, e le vaste piazze, i mercati dai colori abbaglianti per la folla variopinta e le montagne di mercanzia... "Di fronte a noi stava la grande città di Messico, a noi, che non arrivavamo a esser neppure quattrocento soldati..."

Nel secolo XI gli aztechi avevano abbandonato il luogo d'origine, quella Aztlán Chicomózoc la cui ubicazione geografica resta imprecisa, e si erano spinti fin sulle sponde del Lago Texcoco obbedendo alle profezie di Huitzilopochtli, la loro divinità solare. Reduci da innumerevoli battaglie con tutti i popoli incontrati lungo il cammino, erano ormai ridotti allo stremo e inselvatichiti dalle tribolazioni, vestiti di pelli e privi di leggi e ordinamenti; ma anche forti per la dura selezione, e combattenti agguerriti. Su un isolotto, un giorno vedono un'aquila divorare un serpente: è il segno della profezia, quella che annuncia la loro nuova patria. Nel 1325 viene fondata México-Tenochtitlán, in onore del condottiero Mexitli e del sacerdote Tenoch. Le popolazioni limitrofe non si dimostrano certo benevole con i nuovi arrivati. Il re di Azcapotzalco, Tezotómoc, concede ai mexicas il territorio più paludoso e insalubre. Ma gli eredi di Mexitli dimostrano di saper attendere tempi migliori, fiduciosi nel destino di grandezza promesso da Huitzilopochtli. Si nutrono con carne di serpente e larve di formica, mentre i giovani più robusti affinano le tecniche di guerra offrendosi come mercenari ai popoli vicini. Alla morte di Tezotómoc, nel 1428, si alleano con le tribù assoggettate dal tiranno di Azcapotzalco e sconfiggono l'erede al trono, suo figlio. Poi stringono un patto con Nezahualcóyotl, il poeta-architetto che regna sulle città di Tlacopan e Texcoco. Itzcóatl, "serpente di ossidiana", diviene il primo re azteco. Nel 1440 gli succede Moctezuma I, abile nel provocare guerre e scovare pretesti per nuove conquiste. Nell'arco di un secolo, gli aztechi divengono la più grande potenza della Mesoamerica. Con le ricchezze depredate e il lavoro degli schiavi, costruiscono edifici imponenti nella capitale e la trasformano in una funzionale città di quattrocentomila abitanti. Il centro cerimoniale si compone di settantotto edifici, con templi, scuole per la nobiltà, campi per il gioco della pelota, nonché giardini galleggianti sui canali ricavati dalla bonifica delle paludi. Due acquedotti riforniscono Tenochtitlán da Chapultepéc e Churubusco, strade su piloni la collegano alle isole vicine, e le zone urbane sono suddivise in quartieri dalla planimetria geometrica, ognuno con un tempio e una scuola per la plebe. Con Moctezuma II, Tenochtitlán raggiunge il massimo splendore. Distintosi in gioventù come valoroso uomo-aquila, che corrispondeva al grado di generale, il nuovo imperatore dimentica presto le imprese belliche e si dedica alle arti, incentivando l'abbellimento della città con opere di scultura e pittura di sublime livello. Sotto il suo regno, gli aztechi dimenticano l'ansia di conquista e si dedicano alla filosofia, sviluppando una corrente di pensiero sorprendentemente simile a quella della civiltà greca. "Davvero viviamo sulla terra? E non per l'eternità, ma solo per un tempo effimero. Sogniamo, e nient'altro. Tutto è come un sogno. V'è forse qualcosa di eterno? E dove mai andremo, dove? Solo il canto e il profumo dei fiori ci appartiene su questa terra..." declamano i poeti aztechi sotto il regno dell'inquieto Moctezuma II.

Ma l'8 novembre 1519, a Tenochtitlán entrarono quattrocento uomini a cavallo, spossati e spauriti, confusi per l'immensa bellezza di quella città irreale. I guerrieri al comando dell'ultimo imperatore mexica erano decine di migliaia, sarebbe bastato un suo cenno per sopraffare gli invasori.

Cortés non avrebbe potuto scegliere momento migliore: Moctezuma, ottenebrato dai dubbi e dai sogni premonitori, aveva appena assistito al prodigio nefasto di una cometa, e scambiò l'astuto conquistador per Quetzalcóatl, il dio di cui le scritture annunciavano il ritorno dal mare. E i testi sacri lo descrivevano come "uomo robusto, dall'aspetto grave, di pelle bianca e barbuto...".

Cortés, accolto con doni e cerimonie, dopo una settimana di ambiguo dialogo fece catturare Moctezuma prendendolo in ostaggio. Poi dovette lasciare Tenochtitlán per affrontare una spedizione da Cuba che aveva l'ordine di frenarne drasticamente la smisurata ambizione arrestandolo. In sua assenza, il capitano Alvarado si abbandonò a ogni sorta di violenze e scorrerie, culminate col "massacro del Templo Mayor". Al ritorno di Cortés, l'ira degli aztechi era ormai sfociata in insurrezione. Gli spagnoli furono messi in fuga, ma i guerrieri di Tenochtitlán non seppero sfruttare il vantaggio: permisero ai superstiti di riparare a Tlaxcala, dove si rifornirono di cannoni e assoldarono le tribù avversarie degli aztechi. Costruiti tredici brigantini, il 26 maggio 1521 Cortés cinse d'assedio la città sottoponendola a incessante bombardamento dal lago. A Moctezuma, morto per cause mai chiarite, era succeduto Cuauhtémoc. Il suo nome era una predestinazione: "Aquila che cade".

Il giovane imperatore combatté strenuamente fino all'assalto finale, quell'ultima battaglia di Tlatelolco risoltasi in una carneficina. Catturato dagli spagnoli, fu sottoposto a torture e gli vennero bruciati i piedi perché rivelasse dov'era nascosto l'oro della città. In seguito, Tenochtitlán fu rasa al suolo e la popolazione sterminata. Sulle sue macerie, nel 1522 furono gettate le fondamenta della capitale della Nueva España. La stessa che cinque secoli dopo sarebbe diventata la metropoli più grande del mondo.

México DF

"Povero Cuauhtémoc," mormora il vecchio tassista guardando la statua di bronzo. Il re guerriero tiene la sua lancia in pugno, il capo coronato di piume e lo sguardo fisso sul torrente di auto che sciama nel paseo de la Reforma. "Si è fatto bruciare i piedi per non dire dov'era nascosto l'oro del Messico," aggiunge annuendo, per poi indicare la metropoli infinita con un gesto circolare, e concludere: "Tanto, continuano a fregarsi tutto anche senza gli spagnoli...".

Si volta a guardarmi e scoppia a ridere, immagino per togliere serietà alla sua amarezza, e non per la faccia che devo aver fatto sporgendomi a osservare l'austera fierezza del *povero* Cuauhtémoc, i cui piedi appaiono ancora fermi e irremovibili davanti al nemico che avanza. La cascata di semafori prende a sgranarsi, centinaia di luci verdi che scattano una dopo l'altra in un sincronismo da luminarie natalizie. Avanziamo anche noi, scivolando in testa alla schiera di mezzi lanciati alla carica. Che poteva mai farsene, Massimiliano d'Asburgo, di un viale a dodici corsie? Anche per Porfirio Díaz che lo ha completato, il paseo de la Reforma era eccessivo, considerando il traffico del 1910. Entrambi sognavano sfarzose parate militari e cortei fra ali di folla acclamante, in una immensa strada nel cuore della capitale che fosse un lungo giardino di alberi secolari, abbellito dalle statue di eroi e condottieri. Ed entrambi lo avrebbero usato per fuggire, Porfirio verso l'esilio e Massimiliano appena duecento chilometri più a nord, di spalle a un muro di Querétaro dove l'hanno fucilato. Per Octavio Paz, il paseo rappresenta oggi il fiume che Città del Messico non ha più. O che in realtà non ha mai avuto, perché tornando indietro di molti secoli qui non vi era altro che acqua: il Lago Texcoco, inimmaginabile guardando adesso questo oceano di cemento e lamiere.

Non ricordo più quante volte ci sono arrivato e quante l'ho lasciata, sempre col rimpianto di perdermi qualcosa, e con un'emozione diversa a ogni ritorno. Ma è la prima, che ricordo bene, e posso distinguere da tutte le altre: atterrarci in piena notte significa sorvolare per mezz'ora una distesa di luci senza capire quando sia cominciata, dove fosse il principio e dove mai finisse, perché saltando dall'altra parte della fusoliera vedi la stessa cosa, e quando vira è sempre lo stesso mare di finestre, lampioni, fari, fuochi di bivacchi o di immondizie, l'impressione di un accampamento per un formidabile esercito di invasori giunti da chissà quale pianeta. E i lunghi, interminabili minuti a volo radente sui tetti, chiedendoti come sia possibile che prima o poi salti fuori una pista in mezzo a questo magma di casupole basse, tutte con sopra una bolla grigia per trattenere l'acqua sempre più scarsa... e se mai c'è stato un aeroporto, pensi che se lo sia ingoiato come sta facendo con le montagne attorno, corrose, sgretolate, avviluppate da nuovi condomini e nuove strade, da baracche e persino caverne scavate nella roccia, popolate da una corte dei miracoli che si spinge qui per un moto centripeto alimentato dalla miseria. Venti milioni, ormai ventidue, probabilmente ventiquattro... I censimenti, qui, vanno bene per inventare nuovi *chistes,* barzellette. Il conto dei chilometri quadrati l'hanno perso da tempo, perché El Monstruo si è ingoiato paesi, villaggi, pezzi di stati confinanti. Difficile stabilire dove finisce il Distrito Federal, la città-stato che da sola rappresenta quasi un terzo degli abitanti della nazione, e dove comincia Hidalgo, Morelos o l'Estado de México, che ha lo stesso nome solo sulla carta geografica: la capitale, per chi ci vive, è semplicemente *el De-efe,* il DF, due iniziali che non fanno perdere tempo a pronunciarne il nome per intero. Per tutti gli altri, loro sono i *chilangos,* termine che include una sfumatura non di disprezzo, ma piuttosto di bonaria insofferenza, perché i chilangos vanno sempre di corsa, fanno chiasso, si credono più svelti e più eleganti, si illudono di arrivare più lontano solo perché vivono di fretta. Se qualcuno vi parla male di Città del Messico, è sicuramente un *extranjero* che non ha avuto abbastanza tempo per innamorarsene. Se a parlarne male è un messicano, vuol dire che non è un chilango: perché chi è cresciuto qui, per quanto possa sembrare impossibile a chi vi ha passato pochi giorni con gli occhi lacrimosi e la gola bruciante, ama il suo Defe di un amore viscerale e appassionato, che lo porta a sorridere di compassione se gli parlate dei suoi mille mali e di come vi giri la testa per il fumo e l'altitudine. "Se avrai pazienza, un giorno capirai," ti dicono con lo sguardo malinconico, perché in fondo il Distrito Federal non sempre ricambia l'amore dei suoi innumerevoli figli. Con l'estraneo, poi, sa essere così cattivo da farlo rimbalzare via al secondo giorno. Ma non sono neppure pochi quelli che, dopo una settimana o un mese, dimenticano persino le spiagge del Caribe e non se ne vanno più. Per molti altri, invece, questa è la meta finale di un lungo incubo, il porto di salvezza dopo una vita di tormenti: non c'è un'altra metropoli che accolga tanti profughi, i più dal martoriato continente ma chissà quanti da ogni angolo del mondo. Alla maggior parte, Città del Messico non chiede nulla e finge di non vederli, a patto che facciano altrettanto. Gli sconfitti di tutte le guerre l'hanno scelta come rifugio, da quella di Spagna che qui è in parte continuata a quelle più recenti del Centro e Sud America. E sempre guerre civili, perché il Messico conosce quanto dolore costino e non se ne dimentica. Persino quando l'accusavano di essere troppo vicina alla Mosca di Stalin, accoglieva e tentava di proteggere Trockij e i suoi fedeli superstiti. E accade che quando le guerre finiscono, e una dittatura si mette di lato lasciando il campo alla democrazia, i fuggitivi non tornino più alla loro terra, perché il Distrito Federal è diventato per loro una nuova patria: è l'esempio degli *argenmex,* gli argentini che ripararono qui per sfuggire alla dittatura militare, e qui sono rimasti nonostante i messicani, chissà perché, nutrano un'avversione per gli argentini seconda solo a quella per i gringos. Se non se ne vanno, vuol dire che tutto sommato la città non riesce a prendersi sul serio neppure nell'intolleranza. La sua lunga tradizione dell'offrire un rifugio agli sconfitti dipende certamente da una storia in cui i veri eroi, i miti tramandati, sono sempre dei vinti. Da Moctezuma e Cuauhtémoc a Villa e Zapata, i chilangos hanno sempre dimostrato un grande rispetto per la "nobiltà degli sconfitti" e un disprezzo viscerale per l'arroganza dei vincitori.

Il termine di "città cosmopolita" è abbondantemente inflazionato, e accade che molte capitali continuino a usufruirne nonostante da decenni si siano richiuse su se stesse spegnendosi lentamente. Ma quella messicana non potrebbe essere definita altrimenti, immigrati a parte, e senza considerare i sei milioni che ogni anno transitano dall'aeroporto Benito Juárez quasi sempre diretti altrove, México vanta la più grande e prestigiosa università dell'America Latina, che per intere generazioni di giovani da Città del Guatemala fino a Santiago del Cile rappresenta la speranza di una laurea altamente qualificata. Mentre una parte del Messico sogna gli Stati Uniti, buona parte dell'America Latina sogna Città del Messico. Il campus occupa una vasta zona di boschi e prati all'estremo sud, che nel 1955 si poteva ancora considerare periferia. Oggi è un polmone verde circondato da una colata di nuovi quartieri, che ormai oltrepassano addirittura l'inizio della statale per Cuernavaca, nello stato di Morelos. Costruzioni avveniristiche e smisurati spazi scultorei, facoltà che sembrano musei d'arte moderna e separate da chilometri di ampie strade immerse in un silenzio irreale, biblioteche funzionali e ricoperte di mosaici dai colori abbaglianti, sale da concerto la cui acustica è talmente perfetta che molti musicisti di fama internazionale le preferiscono ai sontuosi teatri del centro.

Meta obbligata dei protagonisti della cultura del XX secolo, Città del Messico ammaliò Majakovskij come Breton e Artaud, sviluppò un proprio movimento contemporaneo al futurismo e che si volle denominare "Estridentismo", dopo aver dato vita alla pittura muralista il cui massimo protagonista, Diego Rivera, si ispirava più a Giotto e alle policromie degli indios che alle contemporanee correnti artistiche europee. Eppure, conservando da un lato le preziose testimonianze dei fermenti culturali che la esaltarono fra le due guerre, l'odierna metropoli non dà certo segni di decadenza e non si adagia sui fasti del passato. Nell'ultimo decennio, mentre l'Europa si assopiva perdendo qualsiasi primato come punto di riferimento creativo, Città del Messico manifestava un risveglio artistico che l'avrebbe proiettata ai primi posti fra le capitali culturalmente vive. Una ventata di rinnovamento a tutto campo, dalla letteratura alla musica al teatro, una febbrile voglia di nuovo che sprigiona iniziative a ritmo convulso, e che la pone all'avanguardia anche in settori fino a ieri insospettabili, come ad esempio la grafica, al punto da istituire una Biennale a cui partecipano le più famose firme di Stati Uniti, Giappone ed Europa. Un clima che ha senza dubbio contagiato la più giovane delle arti, il cinema, che qui si sta manifestando con un nutrito gruppo di giovani registi meritori di maggiore attenzione da parte di un'Italia che, a differenza di Francia e Germania, raramente ne distribuisce le opere. Da un punto di vista strettamente imprenditoriale, per l'industria del cinema Città del Messico rappresenta la nuova mecca. Se avessimo la pazienza di aspettare gli ultimissimi titoli di coda, quelli scritti con lettere microscopiche, scopriremmo che buona parte dei successi hollywoodiani viene in realtà girata negli studi di Churubusco, la Cinecittà del Messico sviluppatasi pochi chilometri a est del campus universitario, che offre moderne strutture e materiali di prim'ordine a costi enormemente inferiori rispetto agli stabilimenti sulle colline di Los Angeles.

"Siamo la città più grande del mondo, è logico che qualsiasi cosa facciamo o costruiamo finisca con l'essere la più grande del mondo," mi diceva sogghignando con autoironia un amico che qui è nato e ha sempre vissuto. Percorrevamo l'avenida Insurgentes di notte, quando tutta la vita della metropoli sembra abbandonare il centro e si riversa furiosamente nella zona sud, tra la colonia Del Valle e San Angel. Insurgentes, con la sua quarantina di chilometri che alle dieci del mattino richiedono il resto della giornata per attraversarla da un capo all'altro, è ovviamente un record mondiale di lunghezza per una via nel cuore di una città. "Nel De-efe non abbiamo solo il museo più grande, ma anche lo stadio, l'Azteca... E credi che sia a Madrid, la *plaza de toros* più capiente? No, è la nostra, la plaza México! Persino il luna park ha il suo primato con le montagne russe più alte... Per la cattedrale, purtroppo, dobbiamo accontentarci di battere solo il resto del continente, perché a quei tempi il Vaticano non permetteva che se ne costruisse una più grande di San Pietro..." Era poi diventato serio di colpo accorgendosi di aver attraversato un semaforo senza rallentare. In effetti avevamo il verde, ma lui mi ha spiegato che su Insurgentes, la notte, ci sono le sfide fra ragazzi che si buttano in auto come proiettili e vince chi non toglie mai il piede dall'acceleratore, passando a centosessanta qualcosa come duecento incroci. *"Están locos,"* aveva sentenziato riprendendo la marcia, "ma che vuoi farci? A forza di avere ogni cosa più di tutti gli altri, ci ritroviamo anche i matti più matti del mondo... Però questo è niente, rispetto a certi 'effetti collaterali' della nostra *magnitud*: riesci a immaginare quale dimensione possa avere la montagna di spazzatura che produce quotidianamente una megalopoli simile? Con i rifiuti raccolti in un mese, ci raddoppi le Alpi... Nel De-efe, controllare le discariche significa avere più potere di un boss della mafia di Miami. Qualche anno fa, un certo Rafael Gutiérrez Moreno è finito ammazzato dalle revolverate della sua ultima moglie, che si era stufata di essere messa da parte dalle nuove arrivate nell'harem... Lo chiamavano 'lo zar dei *pepenadores*', che sarebbero i raccoglitori di immondizia, e ne controllava migliaia. Con tutto quello che tirava fuori dal suo impero di rifiuti, si calcola che guadagnasse settantamila dollari al giorno. Hai idea di cosa significhi in un anno? Be', c'è gente che per arrivare a cifre simili deve smuovere aerei stipati di cocaina, ti rendi conto? D'accordo, dicono che avesse almeno un centinaio di figli, e che accudisse tutti amorevolmente senza far mancare loro nulla, e i figli costano... Poi c'è il quartiere di case che ha fatto costruire per i suoi pepenadores, e l'esercito di guardie private a gestire i confini della discarica, che si chiama Santa Caterina ed è dalle parti di Iztapalapa, praticamente una città cresciuta su mezzo secolo di immondizie e di cui lui era il monarca assoluto... Dopo la sua morte, ci hanno messo dei mesi a fare il conto delle proprietà possedute da don Rafael. Riguardo al numero di persone che aveva fatto assassinare per questioni di ingerenze sul ritiro dei bidoni, hanno lasciato perdere come facevano prima, quando era vivo."

Più tardi avrei visto una foto di Gutiérrez Moreno su una rivista: stivali e pantaloni bianchi da cavallerizzo, camicia nera con aquile sui taschini, occhiali scuri e baffetti ben curati, cinturone con automatica 45 nella fondina. Così amava farsi ritrarre "*el rey de la basura*".

Kafkatitlán, l'ha ribattezzata qualcuno giocando sull'antico nome azteco di Tenochtitlán e l'apparente surrealismo dei suoi abitanti. Un surrealismo che è tale solo per gli occhi stupiti dello straniero, ma che rappresenta l'assoluta normalità per quella indecifrabile e impenetrabile filosofia del vivere che potremmo riassumere nel termine "messicanità". Tutti i paradossi e le incongruenze che esaltarono Breton, tanto da fargli definire il paese "l'unico al mondo istintivamente surrealista", a Città del Messico sembrano raggiungere il limite estremo. Lo scrittore Paco Ignacio Taibo II mi diceva proprio riguardo a Kafka: "È facile spiegare perché da noi non abbia il seguito che merita, e nessuno lo consideri un classico. Se fosse stato uno scrittore del Distrito Federal, al massimo avrebbe potuto fare il cronista in un quotidiano popolare... L'esasperata allegoria di certi racconti di Kafka per qualsiasi chilango rappresenta semplicemente il tirare avanti di ogni giorno".

Caotica, sconclusionata, invivibile, pazzesca: si potrebbe allungare all'infinito l'elenco di aggettivi che, pur appartenendole, non le renderebbero giustizia. Perché, a dispetto dell'immagine immediata e superficiale, Città del Messico è una megalopoli dall'inspiegabile armonia, che in realtà riesce a essere funzionale ed efficiente in ogni minima derivazione, a patto che si abbia la "pazienza" di capirne i meccanismi e le tacite regole. Come spiegarsi, altrimenti, che neppure il disastroso terremoto del 1985 poté metterla in ginocchio, o che qui non si siano mai verificati i drammatici black out che hanno scardinato gli equilibri di metropoli meno grandi e di eguale livello tecnologico. È facile, girando per le sue strade, avvertire una sensazione di precarietà diffusa, di improvvisazione che non può, ragionevolmente, non condurre a un ineluttabile collasso. Poi capita di scendere in una delle innumerevoli stazioni del metró, una rete a cui ogni anno si aggiungono nuove linee, e improvvisamente ci si ritrova in un mondo asettico e dall'insospettabile precisione nordica: un contrasto stridente con i volti della fiumana di corpi che rischia di avvolgerti e trascinarti nella direzione opposta, facce di indios dalla rassegnazione antica, di meticci orgogliosi delle proprie speranze, o di improbabili "executive" a cui completo blu e cravatta sembrano caduti addosso come una disgrazia estranea e mal sopportata.

È infatti il contrasto, più che il paradosso, a contraddistinguerla. Percorri la calzada de Tlalpan, superstrada che ne attraversa il cuore congestionato permettendo in certi tratti di raggiungere velocità da circuito, e prendi l'uscita di Miguel Angel de Quevedo, un viale alberato che per buona parte del giorno e della notte è paralizzato da un groviglio di auto: poi basta svoltare in un vicolo e ti ritrovi nel paesino coloniale di Coyoacán, dove scopri che, a poche centinaia di metri dal caos di lamiere e fumi di scarico, esiste un'oasi di silenzio attorno a una piazzetta rimasta immobile al XVI secolo, quando Hernán Cortés la scelse come residenza in attesa di costruire dalle macerie azteche la capitale della Nueva España. E il fatto inspiegabile è che non si tratta di un'isola pedonale, eppure qui il traffico è sempre scarso e comunque a passo d'uomo, e l'aria non odora di ossidi e anidridi. Coyoacán non è esclusiva quanto il quartiere di Polanco, residenza dei ceti alti dove i parametri di ricchezza farebbero impallidire molti miliardari del New Jersey, ma conserva un ambiente di artisti e scrittori che fin dagli anni trenta l'hanno eletta a colonia della bohème capitolina. Un caffè-libreria all'aperto, il Parnaso, è il punto di ritrovo per la discussione intellettuale della tarda mattinata, immersa in una quiete sonnolenta che rende difficile pensare di trovarsi nella zona più convulsa della metropoli.

Ben diversa è la situazione nel centro storico, dove il sovraffollamento diurno assume le proporzioni di un magma ribollente: il traffico privato è contenuto dai divieti, ma taxi e autobus faticano egualmente ad aprirsi un varco nella compressione di passanti frenetici, venditori ambulanti, turisti in stato confusionale, strilloni, giocolieri, musicanti, mangiafuoco da incroci che sostituiscono inutili lavavetri, bancarelle di video e audiocassette pirata a tutto volume, carretti di tacos e *perros calientes,* che sarebbe la traduzione locale di *hot dog*... E alle dieci di sera, come per un incantesimo fulminante, tutto scompare e il centro si trasforma in un deserto che mette una vaga inquietudine. Ma non è una zona a rischio, e per certi versi non lo è neppure la sua casbah, sebbene sconsigliata da tutti i negozianti a cui vi capiterà di chiedere dove si trovi il mercato di Tepito: a pochi isolati dalla cattedrale, è il regno dei *falluqueros,* i contrabbandieri. E sui banchi di Tepito scorre molta refurtiva, è indubbio, ma la maggior parte della mercanzia, la *falluca,* viene dalla frontiera, portata da camionisti che stipano di apparati elettronici i loro mezzi elargendo mazzette da entrambe le parti del confine. Anche Tepito, come Coyoacán ma per motivi opposti, è un villaggio isolato nel ventre del "monstruo": tutti i suoi abitanti si conoscono e la solidarietà è più forte di qualsiasi interesse, la strada resta ancora il luogo dell'incontro e della comunicazione, e i grattacieli che si scorgono dalle finestre di Tepito sono vicinissimi eppure lontani un secolo, un anno luce. La strada è anche una scuola di vita durissima, tanto che i migliori pugili del paese vengono dal quartiere di Tepito, dove si dice sorridendo che "i bambini nascono coi guantoni già infilati".

El Centro Historico. Qui ogni palazzo, ogni angolo sbrecciato o rimasuglio di statua erosa, ogni pietra di *tezontle*, la roccia vulcanica dal colore rosso scuro, sempre più scuro, raccontano la travagliata storia della *Raza*: "Non fu sconfitta e non fu vittoria, ma la dolorosa nascita del popolo meticcio", recita la lapide di Tlatelolco, dove si combatté l'ultima battaglia contro i conquistadores, conclusasi con un immane massacro. L'accorata convinzione di essere "razza" e non mescolanza di genti diverse non va intesa come vacuo nazionalismo da Terzo mondo: è il bisogno di un'identità, di affermare l'esistenza di radici comuni che non tengano conto del sangue ma dello spirito, del sentirsi parte di un unico sentire. La capitale è il simbolo stesso del concetto di "messicanità", perché qui confluiscono tutte le etnie e le differenti culture di un paese grande sette volte il nostro e variegato come pochi altri.

Sbucare nella plaza de la Constitución dopo aver percorso a piedi la Francisco Madero o la 5 de Mayo dà una sensazione di vertigine. All'improvviso si spalanca il vuoto, e l'affollamento svanisce nello spazio aperto: el Zocalo, la piazza principale, forse non sarà la più grande del mondo, ma la sua vastità è accentuata proprio da questo, dall'essere incastonata in una zona densa di tutto e frastornante di voci, rumori, odori violenti. Giungendo a metà dello Zocalo, il rumore affievolisce e giungono solo echi ovattati. Di fronte, il Palazzo Nazionale, col balcone da cui la notte di ogni 16 settembre il presidente lancia *El Grito* dell'indipendenza: *"Que viva México!"*. E nell'oceano di gente, c'è ancora oggi chi risponde: *"Afuera los gachupines"*, termine spregiativo con cui venivano chiamati gli spagnoli. I quali sono tutt'ora numerosi, e curiosamente si dedicano in buona parte alla gestione delle migliori rivendite di liquori e *ultramarinos*, i prodotti d'oltremare.

All'interno del Palacio, ingentilito da eleganti patii, si conserva una delle opere più famose di Diego Rivera, una serie di murales a cui l'artista dedicò lunghi anni di lavoro. Rappresentano l'intera storia del Messico, da Moctezuma alla Revolución. E arrivando a celebrare le imprese di Villa e Zapata, Rivera non ha tralasciato dei vistosi accenni ai padri del pensiero rivoluzionario. Così, data l'epoca di furore iconoclasta che stiamo attraversando, probabilmente questa resterà l'unica città al mondo dove l'effigie di Marx campeggia in un edificio governativo...

Sul lato nord della piazza sorge la Cattedrale Metropolitana, tre secoli di lavorazione che hanno lasciato sulla facciata l'elenco completo degli stili architettonici riscontrabili nel resto della città. Iniziata nel 1567 sull'impronta rinascimentale spagnola, fu terminata nel 1813 col neoclassico francese. Non manca neppure il *churrigueresco*, lo stile tardo barocco messicano. Come la maggior parte delle chiese erette dai colonizzatori anche questa sorge su un tempio azteco, a sancire il primato del Dio dei cattolici sulle divinità dei "pagani". Nel caso della cattedrale, trattandosi di una costruzione lunga 100 metri e larga 46, la piramide spianata era niente meno che il Templo Mayor, la più importante costruzione sacra di Tenochtitlán e quindi di tutto l'impero azteco. Gli scavi archeologici ne hanno riportato alla luce alcuni resti, tra cui un muro formato da centinaia di teschi scolpiti, le *calaveras,* identici alle maschere e all'artigianato che tutt'oggi accompagnano lo scanzonato culto della morte in Messico. Dunque, nonostante gli sforzi dei conquistadores, il filo che unisce la *raza mestiza* agli antenati aztechi non si è mai reciso. E da molto prima che quel muro fosse liberato dal terriccio, i bambini messicani ricevevano e continuano a ricevere nel giorno dei morti le calaveras di zucchero e marzapane, del tutto simili ai teschi "sorridenti" del Templo Mayor.

Sul lato occidentale, oltrepassando il Monte di Pietà e lo stuolo di compratori d'oro che ti spiazzano con l'inaspettata domanda "vuoi *vendere* qualcosa?", si arriva in uno dei luoghi più suggestivi dell'intera repubblica: la plaza de Santo Domingo, dai porticati coloniali stipati di scrivani che battono lettere sotto dettatura, pigiando parsimoniosamente sui tasti di macchine del tutto simili a quelle con cui venne redatta la Costituzione postrivoluzionaria. Li chiamano *evangelistas,* e sono profondi conoscitori della fantasmagorica burocrazia di Kafkatitlán nonché custodi di innumerevoli amori postali e piccoli grandi drammi familiari. Accanto a loro, segno dei tempi, trovano posto da qualche decennio dei tipografi "volanti", in grado di stampare in dieci minuti mille biglietti da visita offrendo una gamma di caratteri e combinazioni a dir poco incredibile. E su macchine rigorosamente azionate a mano, è ovvio.

Maestoso, abbagliante nei suoi marmi bianchissimi a onta del traffico, il palazzo di Bellas Artes troneggia sui vicini giardini dell'Alameda e rende imbarazzante la presenza a pochi metri della torre di vetro Latinoamericana. Teatro più importante del paese e sede di mostre e convegni, ospita gli affreschi dei tre immortali del muralismo, Orozco, Siqueiros e Rivera. Dall'esterno, è l'emblema della grandeur porfiriana, degli anni in cui Città del Messico vagheggiava una rivalità estetica con Parigi e Venezia: Díaz incaricò nel 1904 l'architetto italiano Adamo Boari di costruirgli il tempio dell'arte e della cultura senza limiti di spese, con marmi di Carrara e statue liberty eseguite dai migliori scultori dell'epoca. L'interno ha una sontuosità tenebrosa, marmi neri e ottoni e legni pregiati, in un art decó che avrebbe ispirato ed estasiato il D'Annunzio più decadente; sempre che non fosse salito al piano superiore, dove la violenza cromatica dei murales impone il primato della solarità sugli ombrosi atri del pianterreno. Tutto in Bellas Artes è grandiosità ed esagerazione; persino il sipario del teatro è un'opera di artigianato esasperatamente kitsch: una cascata di cristalli colorati eseguita da Tiffany di New York, e raffigurante i vulcani Popocatépetl e Iztaccíhuatl.

Dall'altra parte dell'avenida Lázaro Cárdenas, le poste centrali si rivelano una copia ridotta di Palazzo San Marco. E su ogni sportello in ferro battuto, campeggia una targa che recita: "Fonderie del Pignone – Firenze"... Percorrendo l'avenida per qualche centinaio di metri, si arriva alla mitica plaza Garibaldi, ritrovo dei *mariachis* che la sera si esibiscono nell'attesa di un ingaggio: feste e banchetti pubblici o privati sono le destinazioni più usuali, ma è ancora diffusa l'abitudine di sanare uno screzio coniugale tornando a casa con un coro che canta a squarciagola, e per farsi perdonare dalla propria *vieja* non c'è messicano che esiti a spendere lo stipendio di un mese in una nottata di mariachis.

I giardini dell'Alameda, che si estendono da Bellas Artes in direzione di Reforma, occupano lo spazio dove un tempo l'Inquisizione bruciava gli "eretici": tra i vari monumenti, c'è un nudo di fanciulla che sembra liberarsi faticosamente dai ceppi, ma la posizione del corpo e l'espressione del viso emanano una sensualità struggente. L'autore la chiamò *Malgré Tout,* malgrado tutto, e fu quel Jesús Contreras che entrò nella leggenda per aver eseguito la scultura col solo braccio sinistro, avendo il destro minato da un tumore che lo porterà alla morte a soli trentasei anni. *Malgré Tout* partecipò all'Esposizione Universale di Parigi del 1900 e fece guadagnare a Contreras la Croce di Cavaliere della Legion d'Onore, per poi restarsene nella quiete dell'Alameda, protetta da alberi secolari, a dimostrare che in questa megalopoli un'opera di simile valore può rimanere esposta in un giardino pubblico per quasi un secolo senza subire la minima offesa o deturpazione. Ma il senso civico dei chilangos non può nulla contro i fumi del progresso: qualche anno fa *Malgré Tout* fu trasferita in un museo, perché il suo corpo cominciava a diventare opaco e polveroso. Una copia in bronzo ha preso il suo posto, e gli abitanti del centro continuano a chiamarla *la gordita,* come facevano con la sua gemella.

Se l'Alameda è un'oasi troppo piccola per far dimenticare gli aspetti negativi del progresso, il parco di Chapultepéc è in compenso così vasto e rigoglioso da far perdere la voglia di rispettare qualsiasi altro impegno della giornata. Poche ore trascorse nei suoi viali ristabiliscono l'equilibrio nei polmoni affaticati dagli scarichi e dai 2240 metri di altitudine. Fra i giganteschi *ahuehuetes,* alberi che possono superare il millennio di età, sorge il castello che fu residenza dei viceré e quindi di Massimiliano d'Asburgo e dell'amata Carlotta, che alla fucilazione dell'imperatore impazzì e morì pochi anni dopo. I loro fantasmi, come si conviene a un castello testimone di romantiche tragedie, sembra vaghino ancora nelle stanze invocando l'uno il nome dell'altra, soprattutto nelle notti squassate dai temporali estivi.

C'è poi l'altra Città del Messico, quella rigorosamente off limits non tanto ai turisti, che in genere non hanno neppure occasione di conoscerne l'esistenza, quanto ai chilangos dei quartieri "alti", ai *fresas,* "fragolette", come vengono chiamati ironicamente i rampolli dei ceti emergenti. È la México della periferia nord, delle *colonias* grigie di polvere e dall'aria immobile, dove la speranza nel futuro può accontentarsi del semplice arrivare a sera, per ricominciare l'indomani a sopravvivere. È il De-efe di Nezahualcóyotl, agglomerato di casupole e baracche di lamiera, territorio dei *chavos-banda,* ragazzi e addirittura bambini che vivono in strada e combattono per il controllo di un isolato o per procurarsi il "cemento", i solventi che inalano fino a bruciarsi il cervello. Qui non è necessario essere un gringo per attirare antipatia: basta apparire abbastanza *güero,* cioè "dalla pelle bianca"...

È difficile accorgersi che esista tutto questo, e perfino immaginarlo, se si resta a Città del Messico qualche giorno e ci si limita a frequentare la sola Zona Rosa. Tra Reforma e Insurgentes Sur, qui le strade hanno nomi quali Amburgo, Firenze, Versailles, Milano, Londra... Le guardie armate, nella Zona Rosa, non stazionano soltanto davanti a banche e cambi, ma anche sulla porta di Gucci e Yves Saint Laurent. La vita comincia verso le due del pomeriggio, indolente e sorniona, per esplodere dalla mezzanotte in avanti negli innumerevoli locali dove l'eccesso è una regola e stupire è sempre più difficile. Ma la vera México, intanto, pulsa lenta e priva di inutile fretta nelle *cantinas* coi tavolini di lamiera e i muri scrostati, dove trovi immancabilmente qualcuno disposto a raccontarti una storia che può ancora stupire...

La pallottola vagante

William Seward Burroughs arriva a Città del Messico nel settembre del 1949, proveniente da New Orleans. Più che un viaggio, è una fuga. In aprile è finito in una retata dell'antinarcotici, era con un amico su un'auto rubata, aveva con sé una pistola non denunciata, e alcune lettere indirizzate ad Allen Ginsberg in cui elencava diverse qualità di marijuana con relativi costi di coltivazione. Perquisendogli la casa, hanno trovato un po' di eroina e ben dodici armi da fuoco, una vera mania ossessiva, quella per le pistole (e anche per ogni tipo di droga), che non lo abbandonerà per tutta la vita. L'avvocato gli ha consigliato di cambiare aria in attesa del processo: se durante la libertà provvisoria dovessero trovargli addosso anche un solo spinello, si beccherà almeno sette anni. Anche perché era già finito in carcere nel '44, quando un'amica di Jack Kerouac aveva ammazzato a coltellate il convivente e lui e Jack si erano incaricati di far sparire le tracce dell'omicidio (peccato che l'amica due giorni dopo si sarebbe costituita...), e all'inizio del '48 lo avevano messo dentro per guida in stato di ubriachezza.

Dunque, Burroughs vagabonda per il centro della capitale messicana – che nel '49 ha "solo" due milioni di abitanti – e sente che quel posto gli piace. Affitta un appartamento al 210 del paseo de la Reforma, poi torna a New Orleans per prendere con sé Joan e i bambini.

Joan Vollmer gliel'aveva presentata Kerouac a New York. Divorziata di recente, ha una figlia di cinque anni. Dal rapporto con Burroughs è nato, nel luglio del '47, William Seward III. L'unione con Joan è a dir poco *singolare*. Lui ha sempre avuto relazioni omosessuali, e lei va a letto con buona parte degli amici che capitano in casa. Eppure Burroughs è maleficamente attratto da Joan: dalla sua inadattabilità alla vita, dalla morbosa ricerca dell'autodistruzione a ogni costo e con ogni mezzo. Joan è l'unico suo demone al femminile.

Riempiti bauli, valigie e scatoloni, la non famiglia Burroughs approda a Città del Messico in ottobre. Per Bill, come tutti chiamano Burroughs, l'ambiente circostante è l'acqua in cui sperava di poter nuotare. Vita notturna esagerata, contrasti stridenti fra modernizzazione e culture antichissime, il jazz che insidia il primato ai ritmi caraibici, e soprattutto un'aria di libertà individuale assoluta: qui nessuno ti giudica per come appari o per quello che hai in corpo. E scrive subito a Kerouac: "Ti consiglio vivamente di venirci. Tutto quello che ho visto finora mi piace. I poliziotti lasciano in pace gli ubriachi, e chiunque può possedere armi... E poi ai messicani piacciono davvero i bambini. Non succede mai che ti rifiutino di affittare una stanza per via dei bambini. Qui c'è un'atmosfera di libertà generale. La curiosità è sconosciuta, alla gente non importa quello che fai".

È talmente inebriato dalla possibilità di fare quello che gli pare che... per qualche mese smette di drogarsi. Joan passa dalla benzedrina alla tequila. Bill medita di comprare un terreno, mettere su un *rancho*, chiedere addirittura la residenza, e intanto si dedica allo studio delle civiltà azteca e maya al Mexico City College, istituto fondato nel 1940 per fornire corsi di approfondimento a studenti statunitensi. Lui non avrebbe i requisiti per iscriversi, ma può avvalersi della qualifica di "veterano", grazie alla quale si schiudono tutte le porte gestite o finanziate dal governo Usa. In effetti, nel 1942 doveva andare in guerra, solo che, appena arruolato, lo avevano chiuso in un ospedale psichiatrico per cinque mesi. Dopo il congedo, ha diritto ai settantacinque dollari della pensione, che sommati ai duecento mensili inviati dai genitori gli permettono di non lavorare. Nel frattempo deve cercarsi un avvocato, sia per evitare l'estradizione nel caso lo condannino, sia per ottenere la residenza in Messico. E così conosce Bernabé Jurado, figlio di un latifondista fucilato da Pancho Villa. Jurado è un maneggione, un avvocato per malavitosi di mezza tacca (si suiciderà nel 1980, dopo aver ammazzato la moglie in un attacco di gelosia). Jurado accetta di seguire il "caso Burroughs", senza immaginare quali disastri combinerà tra qualche tempo...

In Messico, Burroughs inizia a scrivere il suo primo libro, *Junky*. E riprende a farsi di eroina. Gliela procura Dave Tesorero, un *chicano* conosciuto proprio nello studio di Jurado, la cui compagna, anche lei tossicomane, si chiama Esperanza Villanueva e ispirerà a Kerouac il romanzo *Tristessa*. Dave si rifornisce da Lola la Chata, straordinario personaggio di matrona che controlla il traffico di droga nella capitale corrompendo poliziotti e comandando uno stuolo di spacciatori.

Nell'estate del 1950 Bill e Joan cambiano casa, andando a vivere nella colonia Roma, a sud del centro storico. In quei giorni, Kerouac e Neal Cassady varcano la frontiera a Laredo e scendono verso la capitale. Entrambi si entusiasmano subito alla vita messicana, ma raggiunta la casa degli amici, Jack si dedica esclusivamente a bere e fumare marijuana e inghiottire pasticche d'ogni sorta, restandosene praticamente due mesi chiuso in una stanza. Neal torna a New York, ma anni più tardi si fermerà in Messico *definitivamente*: nel 1968 lo troveranno morto accanto ai binari della ferrovia a San Miguel de Allende, con una bottiglia di whisky vuota come unica compagnia.

Burroughs scrive, beve, e giocherella con le pistole, passione che continuerà a procurargli seri guai. Una sera, nel bar Ku Ku, punta il revolver in faccia a un poliziotto, e grazie al sangue freddo del *cantinero*, che sa come trattare gli ubriachi e lo disarma con suadente disinvoltura, Bill evita chissà quali conseguenze. Il poliziotto si limita a tenersi l'arma e lo lascia andare. Joan, nonostante la presenza dei bambini (che trascorrono molto del loro tempo con i figli dei vicini), continua imperterrita la discesa nel suo piccolo inferno: è innamorata della morte, la cerca con metodo, autodistruggendosi giorno per giorno.

Il 6 settembre 1951 i due si recano a casa di amici statunitensi, dove si ubriacano tutti. A un certo punto Joan si mette sul capo un bicchiere, sfidando Burroughs a dimostrare la sua buona mira. Gli altri non reagiscono: sono abituati alle stranezze del loro rapporto intenso quanto assurdo, pensano che giocare a Guglielmo Tell sia per entrambi una consuetudine... Bill spara. Joan cade. "Non scherzare..." dice lui. Poi vede il sangue alla tempia, e si precipita su di lei, urla, piange, la stringe a sé.

Joan morirà qualche ora dopo, in ospedale. Nel primo interrogatorio Burroughs racconta la verità. In seguito, su insistenza dell'avvocato Jurado, dichiara che dalla pistola è partito accidentalmente un colpo. È disperato, non sembra minimamente interessato alla sorte che lo aspetta. Gli amici, istruiti da Jurado, confermano la versione falsa, dopo aver svuotato la casa di Bill da armi e stupefacenti. Dopo soli tredici giorni di carcere, lo rilasciano su cauzione. Resterà in Messico un altro anno, finendo *Junky* che presto verrà pubblicato grazie a Ginsberg, e scrivendo un secondo romanzo, *Queer* (che resterà per trentacinque anni nel cassetto). Tornato negli Stati Uniti senza che la polizia gli contesti nulla, si ferma per qualche tempo in Florida, a casa dei genitori. E scrive a Ginsberg: "Non mi piace, qui. Non mi dispiace, qui. Ma sento che il mio posto è a sud del Río Grande. A Città del Messico provo la sensazione di essere a casa mia più che in qualsiasi altro luogo".

Poi si decide a riprendere il largo: un lungo vagabondaggio in Colombia, dove viene arrestato per visto scaduto e rilasciato nel giro di pochi giorni, e intanto contrae la malaria, quindi in Perú, sempre ingurgitando qualunque cosa lo spinga oltre i confini della realtà, compreso il famigerato *yagé* che gli provoca quattro ore di incubi ininterrotti rischiando la follia. La prende come una sfida personale: al termine di ben cinque *viaggi* a base di yagé, si dichiara soddisfatto e scrive a Ginsberg raccontandogli di aver finalmente "visto" il suo demone: è azzurro, anzi, di una tonalità di blu che vira al violaceo...

Nell'agosto del 1953 torna a Città del Messico. Vuole capire se sia ancora questo, il *suo* posto. In fondo, è qui che il demone si è manifestato la prima volta. Vaga senza meta, con in mano una copia appena stampata di *Junky*, che ha ritirato al fermo posta. Non saprebbe dire se stia provando soddisfazione, o se non gliene freghi niente: è come se il libro, adesso che lo può toccare, fosse diventato un oggetto destinato ad appartenere ad altri, non più a lui. E un passo dopo l'altro, sotto la pioggia, arriva davanti al Panteón Americano. La tomba di Joan è un loculo con il numero 82, nient'altro. Bill non lo sa. Chiede all'ingresso del cimitero, ma nessuno ricorda dove sia stata sepolta una certa Joan Vollmer in Burroughs. Dai registri, non risulta. Bill la cerca per ore, inutilmente. Bagnato fradicio, passa anche davanti a quella parete desolata, anonima, dove il numero

82 è nell'ultima fila in alto, ma lui non può immaginare che Joan sia lassù... Quando cala la sera, è costretto ad andarsene, e la stagione delle piogge che bagna Città del Messico, le tombe del Panteón Americano, il suo volto smagrito, impedisce di capire se siano gocce venute giù dal cielo o lacrime, quelle che scendono sulle sue guance.

L'uomo che varca la frontiera nord, nell'agosto del 1953, è uno scrittore che ha imparato a convivere con il demone annidatosi nel suo cuore, quello che lui chiama *ugly spirit*. Non tornerà mai più a sud del Río Grande. Il Messico gli ha dato e tolto moltissimo. Ha diviso in due la sua vita. Niente sarà più come prima.

Giocattoli rabbiosi

"Hai presente quella scena di *1997-Fuga da New York*, dove c'è una specie di ring circondato da una moltitudine di pazzi feroci arrampicati ovunque? Be', un *hoyo funky* è più o meno così..."

Federico Bonasso è il cantante del Juguete Rabioso, uno dei gruppi rock più famosi nel DF, e che gode di un singolare privilegio: è l'unica formazione a potersi esibire nelle due realtà assolutamente contrapposte, cioè i locali del rock riconosciuto dalle case discografiche e le "fosse" dell'heavy metal marginale, dove si riuniscono le bande e ogni concerto può trasformarsi in un macello. "Nonostante le apparenze, io posso mescolarmi ai *chavos-banda* senza finire linciato." Perché le "apparenze" di Federico sono quanto di più provocatorio ci sia, alla vista dei guerrieri metropolitani: è biondo, alto, e ha persino gli occhi azzurri... praticamente un invito a farsi accoltellare. L'immunità se l'è guadagnata sul campo: una sbornia col leader dei Banda Bostik, gruppo *rockero* tra i più seguiti dal teppismo locale. Senza stramazzare sotto il tavolo, Federico ha dimostrato di essere totalmente messicano a dispetto delle apparenze da *güero*, sia per linguaggio sia per gli atteggiamenti, anche se ha genitori argentini. "Per un europeo è difficile da capire, ma il nostro maggior problema è proprio questo: nel Juguete Rabioso ci sono uno spagnolo, un cileno, io mezzo argentino, e *solo* due messicani. Così dobbiamo faticare il doppio a conquistarci il pubblico, dal vivo." Perché la caratteristica principale del rock messicano è un forsennato sciovinismo istintivo, che impone testi e autori rigorosamente "indigeni". Con le bande, poi, la situazione si complica al punto da rischiarci la pelle.

Comincio a pensare che mi sto cacciando in un guaio, sentendo da Federico qual è il motivo che rende famoso il cantante dei Banda Bostik, conosciuto come El Guadaña, cioè "falce da fieno": più che per le doti vocali, è rispettato per aver ammazzato due capibanda rivali in "regolare duello".

"Ma devi tenere conto che quella è gente del barrio Nezahualcóyotl, all'estrema periferia nord, dove la vita non vale davvero niente e te la devi giocare ogni volta che scendi in strada." Adesso ho già qualche dubbio sulla necessità di vedere un concerto dal vivo. "Ma no, l'essenziale è andarci con qualcuno che sa *agarrar la onda,*" mi rassicura Federico. "Però evita almeno di lavarti per tre o quattro giorni, e mettiti la roba più stracciata e lercia che trovi." Ride, aggiungendo che a quel punto dovrò stare attento soprattutto alla polizia...

Per descrivere un hoyo funky si può tentare di ricorrere a immagini cinematografiche, però sforzandosi di estremizzarle, di esagerare in eccessi. Ad esempio, ne *I guerrieri della notte,* c'è una riunione di bande che finisce in battaglia campale. Ecco, qualcosa del genere, solo che qui le "comparse" hanno facce molto più arrabbiate. Un parcheggio in disuso, un capannone abbandonato, le macerie di una fabbrica sono i luoghi dove si tengono i concerti del "rock marginale". Sui manifestini ciclostilati e diffusi su tutti i lampioni dei quartieri popolari, c'è l'elenco dei gruppi che suoneranno, e un'inquietante raccomandazione in fondo che la dice lunga sull'ambiente: "Si invitano le bande a riunirsi in *buena onda* e senza armi".

È un raduno maiuscolo, questo, dato che ci sarà addirittura El Tri, il gruppo dell'ormai leggendario Alex Lora: va per la quarantina, suona solo per le bande, ed è l'unico a cui viene permesso di comparire in Tv senza poi finire lapidato, nel senso letterale del termine, dal suo pubblico naturale, che a chiunque altro non perdonerebbe il benché minimo contatto col "sistema". Anche Alex Lora è nato e cresciuto a Nezahualcóyotl, ha superato la selezione naturale imposta dal suo barrio, e grazie alla valanga di dischi venduti adesso vive in una comoda villetta nei quartieri sud.

Tutto intorno all'hoyo, che sarebbe il "buco", la fossa, è

schierata una legione di poliziotti dei vari corpi e "specializzazioni", ma tutti con l'espressione visibilmente schifata. Nessuno di loro si sognerebbe mai di mettere un piede dentro, ma stanno pronti a beccare qualche chavo-banda isolato, per massacrarlo come d'abitudine. "I giornali neanche lo riportano, quando ne trovano qualcuno buttato in un canale. E tanto meno la famiglia, considerando che la maggior parte di loro non ne ha mai avuta una," mi dice Ernesto, un amico che si è prestato a farmi da Virgilio in questa bolgia. Lui è nato nel DF, e conosce lo slang delle bande, un vero e proprio codice che vale quanto un salvacondotto.

La strumentazione è sgangherata, l'acustica lancinante, ma il livello di decibel senza dubbio coinvolgente. I gruppi si susseguono sul palco schivando lattine e scatolame vario, il tempo di permanenza dipende dall'abilità del cantante: se è capace di insultare più di quanto viene insultato, si conquista un certo feeling col pubblico. Riguardo ai testi, poi, è un festival di rapine, scippi, legnate coi poliziotti, e scariche di parolacce che forse soltanto in questo paese riescono a rendere così "penetranti"... Il tutto condito con una buona dose di autoironia in rima che risulta spesso divertente.

Mi distraggo a osservare un gruppetto che si contende uno dei tanti barattoli di "cemento", cioè mastice Resistol 5000, i cui vapori bruciano il cervello con una violenta sensazione di estasi. Ma molti adesso preferiscono la *carbona,* che sarebbe diluente per tintorie, più inebriante e letale. Al confronto, il crack è un omogeneizzato. Poi succede che Ernesto mi trascina da una parte a strattoni: una mandria di bufali passa a pochi centimetri in un'orgia di urla, polvere e rombo di scarponi. È cominciato lo *slam,* e per poco non ci restavo sotto. Quando la miscela di rumori, ritmi, insulti e diluenti raggiunge il culmine, si innesca lo slam. E centinaia di ragazzi prendono a correre in circolo, le prime file serrate come una falange all'assalto, e tutti gli altri dietro a spingere. Mulinano i giubbotti e se li sbattono sulla schiena, in faccia, e con le borchie e i distintivi è facile che salti qualche dente. Ma intanto ridono, finalmente, ridono anche quelli col sangue che gli cola sulla maglietta variopinta di oscenità, ridono e urlano a squarciagola liberandosi di tutte le frustrazioni e le paure accumulate in settimane di guerra per strada, di furti e fughe nei vicoli, di rabbia impotente e violenza insensata. Eppure, non sono "cattivi" in modo gratuito. Perché in Messico ogni situazione dipende dalla "onda" che trasmetti: e dopo un po', qualcuno ha cominciato a passarmi la sua birra. Grazie alle occhiatacce di Ernesto, ho capito che non devo rifiutare. Nella bottiglia di Superior c'è più alcol denaturato che altro, ma non accettarla sarebbe stato un insulto, una dichiarazione di estraneità. Superato un certo periodo di curiosità per l'animale di razza diversa, alla fine mi hanno completamente ignorato.

Ben diverso è l'ambiente del rock "ufficiale". Templi indiscussi ne sono il Rockotitlán, piccolo locale in una sorta di attico che dà su Insurgentes Sur, e il LUCC, che sta per *La Ultima Carcajada de la Cumbancha,* un cantinone con acustica discreta e pubblico moderatamente esagitato. In entrambi si susseguono i concerti dei gruppi più affermati, primo fra tutti i Caifanes, che ricordano un po' i Cure per la musica e trasmettono una depressione cronica in quanto a testi: *Mátame porqué me muero* è uno dei loro pezzi famosi, traducibile con "Ammazzami perché tanto sto morendo". I Caifanes, paradossalmente, hanno raggiunto il disco d'argento con un hit che è soltanto il rifacimento di una vecchia canzone cumbia, *La Negra Tomasa,* grazie al quale i produttori continuano a incidere i loro dischi. Più dark i Santa Sabina, che si avvalgono di un batterista che è tra i migliori nel vasto panorama messicano, e soprattutto di una cantante che supera in esasperazione persino Nina Hagen: musica ipnotica, testi ripetuti ossessivamente, grande capacità di catturare la platea e fondersi col pubblico. Gli Estados de Animo, invece, devono sicuramente qualcosa ai Roxy Music e ai Talking Heads prima maniera: è la formazione più sofisticata, ma anche quella che trascina meno dal vivo. Al contrario dei Maldita Vecindad – "maledetto vicinato", nel senso di imprecazione – che fanno uno ska furibondo con qualche puntata nell'afroantillano. Un fenomeno a parte sono i Bon y los Enemigos del Silencio, che la CBS ha lanciato alla fine degli anni ottanta, ma nonostante le quarantamila copie vendute col primo disco, non ha ancora permesso loro di incidere il secondo.

Vendite a parte, chi ha molta presa sul pubblico può

aspirare al Rock Stock, il locale più esclusivo dove però i frequentatori possono risultare pericolosamente "eterogenei". Ne sanno qualcosa i cinque del Juguete Rabioso, che hanno presentato qui il loro repertorio hard rock con sporadiche influenze reggae, e testi ovviamente "rabbiosi". Per loro sfortuna, tra il pubblico c'erano alcuni giovani funzionari del governo, che a un certo punto hanno detto al proprietario: "O li fai smettere, o da domani chiudi". E lui ha immediatamente staccato l'audio, causando una mezza insurrezione: lancio di cubetti di ghiaccio contro la cabina del mixer, seguiti da bicchieri e portacenere. Il tutto senza che i musicisti riuscissero a capire cosa stesse succedendo. Da quella sera, il principale network in FM, Rock 101, ha cancellato il Juguete Rabioso dalle programmazioni: risulta infatti che il proprietario del Rock Stock è il fratello di uno dei principali azionisti della radio...

Non è facile, la vita del *rockero* nel Distrito Federal. Per la *tira,* la polizia, qualsiasi assembramento è motivo di preoccupazione. Quindi si cercano tutte le scuse possibili per impedire concerti oceanici. Ne ha fatto le spese persino Bon Jovi, la cui tournée è stata cancellata a pochi giorni dall'inizio. Motivo: grave turbamento dell'ordine pubblico. È arduo immaginare che un Bon Jovi, col suo attaccamento alla mamma e alle delizie della famiglia, potesse aizzare le masse alla rivolta... Più concepibile che ciò sia avvenuto con i Black Sabbath, ma nel loro caso non c'è stato bisogno di un intervento governativo: ci hanno pensato gli integralisti cattolici, gli stessi che innalzando ritratti della Vergine di Guadalupe hanno devastato un museo dove si esponevano dipinti "licenziosi". Nella dichiarazione di guerra santa minacciavano di occupare una settimana prima ogni luogo empio, cioè stadi e campus universitari dove i Black Sabbath avrebbero tenuto i concerti. L'impresario li ha presi sul serio, comunicando la rinuncia quando buona parte dei biglietti era già venduta.

E mentre dalle nostre parti si discute se il rock possa resuscitare, se sia morto e sepolto o gravemente ammalato di sindrome reazionaria, in Messico sembra fare più paura adesso che ai tempi di Woodstock.

Accanto all'Angelo

Sono passati più di dieci anni dalla prima volta che l'ho visto, e quel diavolo di un angelo continua ad ostentare una brillantezza sfacciata, risplendente come se la patina d'oro gliel'avessero appena colata addosso, a dispetto di tutto il fumo che è costretto a sorbirsi ogni giorno e per buona parte della notte. Una Vittoria Alata dai tratti femminili, confermati in modo indiscutibile da un seno a dir poco prepotente, che si slancia nel vuoto quasi stesse per spiccare il volo dalla sua colonna altissima e planare sul paseo de la Reforma. Nella destra regge una corona di alloro, e nella sinistra un pezzo di catena, simbolo dell'oppressione finalmente spezzata.

Dopo una tormentata storia di progetti e gare d'appalto che risale fin dal 1843, e che dal generale Santa Ana e quindi da Massimiliano d'Asburgo era immaginato come arco di trionfo e non come colonna, finalmente nel 1902 Porfirio Díaz pose la prima pietra con tanto di elegante cazzuola d'argento. Meno nobile dovette essere il cemento usato, perché nel novembre del 1906 le cinquemila tonnellate del monumento verticale sprofondano sulla base troppo friabile. Si ricomincia tutto da capo. E nel 1910, miracolosamente in tempo per il centenario dell'indipendenza, l'ottantenne Porfirio lo inaugura, ultimo sfarzo prima di scapparsene in esilio. Per l'occasione, si decide che nessuna porzione di popolo debba rimanere esclusa dai festeggiamenti: compresi i malati del manicomio La Castañeda e i reclusi del famigerato carcere Lecumberri. Delegazioni di trenta paesi partecipano alla sarabanda di sfilate, esposizioni, balli, congressi, fuochi pirotecnici e svolazzi di colombe, causando una pioggia di critiche per gli sprechi sfrontati in un paese squassato dalla protesta sociale.

Negli anni trenta, la presa di coscienza "messicanista" sostituì parte dell'invereconda francesità del monumento: granito verde al posto del marmo, ornamenti aztechi in luogo di ghirlande, corone e leoni, animali del resto assenti dalla fauna del paese. Ne hanno lasciato uno, poiché è condotto docilmente per mano da un bambino, simbolo della forza di una nazione guidata dal suo governo gentile. Pace, Guerra, Legge e Giustizia sono altrettante fanciulle di bronzo morbidamente sedute agli angoli della base. E le spoglie dei padri della Patria vi riposavano dentro già dal 1925, ormai ridotte ai soli teschi di Hidalgo, Allende, Aldama e Jiménez. La lampada votiva, perennemente accesa, ha la forma di un tamburo usato dagli antichi guerrieri dell'altipiano, il *huéhuetl.*

Il 28 luglio 1957 la capitale fu colpita da un disastroso terremoto, e l'Ángel spiccò quel volo tante volte sognato, ma purtroppo brevissimo: si schiantò al centro del paseo, di faccia nell'asfalto. Gli ricostruirono la testa, l'ala e il braccio sinistri, e gli rinforzarono anche le gambe e i piedi. Un ancoraggio più profondo lo avrebbe costretto a rimanersene fermo per tutti i sismi successivi.

Nell'interno c'è una cripta che pochissimi hanno avuto l'opportunità di visitare, dove si custodisce tra gli altri cimeli una statua in marmo di Carrara che raffigura un singolare personaggio: Guillén de Lampart. Conosciuto anche come Lombardo de Guzmán, era nativo dell'Irlanda e aveva studiato dai gesuiti prima a Dublino, poi in Inghilterra e infine in Spagna. In Messico ci arrivò nel 1640, venticinquenne al seguito del viceré marchese di Villena. Subito rinunciò a ogni privilegio e si vestì da frate, per dedicarsi a percorrere l'intero paese lanciando prediche infuocate contro la corona spagnola. Sembra però che gli ideali indipendentisti di Guillén de Lampart non fossero così disinteressati, poiché tra i suoi malcelati propositi c'era quello di proclamarsi "imperatore di tutti i messicani". L'Inquisizione non lo prese affatto per pazzo, e lo incarcerò come apostata. Nei diciassette anni di prigionia avrebbe scritto, su strisce di lenzuola e impiegando una miscela di cacao e cenere come inchiostro, l'opera dal titolo *Regio Salterio,* considerata di notevole livello letterario. A quarantaquattro anni la Chiesa cattolica e apostolica decise di porre fine alle sue sofferenze terrene, bruciandolo sul rogo. Nei pochi testi che lo ricordano viene definito, oltre a eretico e scrittore, anche cospiratore, esaltato, e falsario. Non sono riuscito ad approfondire il motivo di quest'ultima qualifica, ma non credo che il visionario ribelle irlandese avesse mai stampato banconote contraffatte. La sua presenza nella cripta si deve all'interessamento di un discendente, che scrisse una lettera a Porfirio Díaz sollecitando una menzione del pittoresco trisavolo. Il presidente non si curò di far eseguire ulteriori ricerche storiche, e seduta stante ordinò all'architetto Antonio Rivas Mercado di far eseguire una statua alta più di due metri. La straordinaria somiglianza con Don Chisciotte rende pienamente merito al personaggio.

È a pochi passi da quest'angelo conturbante, e dai suoi curiosi compagni di cammino attraverso i travagli di un secolo, che viveva Octavio Paz.

Un giorno la scrittrice Elena Poniatowska mi aveva dato il suo numero di telefono, aggiungendo che purtroppo non poteva contattarlo personalmente per convincerlo a ricevermi. Io stavo vagabondando in cerca di ricordi, reperti, a volte soltanto sensazioni sospese, che riguardassero Tina Modotti. E proprio a questo riguardo la Poniatowska aveva avuto un recente scambio di articoli poco amichevoli all'interno di una polemica sulla figura di Tina. Octavio Paz la conobbe in Spagna, durante la guerra civile, quando lui era un ventenne accorso come tanti a combattere per la libertà senza porsi troppe questioni ideologiche. Negli ultimi tempi, attraverso le pagine della sua rivista "Vuelta", Paz ha avanzato pesanti dubbi sulla limpidità politica di Tina Modotti, definendola "stalinissima". Ho tentennato due settimane prima di decidermi a chiamarlo, convinto che l'allora candidato al Nobel avesse ben altri impegni per poter ricevere uno sconosciuto privo di qualsiasi referenza, orbato persino del labile vantaggio di poter dire "mi manda Elena Poniatowska".

Poi, quando finalmente ho composto il numero, Octavio Paz non solo ha risposto senza anteporre la serie di filtri e interrogatori di segretarie che temevo, ma ha subito rivelato una certa curiosità per i dubbi e le incertezze che gli ho accennato sull'argomento. Pur anticipando che non mi avrebbe potuto concedere più di "venti minuti", il suo tono di cordiale confidenza mi ha fatto sentire un po' stupido per aver aspettato tanti giorni prima di chiamarlo.

Dandomi l'indirizzo, ha aggiunto: "Proprio vicino all'Ángel, non può sbagliare".

Era un appartamento al secondo piano di un palazzo mastodontico, che come ogni altro su Reforma riluce di banche futuribili e compagnie aeree, edifici dalla modernità maestosa che sovrastano e si alternano a incredibili villette in stile tirolese o provenzale. Nell'ascensore campeggiava una targa lucidata di fresco: "Sabiem – Bologna".

La gentile familiarità con cui mi accolse dissipò immediatamente il velo di formale distanza che avevo creduto dover sostenere. All'interno, l'appartamento si rivelò un sorprendente labirinto: per seguirlo nello studio, attraversai anche un giardino, una sorta di patio che ancora non ho capito come potesse trovarsi al secondo piano di un edificio simile. L'impressione era di stare in una villa isolata sulle colline a sud della metropoli, anziché nel suo cuore pulsante di traffico e attività commerciali. Ovunque, sul pavimento e alle pareti, ricordi di viaggio catturati in ogni angolo del mondo, frammenti di arti antiche e artigianati lontani nel tempo, memorie degli anni in cui fu diplomatico in Oriente accanto a presenze di culture africane e delle Americhe precolombiane. Non un museo, e nulla che evocasse il rimpianto o la nostalgia, nessuna sensazione di estetismo decadente: al contrario, un'aria di energia vibratile, di produzione frenetica confermata dall'arruffarsi di fogli e pubblicazioni sparsi sulla decina di metri quadri della vasta scrivania, nello studio inondato dal sole come ogni altro ambiente della casa. E Octavio Paz invertì subito i ruoli che immaginavo dovessimo rispettare, prendendo a farmi domande a raffica come se l'intervistato fossi io, che non avevo certo pensato di avere tutte quelle cose da raccontargli. Era appena tornato da Valencia, dove avevano organizzato una replica, a distanza di mezzo secolo, dei congressi degli intellettuali "antifranchisti". E la scoperta di questa nuova Spagna percorsa dai fermenti nazionalistici, frantumata da autonomismi vecchi e nuovi, lo animava a chiedermi mille particolari sull'Italia, e se anche da noi fossimo impazziti a quel modo, e quali riviste e pubblicazioni sortissero tali spinte alla disintegrazione, e quante differenze vere o presunte si manifestassero fra le varie culture ed etnie delle genti italiche... "In Spagna ho scoperto questo fenomeno dei giornali in dialetto," mi disse, "una proliferazione che in certi casi mi è sembrata eccessiva. Non metto in dubbio che il catalano o il basco siano lingue a sé, ma la corsa sfrenata a questa sorta di 'indipendentismo' parossistico ha coinvolto anche regioni che fatico a riconoscere come culture estranee a quella castigliana."

Più tardi, esaurita l'esposizione che tentai di fare sugli "autonomismi" italiani, avremmo parlato a lungo di quel tragico 1937, quando Octavio Paz sentì nascere i primi dubbi su un ideale che lo aveva portato a battersi in Spagna e che si rivelava drammaticamente distante dalla realtà di trame e faide staliniane. La sua poesia *No pasarán* sarebbe diventata un simbolo e una parola d'ordine non solo di quella guerra civile, ma di tutte le resistenze alle dittature del continente latinoamericano. Quel giorno, seduti nello studio dove le ombre dei ricordi si allungavano per la luce obliqua dell'imbrunire, Octavio Paz sembrò voler credere di non aver reciso i legami che lo avevano unito a passioni ormai lontane. "Conservo l'impossibilità di dimenticare. Non potrei e non lo vorrei. Ma... la memoria ha ben poco da spartire con la realtà odierna."

Poi si alzò di scatto, come per sbarrare il passo a una qualche forma di rimpianto, ristabilendo quella serenità assoluta che aveva sempre emanato il suo modo di parlare e i gesti pacati, privi di incertezza. Sorrise, guardando l'orologio: i venti minuti si erano dilatati oltre ogni aspettativa reciproca.

Fuori, cominciavano ad accendersi le luci sulla sommità della colonna, e l'Ángel, di sera, appare ancor più pulito e limpido, un fantasma di oro puro sospeso nel cielo.

L'orgoglio del Monstruo

Da megalopoli più grande e popolosa del mondo, Città del Messico vanta una serie di record planetari, ma quello di cui va sommamente fiera è senza dubbio il suo Centro Historico, così vasto da poter contenere quelli di Madrid, Barcellona e Lima messi insieme. Eppure, fino a due anni fa, il centro storico del Distrito Federal era anche la principale fonte di grattacapi per il sindaco-governatore di turno, il cosiddetto *regente*: ben millecinquecento monumenti storici, in buona parte palazzi abitati o adibiti a funzioni pubbliche, il cui progressivo deterioramento rischiava di veder sgretolare un patrimonio culturale dell'umanità, e poi il traffico di trecentocinquantamila veicoli, l'occupazione *abusiva* di ogni centimetro di marciapiede, e così via, il tutto condito da una certa dose di insicurezza che, pur non sfiorando i livelli di violenza metropolitana di tante altre capitali meno vaste e popolose, faceva crescere il malcontento dei *chilangos*, che amano visceralmente il loro *querido monstruo* al punto da negare persino l'inquinamento. Che per la verità è a livelli minori del passato, grazie a una serie di leggi varate da tempo e che cominciano a dare buoni risultati; ma resta indubbio che nel centro storico, con le sue vie strette dove basta poco per creare un imbottigliamento, i gas di scarico ristagnano di più rispetto alle ariose avenidas dei quartieri residenziali, grazie anche alle vaste aree di verde che il centro non può permettersi. Un primo passo avanti fu fatto dopo il disastroso terremoto dell'85: al posto degli edifici crollati – tutti di recente costruzione, nessuno di epoca coloniale – vennero lasciate ampie piazze con giardini e piccoli parchi, concedendo rare licenze edilizie dove già sorgevano, per esempio, grandi alberghi: è il caso dell'incrocio tra l'alameda Central e il paseo de la Reforma, che oggi vede troneggiare lo Sheraton Centro Historico e il Gran Meliá Reforma, probabilmente i due hotel più lussuosi e avveniristici dell'intero continente.

Poi, con l'elezione di Manuel López Obrador a *regente* della capitale federale – candidato del "centrosinistra" capeggiato dal Partido de la revolución democratica – molte cose hanno cominciato a cambiare nella megalopoli. Innanzi tutto, il sindaco-governatore viene finalmente eletto dai cittadini, mentre prima lo designava il potere esecutivo. E da esponente di spicco del partito d'opposizione, López Obrador aveva sulle spalle responsabilità enormi, come dover dimostrare che le cose potevano realmente cambiare, e che i tanti slogan sul "buongoverno" non erano semplici promesse elettorali. Senza pretendere di stilare l'elenco dei miglioramenti e delle (immancabili) delusioni, resta il fatto che a partire dal 2002 l'opera di restauro e rivitalizzazione del centro offre oggi al turista una meta irrinunciabile, nella speranza che i milioni di stranieri che transitano dall'aeroporto Benito Juárez non rimbalzino subito verso spiagge dorate o siti archeologici o perle coloniali del Sud e del Nord, ma decidano finalmente di scoprire la città più affascinante e bella delle Americhe. In quanto ai chilangos, si nota a prima vista che vanno orgogliosi dei lavori di *remodelación* che hanno restituito a chiese barocche o palazzi liberty la maestosità che li contraddistingueva nel loro sfarzoso passato.

L'operazione più criticata e dileggiata di López Obrador – oggetto di infinite *bromas*, cioè battute e prese in giro – è aver ingaggiato a suon di milioni di dollari l'ex sindaco di New York Rudolph Giuliani per stilare un piano "anticrimine". Ancora non è chiaro in cosa sia consistito, ma si deve sicuramente ai singoli funzionari d'ogni livello della nuova amministrazione capitolina se le cose vanno meglio, dal punto di vista della sicurezza. La traumatica riforma della polizia cittadina, con licenziamenti in tronco (e anche arresti) per corrotti e collusi con la malavita, ha provocato momenti di tensione acutissima, ma alla fine la sfida è stata vinta, e questo intenso lavoro di pulizia interna conta senz'altro di più delle tante novità estetiche (come le colonnine SOS per passanti scippati... che, comunque, funzionano davvero), o dell'assidua presenza di agenti che ostentano sul petto la serie di lingue che sono in grado di parlare. Ma il vero risultato della "rivitalizzazione" a 360 gradi è la partecipazione dei cittadini, che hanno riacquistato fiducia nelle istituzioni e non si limitano più a rassegnarsi di fronte ai soprusi: si deve soprattutto a loro, ai chilangos, questa ventata di rinnovamento palpabile ovunque, alle innumerevoli persone pronte quotidianamente a opporsi ai corrotti di qualunque livello. E il potere amministrativo non insabbia più le denunce, al contrario: ecco a cosa si deve il risultato straordinario di un enorme calo della micro (e macro) criminalità nella megalopoli più grande del mondo, non certo alle strapagate ricette del "duro" Giuliani.

Se si considera il numero di abitanti, l'efficienza di Città del Messico lascia sbalorditi: i trasporti pubblici, per esempio, e in particolare la metropolitana (venne creata su modello di quella parigina, oggi la supera in estensione di linee e numero di passeggeri al giorno), la raccolta dei rifiuti, la costruzione di nuovi viadotti che decongestionano il centro, la ristrutturazione di nove chilometri quadrati di antichi edifici in stato fatiscente, e sempre conservando gli stili architettonici originali. Insomma, sarebbe auspicabile che la sua amministrazione tenesse corsi di formazione per sindaci e assessori delle nostre infinitamente più piccole metropoli.

La *mexicanidad* è un sentimento che forse solo Octavio Paz e Carlos Fuentes sono riusciti a esprimere nella loro opera letteraria, e si nutre essenzialmente di un profondo amore per le proprie radici e di un senso di "perdita", di rimpianto inesplicabile, e al tempo stesso di orgoglio e fierezza per il patrimonio culturale tutt'ora posseduto. Città del Messico vanta una miriade di musei che sono tra i più ricchi e meglio organizzati al mondo. Qui la cultura del museo è genuinamente "popolare", nel senso di fruibilità e prezzo d'entrata economico (quando non gratuito) e si è avvalsa dell'impegno di esperti che hanno dedicato l'intera esistenza a tale scopo. Se il Museo di antropologia e storia è un altro record planetario per estensione delle sale e quantità di reperti esposti, mi limito a consigliare al viandante uno dei musei più recenti (del 1994), il Dolores Olmedo, che prende nome dalla mecenate nonché proprietaria della *hacienda* da lei destinata, prima della sua recente morte, a diventare uno dei musei più interessanti e ammalianti del

Messico. Dolores Olmedo fu amica e modella di Diego Rivera, e dedicò tutte le sue risorse economiche ad acquistarne i dipinti migliori, i bozzetti dei murales, persino le collezioni di statuette precolombiane, e anche molte opere di Frida Kahlo, che oggi si possono ammirare qui grazie a chi ha impedito che si disperdessero tra i collezionisti privati. Dolores Olmedo fino all'ultimo dei suoi giorni ha partecipato ad aste in varie parti del mondo per recuperare le opere d'arte degli artisti più amati, esposte in una tipica hacienda messicana con parco nella zona sud della capitale, al 5843 di avenida México, quella che è stata la sua residenza. Tra pavoni reali e cani aztechi (in via d'estinzione) di pura razza xoloizcuintli, pronipoti degli stessi che gironzolavano nel giardino di Frida e Diego, il visitatore viene avvolto dall'atmosfera dei tempi d'oro di Città del Messico, quando era il punto di attrazione per artisti e intellettuali dei cinque continenti.

E oggi? Be', come dice Harold Pinter, "macché New York o Parigi: quando voglio respirare cultura vera e rinnovare le energie intellettive, vado a Città del Messico".

I giardini di Acatonalli

Il lirio acquatico ha un nome gentile e la forma elegante con le sue foglie che si protendono sull'acqua così fitte da creare un'illusione di terraferma, e le infiorescenze delicate e all'apparenza fragili. Eppure, fra le molte cause dell'agonia di Xochimilco, il lirio è il più subdolo responsabile del soffocamento di questo sobborgo all'estremo sud della metropoli, che nel secolo scorso veniva definito "la Venezia del Messico". Quei fosfati derivanti dallo scarico dei detersivi che da noi si traducono in alghe e mucillaggini, a Xochimilco hanno favorito la sproporzionata proliferazione del lirio, al punto da togliere tutto l'ossigeno all'acqua strangolando le altre forme di vita. Qualche anno fa si scoprì che un curioso mammifero appartenente alla specie dei sirenidi, il *manatí*, è un vorace divoratore di lirio acquatico. Due coppie furono pertanto lasciate libere nei canali, con la speranza che si ambientassero moltiplicandosi in fretta. L'abbondanza del cibo di cui vanno ghiotti i manatí all'inizio ne fece delle creature felici, tanto da renderle un po' troppo esuberanti, poiché furono molti i barcaioli che si presero un indimenticabile spavento nel venire scaraventati in acqua dai loro assalti tutt'altro che amichevoli. Infatti i manatí si erano ambientati così bene da ritenere le canoe delle intruse, e ogni volta che ne capitava una a tiro la rovesciavano a spallate. Considerando che nessuno ne aveva mai visti prima, e che il manatí adulto può misurare fino a cinque metri di lunghezza, molti degli abitanti di Xochimilco presero a usare il remo in maniera poco comprensiva verso la missione ecologica dei poveri animali. Scomparsi i manatí, il lirio continua a essere combattuto coi vecchi mezzi di sempre, strappandolo con le mani quotidianamente o con delle specie di tagliaerbe anfibie durante le campagne di disinfestazione del municipio.

Alcune delle sei sorgenti che diedero vita alla città lacustre – Tepepan, Acuescomal, Nativitas, La Noria, San Gregorio e Santa Cruz – si sono esaurite da quando Porfirio Díaz nel 1905 decise di convogliarne le acque per rifornire la capitale. Da allora è cominciato il lento ma inarrestabile abbassamento del livello nei canali, a cui si è tentato di porre rimedio facendovi affluire la sorgente del Cerro de la Estrella e immettendo acque di scarico depurate. La leggenda della fertilità di Xochimilco e dei suoi fiori famosi in tutta la repubblica nacque otto secoli fa, quando il primo re degli xochimilcas, Acatonalli, si rivelò ardito ingegnere e fantasioso agronomo creando le *chinampas,* i giardini galleggianti costruiti su armature di legno e fibre intrecciate, e riempite di fanghiglia e terra di sottobosco. Nel giro di pochi decenni, i suoi sudditi non conobbero più carestie per scarsezza di terreni coltivabili o periodi di siccità. Le chinampas di Acatonalli producevano in qualsiasi stagione ortaggi e frutta, erbe medicinali e tutte le varietà di fiori necessari alle cerimonie religiose. Inoltre, le coltivazioni attiravano cervi e lepri, e quindi i vari predatori, fra i quali il *tigrillo,* un puma la cui testa ornava immancabilmente l'elmo dei capi guerrieri. Contadini e cacciatori, gli xochimilcas non disdegnavano certo la pesca, visto che nei canali tra i giardini galleggianti prosperavano trote, carpe, e persino tartarughe. Prima che arrivassero i conquistadores, il mercato di Xochimilco era il più famoso dell'impero azteco. E gli spagnoli se ne appropriarono rendendolo un centro di commercio fiorente, con l'unica restrizione per quanto riguardava le armi e la seta, una loro esclusiva assoluta. Accordarono agli xochimilcas anche l'uso di bestiame da soma per il trasporto, normalmente vietato ai vinti nel resto delle colonie, e i loro mercanti si spingevano fino all'estremo sud di Oaxaca come al nord di Zacatecas. È in questa zona che si è verificato uno dei rari casi di rispetto da parte degli spagnoli per una costruzione sacra, data la maniacale distruzione di edifici per piantarci esattamente sopra una cattedrale a simbolo della supremazia del Dio cattolico sugli dèi pagani. O forse si trattò di semplice distrazione, perché la piramide circolare di Cuicuilco risale ad almeno mille anni prima di Cristo, e magari nel XVI secolo era già ricoperta di vegetazione. Oggi si ritrova, attonita e intimorita, in un angolo del quartiere ipermoderno del Perisur, circondata da grattacieli di banche e superstrade a dieci corsie, aggredita dal formicolio frastornante dei centri commerciali e assurdamente a suo agio nella megalopoli che ha fatto del paradosso architettonico uno stile di sopravvivenza per le antiche vestigia.

Il magma di cemento abitato ha da molti anni scavalcato il pueblo di Xochimilco, dilagando per decine di chilometri più a sud e aumentando la sua popolazione fino al mezzo milione attuale rispetto alle undicimila anime di un secolo fa, e il rito della gita domenicale sulle larghe "gondole" addobbate di fiori e scheletrini vestiti a festa ha ormai ben poco da spartire con l'immagine di un tempo. Il sapore un po' acidulo della messa in scena per turisti non è ancora così forte, ma si sente. L'ambiente e il paesaggio sono rimasti comunque abbastanza simili a quel giorno di primavera del 1940, quando proprio su uno di questi imbarcaderi il vecchio Trockij fu presentato a Ramón Mercader, il suo futuro carnefice. Erano rarissimi i casi in cui l'ex comandante dell'Armata Rossa lasciava la casa-fortino nella vicina Coyoacán, e una gita in barca a Xochimilco rappresentava un evento eccezionale, tale da mobilitare gli ultimi fedeli segretari che gli facevano da guardie del corpo. E fu nella quiete di questi canali allora più fioriti di oggi, tra le sporadiche orchestrine galleggianti dei *mariachis*, che Trockij fece l'ultima gita della sua vita. L'accettazione di quel discreto e cortese fidanzato di Silvia, una collaboratrice che godeva di totale fiducia, avrebbe aperto di lì a pochi mesi il portone blindato della casa inespugnabile al sicario mandato da Mosca. Forse, senza quella domenica di sole trascorsa assieme a Xochimilco, per Ramón Mercader sarebbe stato più difficile avvicinare la sua vittima e cominciare a conquistarne la confidenza.

Oggi, percorrere i canali incrociando le barche variopinte dei mariachis in fondo è ancora una riposante attrazione per le famigliole delle colonie del Centro e del Nord, che qui ritrovano pur sempre un frammento di aria a basso contenuto di anidride solforosa. L'*Ayuntamiento* di Xochimilco ha da tempo lanciato un appello alla riforestazione, piantando nuovi alberi di varietà particolarmente robuste e a rapida crescita, e riuscendo in parte a far sentire meno soli i pochi giganteschi *ahuehuetes* superstiti, gli stessi a cui venivano ancorate le chinampas. A decimarli, una volta tanto non è stata l'irresponsabilità degli uomini o le conseguenze dei loro tubi di scarico, ma un piccolo vermetto assassino, dal nome che suona come un'atavica maledizione: *malacozoma azteca*. Le sue larve hanno infestato l'intera Valle de México, accanendosi soprattutto sugli alberi secolari di Xochimilco, e guadagnandosi l'appellativo meno austero di *gusano barrenador*, il verme trivellatore.

Vendette della natura a parte, il vero problema di Xochimilco è il ricambio delle acque. Sembra appurato che lo stravolgimento dell'ecosistema del lago abbia addirittura cambiato il clima dell'intera vallata del Distrito Federal, alzandone la temperatura e diminuendo la frequenza delle piogge. E pur con i suoi circa duecento chilometri di canali, Xochimilco è cresciuta in densità abitativa proporzionalmente al ritirarsi delle acque. Le anziane discendenti degli xochimilcas ricordano che fino a pochi decenni fa andavano a vendere le loro mercanzie nelle colonie del centro trasportandole in barca, e le madri riuscivano addirittura a raggiungere la piazza dello Zocalo con le canoe colme di fiori per il Venerdì Santo. Delle innumerevoli chinampas costruite dal 1200 a oggi, ne restano circa seimila, ma meno della metà sono ancora coltivate, e i fiori hanno sostituito in gran parte gli ortaggi. Il primo erbario del continente americano fu stilato proprio da un indigeno xochimilca convertitosi alla cultura europea, Juan Badiano, che tradusse in latino gli antichi testi in náhuatl. E con una simile tradizione, non è un caso che a Xochimilco si trovino alcuni vivai tra i più rinomati del mondo, dove si producono oltre duecento varietà di rose esportate negli Stati Uniti e in Giappone, alcune create dal decano dei floricoltori messicani, l'ottuagenario don Pablo che ha scelto per loro nomi quali "Moctezuma" e "Guadalupana". Ma la vera "rosa" all'occhiello di don Pablo è una varietà che risulta la più piccola tra tutte le specie conosciute: per dimostrare al visitatore fino a che punto siano ridotte le sue dimensioni, prende un ditale e ci infila dentro un mazzetto di dieci rose... ovviamente aperte e formate, perché di boccioli chiusi ce ne starebbero anche di più.

Nel 1840 la marchesa Calderón de la Barca annotò nel suo diario lo stupore per i coloratissimi giardini galleggianti di Xochimilco, ammirati durante una gita in canoa. E concludeva, già un secolo e mezzo fa, con una frase di rimpianto per ciò che dovevano essere quei canali ai tempi in cui la vegetazione era rigogliosa e immune dai guasti della civiltà, scrivendo che “oggi si può avere soltanto una vaga idea dell’immensa varietà di fiori che debordavano sulle chiare e limpide acque del lago”.

El Indio Fernández

Nel 1927 la Academy of Motion Picture Arts and Sciences di Hollywood incaricò lo scenografo C. Gibbons e lo scultore G. Stanley di realizzare una statuetta da usare, a partire dal 1929, come premio per una serie di Academy Award da conferire ogni anno a sei categorie (divenute attualmente venticinque) comprendenti i film, i registi, gli attori, gli sceneggiatori, gli autori di colonne sonore, fino ai premi speciali alla carriera e alle attività collaterali del cinema. La statuetta verrà ribattezzata popolarmente Oscar, e per realizzarla scelsero uno sconosciuto che lavorava occasionalmente come comparsa ed elettricista di scena. Aveva il fisico perfetto per fare da modello, e in cambio di pochi dollari accettò di posare. In seguito, nessuno ne avrebbe fatto il nome, sia perché "Oscar" doveva rappresentare chiunque e nessuno in particolare, sia perché il modello non era neppure statunitense, ma messicano. Si chiamava Emilio Fernández, soprannominato El Indio per i tratti del volto, e sarebbe diventato attore e regista tra i più affermati del cinema messicano, noto anche a livello internazionale per alcuni film di particolare successo. Ammirato da Sam Peckinpah, che ne diverrà amico e compagno di memorabili sbronze, dopo aver fatto da aiutoregista in *Sierra Charriba* avrebbe interpretato il personaggio del generale Mapache nel celebre *Il mucchio selvaggio*, accanto a William Holden ed Ernest Borgnine, lavorando anche in *Pat Garrett & Billy the Kid* e *Voglio la testa di Garcia*.

All'angolo tra calle Dulce Olivia e calle Zaragoza, nel quartiere coloniale di Coyoacán a Città del Messico, sorge una dimora maestosa e bizzarra al tempo stesso, costruzione labirintica su quattordicimila metri quadri di terreno che comprende anche scuderie per i cavalli, piscina, giardini, fontane e soprattutto un'immensa *cantina*, nel senso di bar messicano dotato, fino a dieci anni fa, di ogni bevanda alcolica conosciuta al mondo, ma dove tequila e mezcal surclassavano in quantità qualsiasi altra. È la casa che El Indio Fernández fece costruire tra il 1945 e il 1950, nel periodo che segnò il suo apice come regista di successo, dirigendo una delle più grandi star dell'epoca, Dolores del Río, in pellicole entrate nella storia cinematografica messicana. Dalla morte dell'Indio, avvenuta per infarto nel 1986, vi abita la figlia Adela Fernández, autrice fra l'altro di una sofferta biografia del padre, in cui narra le traversie di un'esistenza segnata dall'eccesso di tutto: vitalità, inventiva, emozioni, tragedie.

Basti questo "aneddoto" come esempio di cosa potesse significare vivere all'ombra di un padre simile: nel 1976, quando aveva ormai settantadue anni, uccise un uomo in una sorta di tipico duello western, cioè spararono entrambi e l'altro ebbe la peggio. Emilio Fernández girava sempre armato, e amava ripetere: "È meglio avere una pistola e non averne bisogno, che aver bisogno di una pistola senza averne una". Quella volta sostenne di averne avuto bisogno, perché l'avversario era armato e stava per ucciderlo, ma ciò non gli risparmiò il carcere. Condannato a quattro anni e mezzo, poté poi usufruire della libertà condizionale e quindi di un indulto.

Pochi mesi dopo, nel 1978, l'altra sua figlia, Jacaranda, muore suicida. Per l'Indio è la fine: gli ultimi film girati sono stati un fiasco, e la vita lo ha colpito così duramente da renderlo stanco e privo di energie creative. Ben presto si ritrova in ristrettezze economiche, e mantenere quella grande *hacienda* di Coyoacán diventa sempre più difficile. Anche per questo decide di lavorare in qualche film come attore, accettando tra le altre l'offerta di John Huston per una parte in *Sotto il vulcano*. Tre anni dopo, tra le pareti di quella fortezza che rappresentava tutto ciò che aveva conservato dei fasti trascorsi, El Indio muore lasciando Adela come unica erede.

Oggi, la *casona* costruita con i resti di vecchi palazzi demoliti ha un aspetto decadente e spoglio. Adela non ha i mezzi per mantenerla, le tasse sono troppo alte, e per pagarle l'ha affittata spesso al network Televisa per girarvi telenovelas come *La paloma, Morire due volte* e *Cuore selvaggio*. Ma oltre ai sacrifici affrontati (Adela vi abita, e l'invasione delle troupe televisive l'ha costretta a vivere in una stanza al piano superiore) ci sono anche i vicini che, pur manifestandole tutta la loro solidarietà, cominciano a mal sopportare l'andirivieni e il frastuono di un set che dura ininterrottamente per mesi. La proposta di farne un museo, in cui Adela possa però vivere usandone una parte abitabile, non sembra di facile e immediata soluzione. Ma la fama di Emilio Fernández è ancora così viva e celebrata in tutto il Messico da far sì che molti organi di informazione abbiano sensibilizzato l'opinione pubblica sulla sorte della dimora all'angolo tra Dulce Olivia e Zaragoza.

In lui molti vedono il simbolo del riscatto, non certo l'uomo che fece da modello all'Oscar: nel 1923 era evaso dal carcere di Santiago Tlatelolco dove lo avevano rinchiuso per un tentativo di rovesciare l'allora presidente Obregón (ex generale a cui Pancho Villa mozzò un braccio con un colpo di cannone nella battaglia di Celaya) e, facendo il cammino inverso di tanti fuggiaschi, era entrato clandestinamente negli Stati Uniti, dove da vagabondo affamato era diventato il regista e l'interprete della "messicanità", dandole spesso il suo volto impetuoso e *curtido*, come si dice del cuoio conciato, dallo sguardo acceso di passione e velato di malinconia, il vigore ribelle misto a un vago senso di rimpianto. E costruì la sua casa a Città del Messico, non sulle colline di Hollywood o a Beverly Hills, tornando in patria non appena il successo gli permise di scegliere.

Gallos de pelea

"Ogni gallo è un individuo col suo carattere, le sue abitudini, i suoi giorni di massima forma per il combattimento e quelli in cui vorrebbe starsene in pace e non affrontare né avversari né uomini. Ma soprattutto, è un animale estremamente sensibile che può essere allevato e addestrato solo da chi possiede altrettanta sensibilità."

Armando Trapote parla a bassa voce, i gesti calmi, lo sguardo serissimo di chi racconta la passione di una vita. Ha circa quarant'anni, ma sembra portarsi dentro tutta la conoscenza di un'*arte* che è nata in Persia qualche millennio fa, è cresciuta in Inghilterra e Spagna fino al XIX secolo, e ha raggiunto l'apice nel continente americano. Ad allevare come lui *gallos de pelea* sono in molti, ma di veri addestratori non ce ne sono più di dieci in tutto il Messico. Per la verità il primo mestiere di Armando sarebbe l'architetto, e infatti è lui stesso che ha progettato il *rancho* in cui mi accoglie, mentre l'attività "ufficiale" è quanto di più lontano potevo immaginare, vedendolo muoversi tra i quattrocento galli dell'allevamento e la dozzina di cavalli che completano il binomio di tutto ciò che veramente gli interessa nella vita: sui biglietti da visita l'architetto Trapote è un mercante d'arte, che possiede una galleria nell'avenida Insurgentes Sur, una delle zone più esclusive della capitale. La passione per i galli non sa nemmeno lui quando sia cominciata, ma era ancora un ragazzo quel giorno che riuscì a mettere assieme i risparmi per comprare il primo gallo, e gettarsi a testa bassa in un mondo che probabilmente allora non poteva comprendere. Vinse molti combattimenti, finché non fu costretto ad accettare una verità assoluta: il gallo invincibile non esiste.

"Quando l'ho visto steso nella polvere, ridotto a un mucchietto di piume insanguinate, ho capito che da quel giorno non sarebbe più stato un gioco." E ha deciso che doveva diventare la sua unica e vera professione. "Adesso il gioco è vendere quadri o progettare un rancho," dice con un sorriso che ha sempre un'incrinatura malinconica. Il mondo dei *galleros* è una grande famiglia dove tutti si conoscono, e anche per questo è quanto di più impenetrabile vi sia in Messico, un microcosmo gelosamente protetto dalla curiosità dei profani. Se Armando ha deciso di raccontarmi la sua vita fra questi strani e per me incomprensibili animali, arrivando a confidare segreti che altri non rivelerebbero neppure sul letto di morte, è perché si è convinto di dover contrastare il passo a un'immagine falsa, alla convinzione che i galleros vivano in un miscuglio di alcol, violenza e soldi facili. "Scrivi quello che vedi: la mia vita di ogni giorno, i miei animali, gli amici che si riuniscono qui... Forse non servirà a far cambiare idea a tanti che ci considerano dei pervertiti, dei morbosi fanatici di un rito sanguinario... Ma scrivilo lo stesso. Per me è già molto."

La sua stessa famiglia lo ha considerato per anni come la classica pecora nera di cui vergognarsi, e anche buona parte dei suoi compaesani, nonostante si tratti di una delle tradizioni più radicate, vede nelle scommesse l'unico fine dei combattimenti.

"Certo di soldi ne girano molti, tra gli scommettitori. Per farti un esempio, qualche mese fa un tizio ha concluso la giornata con un giro di vincite sui cinquemila milioni di pesos, cioè quasi due milioni di dollari. Ma questo non riguarda minimamente gli allevatori e gli addestratori, è soltanto l'appendice, la cornice del combattimento."

E per convincermi del suo credo non è dovuto arrivare ai mille dettagli del mestiere. C'è riuscito molto prima, quando ancora parlava in termini generali e forse non si accorgeva di usare spesso una parola che è poi l'essenza di tutti i risultati ottenuti, della sua fama internazionale e anche del valore commerciale dei galli da lui allevati: *sensibilità,* la chiave con cui apre e chiude ogni discorso. "La mia fortuna è stata l'essere accettato dal più grande *entrenador* di tutti i tempi, don Rubén Guzmán, l'addestratore con cui ho trascorso due anni e mezzo assimilando la maggior parte dei suoi segreti." Ha un sorriso ammiccante: "Non tutti, è ovvio... altrimenti adesso sarei io, il più grande". Prima di don Rubén il migliore era il padre, e prima del padre il nonno. "Ha deciso di prendermi con lui quando si è accorto che per me il gallo era un animale da trattare soprattutto con *cariño,* e mi ha detto subito che di anni con lui ne potevo passare anche dieci, ma senza sensibilità non avrei comunque imparato niente."

Eppure il gallo de pelea è un animale oggettivamente crudele, uno dei pochi in natura che non si limita a sconfiggere e mettere in fuga l'avversario, ma si batte fino all'ultimo guizzo di vita, e ogni scontro non può concludersi che con la morte, spesso di entrambi. "Molti credono che sia un'indole indotta, che derivi dall'addestramento e dalla cattività. Niente di più falso. Anche quando viveva libero il maschio di questa razza ingaggiava il combattimento a morte ogni volta che un altro maschio si profilava all'orizzonte. È il suo istinto, e nessuno può giudicare l'istinto di un animale. Vuoi un esempio pratico? Se io infilo un gallo in uno scatolone per tre giorni, al buio e senza mangiare né bere, e poi gli metto davanti cibo, acqua e persino una femmina, ma lascio un altro maschio legato a cento metri di distanza... sai cosa fa, appena lo libero? Non vede nient'altro che l'avversario, e con le poche forze che gli restano si lancia al combattimento."

Il rancho di Armando è una macchia azzurra nella vallata di Ajusco, pochi chilometri a sud della capitale in direzione di Cuernavaca, e da quando la zona ha preso a echeggiare di grida di battaglia, la gente del posto l'ha ribattezzata Valle de los Gallos. Sul fondo della tenuta, oltre i *corrales* dei cavalli, ci sono centinaia di gabbie con i galli giovani e quelli destinati alla riproduzione, i *sementales.* Vivono uno accanto all'altro, e sembrano tranquillissimi. "Non è un animale stupido. Loro sanno che in quelle condizioni non possono battersi, così restano calmi e si ignorano. Se sono ben nutriti non hanno problemi né col sole né con la pioggia. Solo il vento li infastidisce, perché li costringe a rimettere di continuo le piume a posto e a mantenersi in equilibrio spostando le ali, così al termine di una giornata ventosa quelli sui lati esterni sono sfibrati. L'unico pericolo è l'apertura accidentale di una gabbia: se un gallo si libera, credi che fugga verso i monti o che vada a cercarsi una femmina? Macché, si avventa sulle gabbie degli altri e si ammazza a furia di sbattere contro le sbarre. E quelli dentro, vedendolo libero, fanno altrettanto." Può sembrare un atteggiamento che ha poco da spartire con l'intelligenza; ma i superficiali cromosomi europei sono ormai troppo lontani da quelli latini, per capire certe similitudini... "Dipende da cosa si intende per libertà. Il gallo si considera libero solo se uccide i nemici che invadono il suo territorio. Per quanto possa sembrarti azzardato, sono convinto che essere disposti a dare la vita per questo sia il termine di paragone più alto tra i galli e gli uomini."

A queste latitudini, sacrificare la vita per difendere un territorio è qualcosa che scorre nelle vene da cinque secoli. E sembra tutt'altro che sopito, come istinto. Forse è anche così che vanno interpretati i frequenti accostamenti "azzardati" di Armando fra galli e uomini.

Mi porta nel cuore dell'allevamento, cioè nei due vasti locali dove si svolge il lavoro dell'entrenador. Una specie di palestra in terra battuta con un quadrato al centro che è identico a quello che i galli troveranno nel *palenque,* come viene chiamato l'intero rito del combattimento. E una stanza dove gli "atleti" vengono alloggiati in gabbie sovrapposte e numerate. "Sì, perché il gallo non è altro che un atleta, e raggiunge il massimo della forma dopo un mese di allenamento." La giornata di Armando comincia all'alba, e ogni mattina alle sei e mezzo in punto entra nel suo tempio. Un giovane aiutante, Faustín Hernán detto Tino, è l'unica persona che lo affianca. Gli esercizi fondamentali sono tre: la corsa, che si fa compiere al gallo su un bancone tenendolo per i fianchi, in modo da renderlo agile e piantato sulle gambe; il battere d'ali, che si ottiene premendogli delicatamente una mano sul dorso e tenendolo per la coda, col fine di sviluppare i pettorali e restituirgli l'antica capacità di volare; il salto, lasciandolo andare da un paio di metri perché torni sul bancone, e serve a dargli la forza di balzare più in alto possibile nel momento di dare il colpo mortale all'avversario. Quindi vengono i brevi combattimenti controllati, legando sugli speroni due imbottiture di cuoio simili a piccoli guantoni da boxe per evitare che si feriscano: all'inizio lasciando libero uno solo dei contendenti, per costringerlo a raggiungere l'avversario tenuto in alto dall'addestratore, e in seguito permettendo rapidi scontri sul terreno per studiarne le capacità. E, soprattutto, il "carattere".

"Il gallo che si mostra aggressivo non è quasi mai il migliore. È la stessa cosa per gli uomini: se arriva qui un tipo gradasso e violento, cosa penseresti? Che è un insicuro. Il gallo che rimane calmo e studia l'avversario è quello che colpirà a morte nel primo salto."

Quando raggiunge l'anno di età si tagliano cresta e speroni. Armando sostiene che queste parti sono insensibili e l'animale quasi non se ne accorge. Ho assistito all'operazione e, a giudicare dal comportamento indifferente del gallo, c'è da credergli. La cresta si asporta per evitare che gli venga strappata in combattimento, mentre gli speroni – due punteruoli di osso acuminati – devono lasciar posto alla *navaja,* una piccola falce affilata come un rasoio che si lega alla zampa sinistra, perché il gallo è per natura mancino. Può sembrare un particolare che accentua la crudeltà degli uomini verso questa razza sfortunata, ma Armando chiarisce subito due punti: con la navaja i colpi sono quasi sempre mortali, portati con precisione alla gola o più spesso alla femorale, sotto l'ala. Senza navaja si colpirebbero a lungo, anche ore, fino a dissanguarsi. E in quanto alla "sfortuna", il gallo da combattimento, al pari del toro da *lidia,* senza il palenque sarebbe destinato all'estinzione; prima del giorno fatale conduce un'esistenza che nessun pollo d'allevamento potrebbe mai sognare, e a differenza del toro ha la possibilità di vincere e di avviarsi a un'agiata carriera di riproduttore.

L'alimentazione ha ovviamente un ruolo d'importanza primaria: granaglie selezionate, latte, legumi, vitamine, il tutto dosato al milligrammo perché "un gallo magro è debole, uno grasso è lento". E i due pasti al giorno vengono distribuiti seguendo un ordine progressivo invariabile, dalla prima gabbia in alto a sinistra fino all'ultima in basso a destra. "Dopo pochi giorni ogni gallo in addestramento sa quando gli tocca il cibo, e vedendolo preparare non si agita. Senza contare che devo essere sempre io o il mio aiutante a distribuirlo, altrimenti smettono di mangiare." Lo guardo un po' sorpreso, e lui scuote pazientemente la testa. "Perché credi che in poco tempo ogni gallo impari a fare da solo i propri esercizi? Si affezionano al punto che si fidano solo di me, perciò non posso mancare un giorno. Te l'ho detto, è un animale sensibile."

La domanda tante volte repressa, adesso non riesco a trattenerla: lui che li riconosce uno per uno tra tutti i quattrocento, cosa prova ogni volta che un suo gallo resta ucciso?

Armando piega la testa da un lato, e il mezzo sorriso ha una venatura ancor più malinconica del solito. "Io non dimentico mai che questo è il mio mestiere... Però, non riesco neppure a non starci un po' male, ogni volta. È un controsenso, me ne rendo conto. Con la ragione, penso che si tratta soltanto di un gallo in meno da vendere, dell'equivalente di trecento dollari persi... ma dentro... si ripete quella strana sensazione di aver perso invece un pezzetto di me. Il valore del gallo come 'merce' da vendere non c'entra. Ci sono anche i mesi che ci ho messo per arrivare fino a quel momento, il fatto che di ognuno ricordo particolari, comportamenti..."

Mi affretto a cambiare discorso, perché su questo argomento Armando Trapote sicuramente non troverà mai una giustificazione che lo soddisfi del tutto.

Ci sono altri dettagli da annotare: prima dell'addestramento indossa una tuta e un berretto che saranno sempre gli stessi durante il mese di "ritiro" e anche nel giorno del palenque, in modo che i galli lo riconoscano all'istante e non si mettano in allarme. Poi c'è lo stereo con musica *ranchera,* le ballate messicane che in ogni palenque fanno da sfondo alle grida d'incitamento. Infine, Armando fuma di continuo, per abituare gli animali all'ambiente che troveranno quel giorno. "Chiasso, musica, fumo... Se il gallo ci è abituato, non si innervosisce e si concentra solo sull'avversario."

Ero convinto che fosse il Messico, il paese più "gallero" del mondo. Ma lui smentisce. "Negli Stati Uniti sono dieci volte più avanti, come numero di allevamenti, di incontri, di soldi scommessi... tutto. Però è il contrario che da noi. La maggior parte ha addirittura computerizzato produzione e alimentazione, e un allevatore di galli è considerato al pari di uno che vende cavalli da corsa o manzi da bistecche... Insomma, non c'è la convinzione che sei soltanto un macho tutto donne alcol e sangue. Certo, è anche vero che in un ambiente iperprofessionalizzato, non trovi più il *sabor,* il gusto... be', è un po' difficile da spiegare."

Credo di cominciare a capire, e avverto il rischio di un fascino che, se ti prende una volta, è per l'intera vita. Forse anche lui se ne accorge, e riprende a spiegare con maggior foga e entusiasmo. Dice che negli Stati Uniti la razza più diffusa è la Bank, diminutivo di Bankivoides e originaria dell'Inghilterra, mentre in Messico è la Asil, dagli Asilados originari della Spagna e portati dai conquistadores. "Il Bank è rapidissimo, colpisce in continuazione e senza fermarsi, ma su venti speronate ne mette a segno non più di quattro. L'Asil è lento ma preciso, nello stesso tempo colpisce solo quattro volte ma tutte e quattro mortali." E qual è la razza vincente? "Non avrebbe senso, è come paragonare un purosangue da gran premio che deve venire fuori sulla distanza, con un *Quarto di Miglio* che brucia tutto sulla ripresa. E poi negli Stati Uniti usano dei punteruoli su entrambe le zampe al posto della navaja, per cui è un problema di addestramento completamente diverso. Vorrebbero far credere che è per un motivo 'umanitario'... In realtà, i punteruoli penetrano senza tagliare, così non vedi il sangue e l'apparenza è salva. Ma un gallo coi polmoni perforati continua a combattere anche quando è agonizzante, e in quelle condizioni può andare avanti mezz'ora."

Per Armando il novanta per cento della gente che partecipa al palenque non si rende neppure conto di ciò che sta vivendo. L'essenza, il nocciolo puro di questa tradizione antica, risiede nei pochi personaggi che entrano nella piccola arena. Il resto è lì per la festa, mentre gli scommettitori rappresentano il lato scuro che causa agli appassionati come lui una sorta di schizofrenia: sa bene che, senza l'enorme giro di soldi che vi ruota attorno, un gallo non potrebbe mai valere tanto, quindi come allevatore deve accettarlo. Ma al tempo stesso l'addestratore si vede relegato a un ruolo che, pur essendo fondamentale, rappresenta per molti quello di un semplice addetto ai lavori, una figura marginale apprezzata solo da una minoranza di esperti. "Ogni tanto mi capita di scommettere su un mio gallo, ma sono occasioni rare. Un entrenador non ha niente da spartire con la categoria degli scommettitori."

Per uno che conosce tanto a fondo il singolo gallo che ha addestrato, penso debba pur esserci un margine di sicurezza...

"No, i campioni assoluti non esistono, te l'ho detto. Anche il migliore ha la sua giornata nera, senza contare che mi è capitato di perdere un combattimento quando il mio aveva già steso l'avversario, che però con l'ultimo colpo prima di spirare gli ha tagliato la gola... E non si scommette solo sulla singola *pelea,* ma anche sulla *ventaja,* cioè il vantaggio di almeno cinque vittorie sui nove incontri fra due allevatori. Ecco, sulla ventaja, potrei giocarmi anche la testa, perché l'incognita può verificarsi in una o due peleas, non su tutte e nove."

Si narra una leggenda, che ogni gallero giura sia la verità nascosta di una storia ufficiale falsata per questioni di dignità nazionale: il generale Santa Ana avrebbe perso l'ultima fetta di Texas non sul campo di battaglia, come è avvenuto per metà del territorio messicano, ma su un battello in mezzo al Mississippi dove trascorse tre giorni e tre notti, castigato dalla sua sfrenata passione per i galli che alla lunga dovette soccombere al freddo calcolo degli statunitensi. Infatti si dice che Santa Ana avesse con sé i migliori campioni del Messico, vincitori di innumerevoli incontri: ma erano addestrati sulla navaja corta, mentre negli Stati Uniti si usava una lama lunga il doppio e dritta anziché curva.

"Qui c'è un detto: non ho paura di una pistola, ma di chi la impugna. Coi galli è lo stesso. Un buon allevatore deve puntare alla costanza, all'uniformità della razza che produce. Cercare di ottenere dei fuoriclasse non serve. Ricordo che una volta ho visto combattere il gallo più preciso e più rapido che mai prima di allora, e nemmeno dopo, mi sia capitato di trovare. Ogni scontro lo vinceva al primo assalto, diritto al cuore per poi voltare le spalle all'avversario, senza accanirsi sul perdente come fanno in genere i suoi simili. Sapeva di aver ucciso, e si allontanava tranquillo e sicuro. Mai visto un animale più calmo e freddo. Bene, ero disposto a spendere tutto quello che possedevo per farne il migliore dei miei riproduttori. Volevo lo stesso sangue, lo stesso patrimonio genetico per i miei futuri campioni. Arrivai a offrire dieci milioni di pesos, ma si fece avanti un tizio che ne tirò fuori ventidue, uno sull'altro, in contanti. Però non mi rassegnai, e riuscii a sbirciare per un attimo l'anello sulla zampa: portava le iniziali di un allevatore texano che conosco. Così sono corso a casa e gli ho telefonato subito, quella notte stessa. E che cosa mi sono sentito rispondere? Che quella razza gli era costata dieci anni di incroci selezionati, fino a ottenere quel particolare 'cinquetre', cioè cinque ottavi di razza Catch con tre di Albany. Ma aveva dovuto disperderla, cioè incrociarla con altre perché su dieci esemplari uscivano sì un paio di *estrellas,* di campioni assoluti, ma i restanti otto erano mezzi matti, perdenti sicuri. Gli alti e bassi non servono, conta solo il calcolo ragionato, l'uniformità, che col tempo rende molto di più all'allevatore in termini di fama."

Di palenque ufficiali se ne contano circa tremilaseicento, cioè una media di dieci al giorno. Le autorità rilasciano il permesso ogni volta vi sia una sagra o un santo patrono, quindi può tenersi un palenque in qualsiasi centro abitato fino al più sperduto villaggio. "Però i combattimenti clandestini sono molti di più, e forse mantengono una genuinità che nei grandi palenque ufficiali si è in parte perduta. E poi, c'è sempre quel clima speciale del proibito, della possibilità di un'irruzione della polizia con relativa fuga coi galli sottobraccio..."

Armando Trapote ha ormai un nome troppo noto per rischiare la reputazione con i clandestini. Ma quando qualcuno viene a comprare i suoi galli non è certo obbligato a chiedere dove combatteranno. Un giorno nel suo rancho ho conosciuto José Alvarez Malo, detto Chapingo, il più grande allevatore del Messico. E mi ha raccontato che tra gli scommettitori di grosso calibro c'è pure il fior fiore dei narcotrafficanti. Considerando che al momento alcuni dei più famosi sono in galera, e che con i miliardi la prigionia non è la stessa di ladri e rapinatori, Chapingo ogni tanto viene chiamato in qualche carcere per vendere i suoi galli: palenque non ufficiali, ma di sicuro neppure clandestini, visto che le autorità carcerarie in tali casi chiudono occhi e orecchie. E ce ne sono altri dove la polizia non si sognerebbe mai di fare irruzione... "Anche perché vi troverebbe i suoi comandanti in capo," dice Armando stringendosi nelle spalle. "Un paio di mesi fa è venuto un segretario di Salinas de Gortari. Sì, il presidente della repubblica. Ha comprato quattro galli, dei migliori, per una festa privata."

Il palenque più prestigioso si tiene nel mese di febbraio a León, nello stato del Guanajuato, e dura trentacinque giorni. Considerando che vengono invitati tutti gli allevatori di fama riconosciuta, si può definire un campionato mondiale dei galli. "Il nostro è ormai l'unico ambiente dove contino l'onore e la parola data. Pensa che gli inviti si fanno per telefono, senza lettere né firme, e nessun allevatore che ha confermato la sua presenza oserebbe mancare. Con le scommesse è lo stesso: si puntano centinaia di milioni semplicemente pronunciando la cifra. Niente ricevute, niente nomi appuntati. In tutta la mia carriera ho visto un solo caso di un tipo che non aveva in tasca la somma persa. Eppure anche così non c'è stato alcun problema, perché se l'indomani non si fosse precipitato dal vincente a saldare il debito, avrebbe perso l'onore e non si sarebbe potuto presentare in nessun altro palenque."

La Grande Famiglia conosce uno per uno i suoi accoliti. Pubblico e scommettitori a parte, gli addetti ai lavori possono accettare un intruso solo se qualcuno garantisce per lui. Armando sembra deciso a fidarsi: garantirà per me in una festa privata. Per la legge sarebbe comunque un combattimento clandestino, ma parteciperà solo un numero ristretto di professionisti senza che vengano avvertiti scommettitori abituali, il che dovrebbe tenerci al riparo da sorprese sgradite.

Quando il luogo del palenque è troppo lontano per raggiungerlo in giornata, l'entrenador porta tutti i suoi galli in una stanza d'albergo e dorme con loro, per evitare che estranei si avvicinino e per garantire con la sua presenza la calma degli animali. A noi è stato sufficiente partire alle prime luci, per arrivare al rancho di un vecchio appassionato di galli che vi ha fatto costruire persino un'arena permanente. Fino all'ora di pranzo continuano ad arrivare uomini a cavallo dai ranchos vicini, e qualche allevatore coi suoi campioni nella camionetta. Armando oggi è completamente diverso: più taciturno, quasi assente, concentrato sui suoi galli e attento a notare ogni minimo comportamento in quelli avversari. Il rito è già nell'aria, ma il vero inizio si avverte nel primo pomeriggio, quando senza bisogno di un avviso tutti si dirigono al cerchio di terra battuta.

Al pari dei pugili, anche i galli sono suddivisi in categorie di peso. E nel momento in cui il giudice appoggia la bilancia sul muretto e invita gli entrenadores ad avvicinarsi con i rispettivi animali, avviene una trasformazione impalpabile eppure visibilissima, qualcosa che cambia i volti e gli sguardi, e il piatto della *bascula* calamita l'attenzione di tutti. Nel brusio si leva all'improvviso il grido di sfida dei combattenti che si sono avvistati in lontananza, mentre gli uomini indicano la testa affilata dell'uno, le zampe alte dell'altro, l'occhio feroce di quello che ha puntato il nemico libero sul ripiano della bilancia. E si ritrovano tutti curvi, protesi, gli sguardi ridotti a fessure per mettere a fuoco particolari e gesti che nessun altro noterebbe.

Il giudice si porta al centro del cerchio, gli entrenadores vengono avanti e posano i duellanti sul terreno. Gli animali si studiano, allungano il collo rasente al suolo, sentono che di lì a pochi istanti le mani conosciute lasceranno la presa e loro potranno colpire. Un cenno, e i galli si avventano in uno scontro fulmineo e intenso, una prova di pochi secondi per mostrarsi agli scommettitori. Vengono riafferrati e allontanati. Adesso ognuno può puntare su quello che gli è parso più in forma, più preciso, più convinto di uccidere.

Mentre si tracciano con manciate di gesso le distanze e i confini, entrenadores e giudici passano alla misurazione delle navajas. Da astucci di legno foderati di velluto compaiono le piccole falci, e ad ogni cassettino che scorre è uno scintillio di rasoi al sole, piccole lame forgiate da laboratori che si dedicano esclusivamente a questo. La lunghezza deve essere identica al decimo di millimetro: ognuno porge la propria al giudice e controlla quella dell'avversario. Poi gli entrenadores tornano ai loro posti sul bordo del muretto. Armando partecipa al primo scontro con uno dei suoi galli. Lo vedo armeggiare nel cofanetto da cui ha estratto le navajas: in uno scomparto ci sono boccette, pasticche, contagocce. "Nessun *additivo* è vietato," spiega sottovoce. Fa cadere poche gocce nel becco, e aggiunge: "Io preferisco non usare niente, ma visto che il mio avversario lo sta facendo, devo portarmi al suo livello". Le misture accuratamente dosate comprendono in genere amfetamina e coca, somministrarle è consentito e sta agli addestratori deciderlo.

È giunto il momento di legare la navaja alla zampa sinistra, ed è l'operazione più lunga perché entrambi cercano di farlo qualche attimo dopo l'avversario: il filo deve essere ben stretto e può bloccare in parte la circolazione, quindi il gallo che viene legato per ultimo potrebbe sfruttare un vantaggio infinitesimale. Nulla, assolutamente nulla, è lasciato al caso.

Il giudice dà l'ordine, e la fase della legatura ha termine. Sulla navaja viene posto un fodero di cuoio. Gli entrenadores leccano le giunture dell'animale per attivare la circolazione, poi si accingono a consegnarli ai *soltadores*. È a questo punto che interviene il personaggio chiave del combattimento, il *soltador*, cioè colui che "scioglie", che lascia andare il gallo contro l'avversario. Quella del soltador è una professione, nessuno più di lui è in grado di "sentire" lo stato d'animo di un gallo col semplice contatto fra le palme delle mani. E deve così decidere se l'animale va calmato o spronato, e soprattutto deve individuare al millesimo l'attimo e la posizione migliore perché spicchi il primo balzo nel modo più efficace. Ci sono combattimenti che si concludono in due o tre secondi, un colpo fulmineo del gallo che appena tocca il suolo si dà lo slancio e affonda la navaja nella femorale, individuando il momento preciso in cui l'avversario la scopre alzando l'ala. In questo caso il merito è del soltador. Ma lui deve anche riafferrarlo quando il giudice ordina una pausa, cosa che si verifica se i due galli feriti continuano a rotolare avvinghiati senza riuscire a saltare. Il gallo di Armando verrà *soltado* dallo stesso Tino, che pur non avendo ancora abbastanza esperienza ha il talento per diventare un professionista. È un mestiere che può fruttare il dieci per cento sull'intero guadagno dell'allevatore.

Dall'altra parte c'è uno dei più stimati soltadores del Messico: lo chiamano El Matador, perché da giovane fu torero, e nessuno ricorda di averne mai sentito il vero nome. El Matador si sposta da un angolo all'altro della repubblica ingaggiato dai migliori allevatori. Ha il pollice della mano destra morto per un tendine reciso, e cicatrici profonde sulle gambe e sulle braccia. Afferrare un gallo che combatte può significare un colpo di navaja in grado di tagliare la gola a un uomo, e in quarant'anni di professione un soltador finisce spesso con l'essere più segnato di un torero. Ma anche senza un pollice, la mano del Matador "sente" le vibrazioni del gallo, i battiti del cuore, i fremiti, la smania di lanciarsi, la brama di uccidere che rischia di diventare un suicidio se è eccessiva. "Lui, in questo momento, intuisce anche cosa sta pensando," mormora Armando indicandolo con un cenno. El Matador accarezza il suo gallo, gli batte dei colpi leggeri sulla schiena, lo calma tenendoselo vicino al viso. Poi prende un sorso di tequila e glielo spruzza sul becco, perché l'alcol lo costringa a scuotersi dallo stordimento che gli provoca il frastuono.

Il giudice fa avvicinare i soltadores, ordina che sfoderino le navajas. Quindi prende due limoni e vi infilza le lame. È la garanzia che non siano state avvelenate, nel qual caso il limone le ripulirebbe.

Ecco, il rito è al culmine: i soltadores si inginocchiano, si fissano con la stessa intensità che sembra aver paralizzato i loro galli. Studiano l'avversario piccolo e quello grande, aspettano un lampo negli occhi che tradisca il gesto.

Il giudice ordina il combattimento. I due uomini restano immobili, nessuno può prevedere l'attimo successivo. E ci si rende conto che l'hanno *fatto,* che hanno *soltado,* solo quando è già un esplodere di piume e un balenare di zampe, becchi, terra, e i galli non hanno più nulla in comune con la razza che credevo di conoscere.

Adesso sono rapaci, falchi, i colli scoperti dal piumaggio che forma una corona protettiva attorno alla testa, gli occhi feroci a tal punto da renderli simili a quelli degli uomini quando stanno per uccidere... Si lanciano in volo e si colpiscono anche a due metri d'altezza, ripiombano tra la polvere e tornano a colpire, schizzano di sangue i soltadores e il bianco del gesso al centro dell'arena. I duellanti si dimostrano allo stesso livello di forma e preparazione, nessuno dei due riesce a portare il colpo decisivo. Entrambi hanno già vinto molte volte, e il superstite diventerà *semental.* Rotolano a terra, si afferrano col becco, battono le ali senza riuscire a divincolarsi. Il giudice fa intervenire i soltadores. È un caso che non si verifica spesso: qui il soltador deve impiegare tutte le astuzie e le conoscenze del suo mestiere per rimettere in pochi secondi il gallo in condizioni di riprendere la lotta. "Due uomini che si battono," dice Armando senza distogliere lo sguardo dal suo gallo, "non sentono i colpi e il dolore delle ferite per l'adrenalina. A loro succede lo stesso, e appena si fermano devono essere tenuti svegli perché non si stordiscano."

Il gallo di Armando è ferito a un polmone, lo tradisce il sangue chiaro e schiumoso. Ma può ancora vincere, e se ben curato se la caverà. Quello del Matador sembrava aver avuto la meglio, però ha speso maggiori energie, e adesso fatica a riprendere fiato. Il soltador deve saper fermare le emorragie, tenere il gallo in agitazione e al tempo stesso tirargli fuori la lingua affinché non si soffochi. Il Matador lo morde sulla testa, per costringerlo a sentire il dolore ed evitare lo stordimento. Ma sente di aver perso. Il suo gallo è troppo stanco, non riuscirà a saltare quanto l'avversario.

E appena il giudice dà l'ordine, l'altro, pur dissanguato e col respiro di un solo polmone, gli è addosso e lo rovescia sul fianco. Un colpo sotto l'ala, uno squarcio incredibile per la zampata di un gallo ferito e per una lama più piccola di un temperino. Gli ha reciso l'arteria, pochi secondi ancora, che il condannato spende a difendersi e a colpire inutilmente col becco all'indietro, a fronteggiare fino all'ultimo il vincitore che gli balza sulla schiena e lo finisce.

Qualcuno esulta, riprendono le musiche, si versa altra tequila. Armando non dice niente. È soddisfatto per la vittoria, certo, però adesso pensa solo a suturare la ferita del suo gallo.

Seguiranno altri combattimenti, alcuni brevissimi quanto un colpo di rasoio. Al termine del palenque, Armando perderà un "solo" animale. Stringendo il fagotto di piume insanguinate, mi rivolge il solito mezzo sorriso.

"Io ci ho perso un gallo... e tu ci hai rimediato qualcosa che da oggi ti scorre nelle vene. Forse, col tempo e un oceano in mezzo, riprenderai a vedere tutto diverso... Ma tornando qui, non riuscirai più a pensare che il nostro è soltanto un gioco crudele. Anche questo è Messico, amico mio. E non so se sia possibile raccontarlo. Comunque, tu provaci lo stesso..."

Lasciando la valle di Ajusco, *el valle de los gallos,* penso a quel passo di un romanzo di Carlos Fuentes, dove un personaggio diceva: "Non si può raccontare il Messico. Si deve credere nel Messico. Con passione, con rabbia, con totale abbandono...".

Parte seconda

RUMBO AL NORTE

Il mestiere del tiempero

Don Zebedeo si inerpica per il sentiero che sale verso il cratere, seguito dalla lunga processione dei suoi compaesani. Il paesaggio intorno è apocalittico e armonioso al tempo stesso, come si addice al Messico, terra di contrasti estremi. La vegetazione si dirada alle falde del ghiacciaio, lasciando il compito di rappresentare la natura alle ultime, sporadiche agavi, piante sacre e straordinariamente vitali, le uniche capaci sia di vivere nei deserti del Nord dove il sole può far superare i cinquanta gradi sia di affrontare temperature sottozero e qualche rara nevicata, come può accadere nello stato di Puebla, accanto alla megalopoli più grande del mondo, e ai piedi del maestoso Popocatépetl.

"El Popo" brontola, sbuffa, è inquieto. Dal dicembre del 2000 devono essere corrette tutte le enciclopedie, che lo definivano "quiescente dal 1802", perché il colosso della Sierra Madre ha scatenato un'eruzione spettacolare – si vedeva nitidamente da tutta Città del Messico – che gli esperti hanno definito la più violenta da cinque secoli: cioè qualcosa di simile accadde quando i primi conquistadores iniziarono il massacro degli aztechi... Don Zebedeo si ferma ogni tanto a riprendere forze e respiro, l'altitudine provoca vertigini, mal di testa, annebbia la vista. Lui, a cinquant'anni, conserva un fisico asciutto e agile, ma i 5100 metri che dovrà raggiungere per affacciarsi sul bordo del cratere rappresentano una sfida per rocciatori ben più allenati, e sono comunque pochi quelli che hanno violato il picco a quota 5452. Don Zebedeo appoggia le mani sulla lava fredda, in un gesto che sembra saggiare le vibrazioni emanate dalle viscere della terra, o forse sta assorbendo energia per riprendere la marcia. Dietro di lui, gli abitanti del villaggio osservano in silenzio, qualcuno mormora una preghiera, altri fissano la vetta e le nubi di vapore e cenere. Poi, la processione si ferma, e don Zebedeo prosegue da solo.

Diverse ore più tardi, sull'orlo dell'abisso, respirando con un filo di polmoni e tremante di freddo malgrado i pesanti indumenti, sforzandosi di mettere a fuoco ciò che si spalanca davanti ai suoi occhi, don Zebedeo getta nel cratere le offerte della comunità, questa volta consistenti in cibarie, tra le quali il *mole poblano*, una salsa a base di un centinaio di ingredienti compreso il cacao, e un'intera bottiglia di tequila che versa tenendola in alto, mentre il fiotto di liquore trasparente si disperde al vento gelido che sferza il volto millenario di don Zebedeo.

Il suo è un mestiere antico quanto il Messico, praticato fin dall'epoca tolteca: *tiempero*, o "maggiordomo del Signore del Sacromonte". Un po' sciamano, un po' sacerdote, soprattutto meteorologo e addirittura astronomo, a dispetto di chi, con occhi miopi da presunto razionalista occidentale, potrebbe scambiarlo per uno stregone pittoresco. Tiempero si diventa solitamente per discendenza – mestiere tramandato di padre in figlio – e in ogni caso è sempre un evento particolare e interpretato come straordinario a "sceglierlo" decretandone la missione per tutta una vita. Il tiempero si incarica di "ascoltare la voce del vulcano" e decidere cosa possa gradire, e si narra che qualche anno fa il Popocatépetl, cioè "montagna fumante" nella lingua náhuatl degli aztechi, abbia richiesto niente meno che un completo blu con tanto di cravatta, forse per irridere ai tanti *ejecutivos* che scorrazzano per le grandi città messicane vagheggiando speculazioni borsistiche ed effimera new economy. Ma il rituale delle offerte – per altro faticosissimo e pericoloso per il tiempero – è soltanto l'aspetto ancestrale di un mestiere che, per buona parte dell'anno, consiste nello studio di venti, piogge e cicli lunari, ai quali affidare le delicate operazioni di semina e raccolto. A volte, per le comunità alle falde del vulcano, sbagliare il tempo di una semina del mais può significare la carestia per un'intera annata, e al tiempero viene demandata una decisione di importanza vitale. Capire quando si avvicinano le piogge, o saper prevenire con un minimo di anticipo una disastrosa grandinata – non a caso quelli come don Zebedeo vengono chiamati anche *graniceros* – significa assicurare la sopavvivenza del villaggio, oggi traducibile nel limitare l'emorragia di abitanti che prendono la via dell'emigrazione verso la capitale o la frontiera nord. Tutto ciò va inscritto in un rapporto di profondo rispetto con madre natura, dove nulla è lasciato al caso sotto le apparenze "esoteriche" o "magiche". Il vulcano, con le sue manifestazioni più o meno violente che provocano spostamenti di enormi masse di vapore acqueo, può anticipare o ritardare le piogge, mentre la cenere che disperde generosamente sulle campagne intorno – la stessa che in città fa lacrimare gli occhi e tossire – è una vera manna, il miglior fertilizzante disponibile e gratuito. Ecco perché il tiempero è in realtà un intermediario tra l'ecosistema e la comunità, e le sue conoscenze risultano preziose per i contadini.

Da tempi immemorabili le popolazioni del Messico considerano i vulcani, più che sacre divinità, veri e propri esseri viventi, con i quali instaurare un rapporto amichevole, persino "affettuoso": El Popo qui tutti lo chiamano anche don Goyo, abbreviazione di don Gregorio, e la sua "signora", il vulcano ormai inattivo Iztaccíhuatl, è doña Rosita. Quando don Goyo emette boati assordanti e spara nuvole di fumo simili a esplosioni atomiche, la gente dice sorridendo: "Sta cercando di svegliare la moglie, poverino...". La battuta trae origine da una leggenda che i messicani si tramandano da secoli, risalente agli albori dell'impero azteco, quando don Goyo e doña Rosita sarebbero stati due persone in carne e ossa. Una struggente storia d'amore, guerra e dolore inconsolabile. Lui era un prode guerriero e lei una principessa, perdutamente innamorati l'uno dell'altra. Il condottiero andò in guerra per fermare chissà quali invasori, e la giovane rimase ad aspettarlo in trepidazione, finché il fato fece giungere un incauto messaggero con la notizia della morte in battaglia... Non era vero, stava soltanto inseguendo i nemici in rotta, ma intanto la principessa si lasciò morire di dolore. Tornato vincitore, il guerriero si ritrovò davanti il corpo inerte dell'amata, e piangendo disperatamente, la prese tra le braccia portandola sulle montagne. Gli dei, commossi, trasformarono lei nell'Iztaccíhuatl, "la donna dormiente" – da alcune latitudini si presenta davvero con il profilo di una donna distesa su un talamo –, e lui, perennemente desto, continua a vegliare sul suo sonno reggendo la fiaccola del cratere fumante.

Secondo una teoria che all'apparenza potrebbe iscriversi nel filone new age, ma che in realtà affonda le radici nelle credenze ancestrali – indietro nei secoli fino al mito di Aztlán, la patria perduta degli aztechi fonte primaria del concetto stesso di *mexicanidad* – con la fine del millennio si sarebbe conclusa una fase nella storia spirituale del nostro mondo che vedeva nel Tibet il centro di attrazione e nell'Himalaya il punto di assorbimento dell'energia cosmica: oggi, ci sarebbe stata una sorta di "avvicendamento", con il Messico che prevale sull'Oriente e il Popocatépetl come "polmone" attraverso cui il pianeta respira spiritualità. Ma tutto questo, a don Zebedeo, non importa granché: lui svolge un mestiere la cui origine si perde nella notte dei tempi, legato ai cicli di madre natura e, per la sua comunità, assolutamente funzionale ai fini della sopravvivenza e più che mai concreto. La crescita del mais è un fenomeno che dipende dal rispetto di un equilibrio antico dove materia e spirito si fondono indissolubilmente, e questo ha molto più a che fare con l'ecologia che con il soprannaturale... anche se don Zebedeo e i suoi compaesani non hanno mai usato la parola "ecologia" in vita loro: ne sono interpreti e difensori senza bisogno di darle un nome.

La casa infinita

Dopo dodici ore di tornanti e l'immancabile foratura verso le tre del mattino, qualsiasi corriera messicana perde la consueta "stravaganza" e diventa semplicemente una trappola da cui uscire barcollando. Xilitla è un paesino innestato su un fianco della Sierra, brumoso di pioggia fine e incessante e al tempo stesso assurdamente afoso. La vegetazione che minaccia di inghiottirlo è ancor più surreale: siamo nello stato di San Luís Potosí, e secondo la latitudine qui attorno dovrei vedere terra sabbiosa, cactus e cespugli rinsecchiti. Invece la Huasteca Potosina è una sorprendente oasi tropicale fitta di palme e rampicanti, giungla intricata che all'improvviso si trasforma in vallate dai pascoli densi di mandrie pasciute e indifferenti. Terra fertile, ricchezza da allevatori appagati, facce paciose verso lo straniero la cui presenza non potrebbe cambiare nulla di concreto nella vita di ogni giorno. In tutta Xilitla non c'è un'insegna di albergo o ristorante; i commercianti di passaggio sanno benissimo dove trovarli, e in quanto a turisti o viandanti, sembra non esserci alcun motivo per cui debbano spingersi fin quassù, e meno ancora per fermarsi qualche notte. Nella strada principale trovo una specie di *cafetería* da dove filtra un velo di fumo commestibile. È quasi giorno, la nebbia diventa calda e appiccicosa, respinge l'idea di qualsiasi liquido bollente che non sia una doccia. Ma forse inghiottendo qualcosa, anche le gambe potrebbero riprendere una sporadica obbedienza. Dentro c'è l'unica *panadería* della zona, con tanto di dolci da farla apparire una locanda dove arrischiarsi a fare colazione. In uno scaffale, accanto a bottiglie di latte e sacchi di caffè, spiccano batterie, bambole di coccio, un gigantesco carburatore da camion a dodici cilindri, una scatola di pallottole Remington, bottoni assortiti, impugnature di madreperla per revolver e automatiche, persino la locomotiva di un trenino elettrico. Facce di mandriani svegli da almeno quattro ore mi salutano con movimenti impercettibili, qualcuno si sfiora il sombrero col pollice. Ordino un piatto di quello che stanno mangiando tutti, e alla fine mi decido a chiedere dell'Inglese.

La donna dietro il bancone sorride malinconica, dice *"Buena gente, el Inglés,"* e aggiunge con rammarico: *"Lástima que murió"*.

Certo, è morto da più di sei anni, ma vorrei almeno capire fino a che punto si mescolasse alla vita del paese.

"Veniva qui ogni giorno, a comprare il pane. *Muy amable,* sempre sorridente, e non parlava mai. Lo conoscevamo tutti, ma nessuno ha mai scambiato con lui niente più che un saluto."

Le teste sotto i sombreri annuiscono, con uno stringere di labbra assorto in vaghi ricordi.

Nella piazza c'è l'emporio, dove chiunque viva a Xilitla non può fare a meno di passare una volta alla settimana. E la risposta è identica. Un tipo si entusiasma e mi accompagna in altri luoghi, a parlare con persone che per trent'anni hanno scambiato saluti con l'Inglés. Niente di più, solo il rimpianto per uno strano personaggio che ha lasciato Xilitla più vuota di quanto fosse, nonostante vivesse isolato nelle viscere della selva opprimente che si estende all'infinito, sfocata sotto questa pioggia che non smette di scendere e che sembra infastidire soltanto me.

Chiedo "dove", e mi indicano un punto verso il fondo. "Ma a piedi...?" "Mezz'ora." E in auto? Lo stesso, perché i tre tassisti del paese non hanno alcuna intenzione di impantanare le loro Nissan, perfette imitazioni di 124 Fiat affaticate da due decenni di servizio.

Edward James nacque nel 1907, da Evelyn Forbes figlia di re Edoardo VII e da William James, esploratore al cui attivo annoverava la prima spedizione europea in Somalia nonché notevoli scoperte in Etiopia, Afghanistan, Arabia Saudita e zone artiche. Dicono che Edward avesse una tale spiccata percezione della realtà in forma cinematografica che fin dall'età di cinque anni fissasse i particolari attraverso le quattro dita incrociate, pronunciando di continuo un "clack" da scatto meccanico. Finché un giorno si dimenticò di dirlo, e i suoi occhi rimasero in "presa diretta"...

Privo di preoccupazioni economiche, cominciò a viaggiare per l'Europa, e in Italia conobbe un giovane pittore spagnolo; trasferitosi a Barcellona per seguirne l'opera, divenne così il primo e decisivo mecenate di Salvador Dalí. Il quale ben presto gli avrebbe confidato: "Tra tanti surrealisti fasulli, tu sei l'unico *veramente* pazzo. Quindi non devi fare alcuno sforzo per apparirlo". Edward James darà il suo contributo al movimento surrealista anche in campo letterario, pubblicando una decina di libri fra romanzi, raccolte di poesie e opere teatrali. Amico di Magritte, fu ritratto in uno dei suoi quadri più famosi, *La riproduzione proibita,* mentre il rapporto con Bertolt Brecht avrebbe dovuto prima superare le prevenzioni ideologiche del drammaturgo tedesco, che all'inizio lo considerava un "capitalista" solo un po' più sensibile degli altri. Divenuto inseparabile da Picasso, Edward lo aiutò economicamente durante la realizzazione di *Guernica* e, come racconta Buñuel nelle sue memorie, fu proprio lui l'Inglese pazzoide che offrì in dono ai repubblicani un bombardiere per la causa antifranchista, a patto che si fossero salvate dalla guerra alcune opere della pittura spagnola contemporanea. L'aereo era già stato acquistato in Cecoslovacchia, ma per una serie di traversie "pratiche" non avrebbe mai sganciato una sola bomba sulle falangi golpiste.

Direttore della leggendaria rivista "Minotaure", nel 1944 Edward James si trasferì da Parigi a Los Angeles, per seguire una sorta di corso buddhista con Aldous Huxley. Nel 1945 scese verso sud, e... affittò una casa a Cuernavaca.

In Messico Edward trovò ciò che aveva sempre cercato senza rendersene conto, e che di lì a poco avrebbe diviso in due la sua esistenza: conosciuto un indio yaqui di nome Plutarco Gastelum, lo elesse a guida spirituale attraverso gli spazi immensi del paese che sarebbe diventato la sua patria elettiva.

Un giorno, nuotando con Plutarco in un torrente detto "delle sette pozze", nel cuore di una foresta fittissima, gli accadde di venire completamente avvolto da una nube di farfalle, evento non del tutto raro nel periodo della riproduzione, ma che a Edward apparve come un segno del destino. Il torrente scorreva a pochi chilometri da un villaggio che nessuna carta aveva ancora menzionato, Xilitla, e laggiù l'aristocratico inglese avrebbe dilapidato tutte le sostanze di famiglia per costruire la follia di un'intera vita: quella che altri avrebbero chiamato *La casa infinita*.

Prima che il viottolo lastricato si dissolva in un sentiero fangoso, Xilitla manifesta una traccia violenta di quei trent'anni che l'Inglés ha trascorso qui: un edificio variopinto, grottesco nella sua imponenza che sovrasta le casupole abbarbicate sui pendii, ma tutt'altro che maestoso. È sicuramente l'unico progetto di Edward James con un fine pratico, cioè l'abitazione del vecchio don Plutarco e dei suoi discendenti. Ma neppure in questo caso rinunciò a farsi beffe dell'architettura. C'è qualcosa di sarcastico, in queste pareti curve solcate da rombi gialli e ocra, negli enormi piedi di cemento che percorrono il patio come orme di un percorso obbligato, negli archi della terrazza che sorreggono il nulla. Don Plutarco è il solo erede, perché Edward James lo nominò figlio adottivo e unico "parente" riconosciuto. Il grande amore della sua vita, la danzatrice Tilly Tosh, lo sposò quando entrambi erano poco più che ventenni, ma il matrimonio non durò che cinque anni. Nessun figlio, e nessun'altra donna fino all'ultimo dei suoi giorni, giunto nel dicembre del 1984 mentre si trovava in Inghilterra per vendere l'ennesimo quadro, e usarne il ricavato per pagare il suo esercito di muratori. Fino a qualche decennio addietro, possedeva una delle più grandi collezioni di arte surrealista del mondo. Nel 1981 era arrivato a privarsi dell'opera che più amava, *Il Sogno* di Dalí. L'amico dei tempi in cui la follia era ancora un motivo di unione ha contribuito così al sogno di follia solitaria alla quale ormai Edward dedicava l'intera esistenza.

"Non capisco perché non si possa essere anarchico e fedele alla corona britannica al tempo stesso. Io lo sono, ma nessuno riesce a comprendere come."

Nel mezzo della *Casa Infinita*, inghiottito da un delirio di cemento variopinto che compenetra e si scioglie in questa vegetazione aggressiva, comincio a capire cosa intendesse dire Edward James, con quella frase che suscitava l'ironia dei suoi ex compagni di viaggio. C'è un'immagine, un fotogramma, che può rendere in parte la sensazione: il regno impossibile del colonnello Kurz in *Apocalypse Now*. È come ritrovarsi sul set di un film visionario, abbandonato a metà riprese per la morte improvvisa del regista. Archi orientali ricoperti di muschio, colonne rigonfie percorse da scale a chiocciola che portano soltanto nel vuoto, con l'unico intento di creare vertigini in chi vi si avventuri. Gabbie aperte per animali che possano entrare e uscire a loro discrezione, come il puma che non è più tornato da quando l'Inglés ha cessato di preparargli il pasto quotidiano, o l'anaconda che dopo tanti anni si comportava come una gatta affezionata. E le voliere senza reti, per mille volatili che comunque continuano ad abitare i rami attorno. E la piccola dimora, l'unico luogo chiuso da tetto e pareti, dove Edward visse per anni in assoluta solitudine, progettando sogni mutilati da lui stesso: perché la frenesia di realizzarne altri lo portava sempre a dare disposizioni che i suoi muratori non potevano capire. Quando ci si illudeva di poter arrivare al termine di qualcosa, era immancabilmente il momento di lasciare tutto e ricominciare da un altro punto. Un senso di frustrazione che ancor oggi a Xilitla ricordano, pur tenendo a precisare che ognuno ha contribuito non solo con le braccia, ma anche con la propria fantasia: era un rito collettivo, quel costruire nella giungla, e ogni progetto iniziale finiva col crescere spontaneamente, trasformato dall'idea improvvisa di un muratore anarchico quanto lui. Come un capitano Nemo nel suo Nautilus, aveva il comando dell'equipaggio ma ascoltava tutti i consigli sulla rotta, modificandola di continuo. "La mia casa possiede ali e, certe volte, nella profondità della notte, canta..." L'unica consegna irrinunciabile era il non tagliare un solo ramo, non privare la natura di un solo fiore. E la *Casa Infinita* cresceva insieme alla foresta, gli alberi circondati fuoriuscivano dalle finestre, il cemento si trasformava in rami e si mimetizzava fino a fondersi armoniosamente con la densità del fogliame tropicale.

Una scala arancione si perde nel nulla, si protende verso il cielo piovoso e scompare tra i rampicanti, in attesa che il tempo conceda alla giungla di ingoiare anche il resto. Sono rovine, macerie di sogni, concepite come tali. Nell'architettura di Edward James c'è come una dimensione di rovina prefabbricata, quasi costruisse per l'abbandono e abbandonasse per ricominciare a costruire.

È un mausoleo per fantasmi. Nessun paragone possibile, perché infinitamente più estremo di un Gaudí, e surrealmente più concreto di un disegno di Escher. Non c'è un punto da cui la vista possa abbracciare tutto: la *Casa Infinita* si può solo attraversare, con la sensazione finale di essere passati attraverso il nulla. Di aver percorso un tratto di foresta impazzita per il rimpianto di un sogno irrealizzabile.

Le cartoline di don Zeferino

Zeferino González era un *albañil*, un muratore, ma non si accontentava di eseguire lavori progettati da architetti e ingegneri, preferiva "interpretare" l'arte del costruire secondo una sua personalissima e originale creatività. A San Miguel de Allende tutti lo chiamavano don Zefe, o più semplicemente Maestro, qualifica ottenuta in decenni di assiduo, accurato lavoro di cazzuola. Zeferino González era analfabeta, aveva mani forti e screpolate, corrose dalla calce e consumate dai mattoni, non usava matite e fogli di carta perché tracciava i suoi "progetti" direttamente sulla terra polverosa, con un rametto staccato da un cespuglio o con la punta del coltello. Nel 1890, don Zefe venne incaricato di costruire la facciata alla vecchia chiesa dei francescani, che dopo due secoli e mezzo di onorato servizio nel cuore della città meritava un aspetto meno anonimo.

Zeferino non aveva mai viaggiato all'estero, non conosceva Santa Maria del Fiore a Firenze né Notre-Dame di Parigi, ma... collezionava cartoline postali. E andò a scartabellare nei bauli di casa, per trarne ispirazione. Impugnando le sue cartoline, sulle quali campeggiavano disegni e incisioni di basiliche e cattedrali gotiche italiane e francesi, mastro don Zefe prese a menare precisi e risoluti colpi di bacchetta sul terriccio, da cui scaturirono gli ordini per i manovali. Pochi anni più tardi, nella piazza principale di San Miguel de Allende campeggiava l'affascinante, assurda facciata gotico-barocca della Parroquia, divenuta il simbolo della città, un miscuglio di genialità e fantasia in color rosa-giallo ocra che ha consegnato il suo ardito autore alla storia dell'ingegno indigeno.

Un paio d'ore di Panamericana da Città del Messico verso nord, un'altra ora dalla deviazione che conduce alla Culla dell'Indipendenza, e appare San Miguel, magari al tramonto, quando i colori per cui va famosa in tutto il Messico assumono tonalità fiabesche, da apparizione ammaliante: macchie di violetto degli alberi jacaranda in fiore, varietà di rossi delle bougainville, mura rosee, celesti o brune, il tutto punteggiato di lampioni giallognoli, e al centro, svettanti e inconfondibili, le guglie appuntite modellate dalle mani rozze e magiche di Zeferino González, che dall'alto della collina sembrano formare una curiosa torta nuziale, di quelle che solo i pasticcieri messicani sanno fare. La vista si perde sul panorama predesertico, cactus e agavi, contorti alberi di *mezquite* dal legno duro come il ferro. San Miguel è un gioiello dell'architettura coloniale perfettamente conservata, grazie anche a leggi severe che mettono al bando l'asfalto e le insegne al neon; e nessun intervento esterno agli edifici del centro storico è permesso se rischia di sfregiare l'armonia dei suoi cinque secoli di vita.

All'apparenza paciosa e immota, cela un cuore antico fatto di insurrezioni indipendentiste e uno moderno che pulsa di attività artistiche e artigianali con la luce del giorno, e di sfrenata musica *en vivo* ogni notte. Un concentrato di locali ricavati in suggestive dimore con patii fioriti, dove si esibiscono jazzisti e *salseros* venuti da lontano oppure nati e cresciuti qui, dove non mancano maestri d'eccezione in ogni campo musicale. Nella calle de Umarán, a pochi passi dallo *zocalo* – la piazza principale con giardino e Parroquia – c'è l'ormai leggendario Mama Mia. Lo ha fondato José Luna, gentiluomo messicano e scopritore di talenti, che una ventina d'anni fa rilevò un'antica magione spagnola trasformata in albergo e confinante con la casa di Ignacio Allende, eroe dell'Indipendenza a cui San Miguel deve il "cognome". "L'ho chiamato Mama Mia perché già allora avevo amici italiani," racconta José Luna, "e per noi messicani risulta curioso questo vostro continuo intercalare... Mammamia, quanto è bella San Miguel... Mammamia, che caldo fa oggi..." La pronuncia spagnola ha fatto perdere una *emme* all'insegna, mentre la città ci ha guadagnato un punto di riferimento per il turismo locale e internazionale. Inizialmente era un ristorante e bar, oggi deve la sua notorietà soprattutto al contiguo "antro" seminterrato, dove, tra mura affrescate e arditi soppalchi di legno, si alternano gruppi che confermano quanto la mescolanza di razze e scuole produca prodigi. In Messico si incontrano innumerevoli musicisti che, giunti sulla soglia del successo, hanno mandato al diavolo lo star system con i suoi ritmi di vita stritolanti e tutto il resto, preferendo guadagnarsi da vivere alla giornata nei locali a sud del Río Bravo, dove il conto in banca resta asfittico ma la libertà ripaga di ogni rinuncia.

Al Mama Mia ho conosciuto il batterista Bob Kaplan, che fra l'altro compare nei primi dischi di Gato Barbieri, e il chitarrista di flamenco Wolf Fink, tedesco di nascita e andaluso-messicano per scelta. Wolf, detto El Lobo, suonava sempre nel patio del ristorante, finché un giorno è arrivato Willie Royal, funambolico violinista texano immediatamente ingaggiato da un'orchestra jazz. Niente sembrava unire quei due, eppure, cominciando a suonare insieme per scherzo o per tenere in allenamento le dita nei pomeriggi oziosi di San Miguel, Lobo e Willie hanno scoperto un feeling istintivo, capace di sprigionare sonorità imprevedibili, melodie evocative e guizzi di danze gitane, un amalgama armonioso e spiazzante al tempo stesso. José Luna, che ama prendere il microfono di tanto in tanto per interpretare canzoni della tradizione cubana e messicana, ha indubbiamente l'orecchio attento e abituato a distinguere tra vero talento e semplice esecuzione di qualità. E ha proposto a Willie e Lobo di incidere un disco, a sue spese. Quindi, avendo aperto un secondo Mama Mia a Puerto Vallarta, sul Pacifico, ha offerto ai due di trasferirsi al mare per dare libero sfogo al loro nuovo repertorio. Qui, una notte, è approdato lo scrittore Robert James Waller, reduce dal trionfo del film *I ponti di Madison County* tratto dal suo romanzo più famoso, nonché in crisi per i sette milioni di dollari dei diritti che, a suo dire, gli hanno "stravolto la vita". Sentendo il richiamo di quella musica così singolare e indefinibile, Waller è entrato al Mama Mia 2 e si è perdutamente invaghito delle note che sciamavano nella sala, da lui definite "jazz gitano, una linea melodica con seguito di improvvisazioni sul tema". Ha comprato il cd prodotto da José Luna e, riascoltandolo più volte in albergo, gli è venuta l'ispirazione per un altro romanzo, quello che in Italia sarebbe poi uscito con il titolo *L'ultima notte a Puerto Vallarta*. Di lì a pochi giorni, ha ingaggiato Willie e Lobo per realizzare la "colonna sonora", cioè un cd che negli Usa viene venduto assieme al libro, da ascoltare durante la lettura. Dopo questa esperienza, il duo poteva fermarsi negli States per approfittare dell'iniziale successo. Ma niente da fare, sono tornati giù, alternando Vallarta a San Miguel, da un Mama Mia all'altro. "Non erano venuti in Messico per fare fortuna," dice José Luna, "ma per vivere senza la fretta e l'ansia che il mondo discografico imporrebbe loro."

A San Miguel, fretta e ansia sono concetti salutarmente sconosciuti. Gli alti marciapiedi di pietra sembrano fatti per passeggiare godendosi ogni dettaglio dei negozi di artigianato o dei portoni in legno finemente intagliato, le stradine lastricate impongono alle auto di andare ancor più lente dei passanti, e sedendosi qualche ora sulle panchine dei giardini, di fronte alla Parroquia, si finisce per incontrare chiunque e sapere tutto ciò che c'è da sapere sulla vita quotidiana della cittadina. Anche San Miguel, comunque, ha i suoi momenti di chiassosa sfrenatezza. Per le Fiestas Patrias, i festeggiamenti con cui si celebra l'Indipendenza in settembre, esplodono fuochi d'artificio ovunque e le bande musicali impazzano mentre gli abitanti si riversano in strada per ventiquattr'ore di seguito, raggiungendo l'apoteosi con la *pamplonada*: ovviamente i torelli lasciati liberi di scorrazzare per il centro non hanno le corna dei loro cugini destinati all'arena, giusto per evitare drammi e non dover interrompere i bagordi per soccorrere qualche avventato torero domenicale. San Miguel sa lasciarsi andare senza perdere mai la sua aria di luogo senza tempo, dove coesistono pittori e scrittori venuti a sfruttare silenzi e sensazioni intime, accanto a irriducibili nottambuli e formidabili bevitori. Neal Cassady, convulso interprete *fisico* della beat generation, che ispirò Kerouac per il suo *On the road* e condivise con Burroughs e Ginsberg eccessi e passioni, scelse San Miguel per concludere la sua parabola di stella cadente: era il 1968, e lo trovarono accanto ai binari della ferrovia, che passa da qui e arriva alla frontiera, migliaia di chilometri più a nord. Con sé aveva solo una bottiglia di whisky vuota, l'ultima.

"Credo sia un buon posto per morire," mi ha detto guardando i binari Robert Barker, che dopo aver conosciuto tanti luoghi del mondo ha deciso di lasciare la natia California e fermarsi per sempre a San Miguel. "Ma è sicuramente un ottimo posto per viverci..."

In viaggio con José

Con José Luna e sua moglie Berta abbiamo deciso di partire insieme per un viaggio fino alla costa del Pacifico, a bordo della loro smisurata *camioneta* con cui, l'anno scorso, assieme ai due figli adolescenti – Leonardo e Darío – sono arrivati niente meno che al Circolo polare artico. Essendo i primi messicani a memoria d'uomo che arrivavano in auto fin lassù, il sindaco dell'ultimo villaggio abitato in territorio canadese ha conferito loro una sorta di onorificenza al merito, un "diploma" per i tre mesi di andata e i tre di ritorno. In futuro, con la stessa camioneta, José e Berta progettano di raggiungere Patagonia e Terra del Fuoco. E così batteranno un altro record: unici messicani ad aver percorso per intero la Panamericana, la strada più lunga del mondo che congiunge – quasi – l'Artide con l'Antartide.

San Miguel è nello stato del Guanajuato, immortalato da una ballata di José Alfredo Jiménez, autore di canzoni struggenti che ben rappresentano la *mexicanidad*, quell'essenza di rimpianto e senso di perdita di cui è pervasa la filosofia del vivere dei messicani. "Qui la vita non vale niente," cantava Jiménez con toni più da esistenzialista che da rivoluzionario di Pancho Villa, "qui scommettiamo la vita e rispettiamo chi resta in piedi. Perché la vita comincia piangendo, e piangendo finisce..." Quella di Jiménez finì al tavolo della *cantina* dove compose le sue più struggenti canzoni, dopo anni di ininterrotta *borrachera*.

Si spengono le ultime stelle e i primi raggi del sole annunciano una mattinata tersa sull'altopiano del Bajío. Ieri sera José mi ha chiesto: "Vuoi fare un giro in mongolfiera?

Ho un amico che lo fa di mestiere, vedrai, ne varrà la pena". Con l'incoscienza tipica della quarta o quinta tequila, ho risposto: "Perché no...".

E così, all'alba, conosco Jay Kimball, californiano esperto di trasvolate in mongolfiera. Jay parla poco e si muove rapido, caricando sul pick-up l'enorme cesta in cui dovremo stare in dieci ("No, non siamo troppi, anzi, è più stabile"), il mucchio di tela variopinta e sottilissima ("Ma come fa a non strapparsi?" "Si strappa, eccome: è delicatissima..." Ah, cominciamo bene...), due bruciatori e sei bombole di gas. Tutta quella roba più noi nella cesta? Vabbè, ormai ho detto di sì...

Jay gonfia un palloncino e lo lascia volare via. Poi, per almeno un quarto d'ora, lo fissa intensamente, anche quando per noi è ormai diventato invisibile. Jay sta studiando i venti. Alla fine, dice soltanto: "*Okay, vamonos*".

Raggiungiamo un campetto di calcio nella periferia di San Miguel. Jay e i suoi aiutanti messicani dispiegano la mongolfiera sul terreno, poi accendono i bruciatori, cioè due veri e propri lanciafiamme che emettono un rombo assordante. La fiammata è così vicina alla sottilissima tela colorata che chiedo: "Ma come fa a non prendere fuoco tutto?". Jay scuote la testa e sorride: "In trent'anni di trasvolate, non ha mai preso fuoco". Va bene, la pianto con le domande sceme. E quando il pallone si stacca parzialmente dal terreno, Jay dà l'ordine: tutti nella cesta!

All'improvviso, dopo mezz'ora di preparativi, la scena diventa frenetica: Jay spara fiammate, gli aiutanti si affannano con le corde d'ancoraggio e sgasano con il grosso pick-up per trattenerci fino all'ultimo istante, noi ci accalchiamo come sardine, e finalmente... ci muoviamo. Anche perché il pick-up era stato sollevato da terra e ha dovuto comunque mollarci. Non immaginavo avesse una forza simile, questo pallone d'aria calda. Peccato, però, che non si muova verso l'alto, ma in avanti...

Un vento un po' vigliacco ha preso a soffiare rasoterra e ci impedisce di decollare. Così, la mongolfiera si trascina dietro la cesta attraversando velocemente il piccolo campo di calcio. Ormai non si può fare altro che tentare di decollare, è troppo tardi per sgonfiare il pallone – gigantesco, smisurato, se visto da qua sotto – e intanto, la recinzione di filo spinato e paletti di cemento si avvicina inesorabilmente. Al di là, alberi di *mezquite*, legno durissimo, nonché irto di spine grosse quanto chiodi da carpentiere. Abbattiamo la recinzione con la cesta, che si è rovesciata e metà degli occupanti schiaccia l'altra metà, ma nessuno fiata. Una frazione di secondo, e ci ritroviamo in cielo. I mezquite sfilano sotto i nostri piedi, la botta contro i paletti di cemento non ha sfasciato la cesta – incredibile, per me – e adesso Jay ci sorride, sparando fiammate a tutta forza. Rassicurante. In pochi minuti, San Miguel è una mappa topografica che si allontana in un coro di latrati: abbiamo scatenato l'allarme di centinaia di cani del paese.

Adesso che tutto è pace e silenzio – a parte il frastuono dei bruciatori quando scaldano l'aria e anche la mia nuca, ormai rovente – chiedo a Jay se sia "normale" decollare così. Fa una smorfia divertita, dice: "No, in media succede una o al massimo due volte all'anno. Di solito, è molto più soft". Ah, meno male per gli altri pallonauti, penso. Abbiamo beccato quella volta all'anno in cui il vento ti frega all'ultimo istante. Scendiamo lentamente verso un canyon. Sul fondo, si scorge l'interminabile convoglio di un treno merci, che scivola senza fretta verso nord, diretto alla lontanissima frontiera con il Texas.

Tutto è lento, in mongolfiera. Salire, scendere, spostarsi di lato. *Apparentemente* lento. E senza possibilità di scelta: decidono i venti dove andare. Sotto, il pick-up ci segue a vista, per raccoglierci dove atterreremo. Jay comunica con i due aiutanti tramite il walkie-talkie, e noi ci guardiamo intorno affascinati e anche un po' preoccupati per l'atterraggio: sarà come il decollo?

Ho imparato che passano alcuni minuti dal getto di fuoco verso il pallone e la ripresa di quota: cioè, quando la mongolfiera inizia a scendere perché l'aria si è raffreddata, ci vuole un po' di tempo prima che riprenda a salire, malgrado le fiammate che Jay ci spara dentro. E succede che, mentre il treno si avvicina sempre più, il canyon all'ombra ci attira verso di sé per via della corrente fredda, e intanto Jay è stato chiamato dal pick-up... Insomma, perdiamo quota e il treno non ha ancora finito di sfilare. In un vagone aperto, due probabili clandestini alzano lo sguardo e restano stupefatti. Poi ridono e ci salutano sbracciandosi. O forse vogliono esprimere qualcos'altro? Il fatto è che quel dannato treno passa una sola volta al giorno e noi continuiamo a scendere... Jay, che adesso ha un'espressione tesa – il che non ci rincuora –, si è attaccato ai lanciafiamme senza smettere di sparare aria rovente, ma solo quando mancano pochi metri all'impatto con gli ultimi vagoni del convoglio, riprendiamo a salire. Il sospiro di sollievo che si leva dalla cesta sovrasta persino il fragore dei bruciatori.

Dopo tutto ciò, l'atterraggio è incredibilmente dolce e morbido: neanche un rimbalzo, tocchiamo terra e ci fermiamo esattamente lì, a dieci metri da un asino che ci osserva indifferente, mentre due cavalli bradi si sono imbizzarriti e galoppano via nitrendo e scalciando. Siamo sulle rive della Presa Allende, il lago di San Miguel. Grazie alla perizia di Jay, non solo siamo finiti all'asciutto, ma non abbiamo neppure devastato i vicini campi di mais come temevo: sarebbe stato il colmo, dover anche affrontare le sacrosante ire di qualche *campesino* con forcone o machete.

Più tardi, facendo colazione al Mama Mia, gli aiutanti messicani di Jay Kimball cedono alla mia insistente curiosità e mi confermano che di incidenti ne hanno, non spesso, ma qualche volta se la sono vista davvero brutta. Però Jay è a dir poco reticente sull'argomento: è taciturno di carattere, e per di più non ci tiene ad allarmare i "clienti". Però, poco alla volta, entriamo in confidenza e alla fine mi racconta una delle sue imprese, forse quella di cui va più fiero.

C'era una volta la *vaquita* nel Mar di Cortés... Non si tratta di una razza nana di mucca messicana, bensì di una rara specie di focena o marsuino che, al già simpatico aspetto dei delfini, aggiunge una curiosa mascherina nera intorno alla bocca e agli occhi. Il nome scientifico è *phocœna sinus*; rispetto ai delfini è più piccola (misura al massimo un metro e mezzo di lunghezza, ma è tondeggiante e grassoccia) e ha il muso più corto, i denti piatti; comunica principalmente tramite una massa frontale che invia suoni su varie frequenze (sì, comunica, nel senso che può addirittura formulare discorsi con i propri simili, essendo del resto molto più evoluta della media degli esseri umani) e, per uno strano capriccio della natura, da millenni vive esclusivamente in una ristretta zona dell'alto Golfo di California, quello delimitato dalle coste della Baja Norte e del Sonora, davanti all'estuario dove dovrebbe sfociare il Río Colorado, se l'industria agricola statunitense non si fregasse quasi tutta l'acqua del grande fiume entrato nella leggenda western... La vaquita, come la chiamano da secoli i pescatori del mare più amato da Steinbeck, è, neanche a dirlo, in via di estinzione, e se a tutt'oggi sopravvivono circa seicento esemplari – anche se sarebbe più giusto definirli individui – è grazie alla campagna di sensibilizzazione avviata da diversi anni in Messico che coinvolge non solo organizzazioni ambientaliste ma anche le cooperative di pescatori: questi ultimi si sono da tempo impegnati ad adottare una serie di misure per evitarne la cattura accidentale. Purtroppo, a minacciarne l'esistenza è in primo luogo l'inquinamento. Quel poco di acqua del Río Colorado che affluisce nel golfo, per quanto scarsa e in parte filtrata sottoterra, è carica di pesticidi e fertilizzanti, letali per la povera vaquita. Oltre ad avvelenarsi in maniera diretta, li assume attraverso la catena alimentare, con molluschi e crostacei, ed è dovuto a questo se le poche foto di questa rarissima specie mostrano corpi senza vita spinti a riva dalle correnti anziché famigliole che saltano in superficie. Comunque, immortalare la vaquita è a dir poco arduo.

Una delle ultime avventure di Jacques Cousteau fu proprio tentare di fotografare e riprendere la *phocœna sinus*, ma dopo lunghi ed estenuanti mesi di appostamenti, la *Calypso* dovette levare le ancore: per l'anziano oceanografo francese quella sconfitta rappresentò una delle amarezze della sua vita, perché sarebbe stato importantissimo mostrare al mondo le immagini della vaquita, dall'aspetto e dai comportamenti in grado di ispirare una tale tenerezza e simpatia da scatenare sicuramente una campagna internazionale per la sua salvezza. Ma la vaquita, sensibilissima quanto timida, capta persino un respiro a chilometri di distanza, e fu sufficiente il battito dei cuori a bordo della *Calypso* per tenerla alla larga. Paradossalmente, il delicato e potente "sonar" di cui dispone quella volta non le ha fatto un favore. Finché... un certo Jay Kimball, californiano residente in Messico e internazionalmente noto come grande esperto di trasvolate in mongolfiera – vari record all'attivo –, ha pensato all'uovo di Colombo: se la vaquita si spaventa per i rumori in superficie, basterà non sfiorare l'acqua. Cioè, appostarsi in mezzo al mare a bordo di una mongolfiera, alla minima altezza possibile. Ed è stato così che Jay ha consegnato al mondo le uniche immagini oggi reperibili della vaquita, ottenendo un importante premio giornalistico e fornendo una notevole spinta al lavoro di quanti lottano per salvarla dall'estinzione. Certo, non fu facile neanche per lui.

Di fatto, la troupe televisiva e i fotografi a bordo del suo *globo*, come dicono in Messico, sono riusciti a catturare scene di vita quotidiana dei piccoli cetacei, indisturbati dall'ombra del pallone che gravitava su di loro perché, in natura, la vaquita non ha nemici in cielo quindi non c'era motivo di preoccuparsi. Ma poco più tardi, quando Jay si apprestava a rientrare sulla penisola manovrando i suoi "lanciafiamme" e smanettando sulle bombole di gas per alzarsi fino a trovare una corrente favorevole, si è scatenata una delle improvvise tempeste che rendono famigerato il Mar di Cortés. In pochi minuti, la mongolfiera di Jay è stata spinta a velocità folle dai venti che soffiavano verso sud. Davanti alla cesta di vimini (le vere mongolfiere non cedono alla plastica), le due coste si divaricavano verso il Pacifico: Jay ha capito che, se non avesse trovato il modo di fermarsi, la migliore delle prospettive, se mai avesse deviato a est, sarebbe stata approdare alle Galapagos, e la peggiore... l'Antartide. Non c'è altro che acqua, a sud del Mar di Cortés. Le concitate comunicazioni radio si sono ben presto interrotte: Jay era in aria da troppo tempo, tutte le batterie erano ormai esaurite. Ha fatto in tempo solo a trasmettere di mandargli incontro un gommone a quattro motori. Detto fatto. Dalla costa è partito a razzo il mezzo richiesto, e Jay è riuscito successivamente a lanciare una cima e ad agganciarsi al natante. Ma senza radio, non ha potuto impartire gli ordini: chi non conosce le mongolfiere non può immaginare quale inaudita forza abbiano questi apparentemente fragili palloni di aria calda. Possono sollevare un camion, figuriamoci un gommone. Jay si sgolava per far capire che dovevano dirigersi in modo tangenziale verso la costa, mai e poi mai invertire la marcia rispetto al vento... E pochi istanti dopo, il gommone volava in cielo mentre gli occupanti piombavano in acqua. Jay ha tagliato la cima e ha ricominciato a pregare. Ultima speranza, l'unità d'appoggio, un grosso motoscafo d'alto mare che si è lanciato a tutta forza in avanti per superare la mongolfiera. Lieto fine: con magistrale perizia, Jay ha fatto "appontare" l'enorme mongolfiera giusto al centro, senza neppure un piccolo rimbalzo. A quel punto, in caso di naufragio, poteva senz'altro salvarsi, ma sarebbero andate perdute tutte le attrezzature, e quindi la documentazione sulla vaquita, ecco perché Jay non ha mai pensato di lasciar raffreddare l'aria e ammarare in attesa dei soccorsi.

E finalmente, partiamo da San Miguel. La camionetta ammiraglia della famiglia Luna – dotata di argani con cavi d'acciaio davanti e dietro per uscire da pantani, ghiacciai, sabbie mobili eccetera – è stracarica: ci stiamo dentro in dieci, con relativi bagagli sul tetto e un paio di biciclette. Prima di puntare su Guadalajara, e quindi verso la costa, faremo due tappe in luoghi che, secondo José e Berta, valgono senz'altro la pena di prolungare il viaggio. Il primo è abbastanza vicino, un paio d'ore di strada, nel confinante stato di Quéretaro. Stiamo andando a Bernal, paesino coloniale che sorge ai piedi di una *peña*, singolare massiccio roccioso che si leva solitario al centro di un altopiano.

Si può iniziare una guerra d'indipendenza attraverso un buco della serratura? In Messico, questo e altro.

Correva l'anno 1810 e la città di Querétaro, circa duecento chilometri a nord della capitale federale, era un covo di cospiratori che si apprestavano a combattere la dominazione spagnola iniziata nel 1531, quando a suon di archibugiate i conquistadores avevano "pacificato" gli indios otomí, legittimi abitanti della zona, e fondato quella che è oggi considerata una delle numerose perle coloniali della confederazione messicana. Capeggiati da padre Hidalgo, un prete dotato di grande carisma e convinto che ribellarsi alle angherie degli spagnoli fosse a dir poco sacrosanto, i futuri padri della patria si riunivano nella grande casa di doña Josefa Ortiz de Domínguez. Luogo scelto con una certa sfrontatezza, visto che la signora era conosciuta popolarmente come la Corregidora, cioè la moglie del Corregidor, il governatore nominato dagli spagnoli. Finché un giorno don Domínguez, scoperti i loro piani, chiuse a chiave la Corregidora in casa e andò dagli spagnoli a denunciare il complotto nonché la propria moglie. Il destino volle che di lì a poco passasse Ignacio Pérez, altro indipendentista: la signora riuscì a richiamare la sua attenzione e, dal buco della serratura (a quell'epoca chiavi e relative toppe avevano dimensioni notevoli), gli raccontò tutto, mandandolo ad avvertire i capi dell'insurrezione. Gli spagnoli, sebbene informati dall'infame marito, non ebbero così il tempo di arrestarli, e padre Hidalgo decise di anticipare le mosse: impugnò il sacro stendardo della Vergine di Guadalupe e lanciò il famoso *Grito*, cioè la chiamata alla sollevazione popolare contro i colonialisti.

Oggi la casa della Corregidora è sede del Palacio de Gobierno di Querétaro, città poco frequentata dal turismo internazionale ma di notevole bellezza architettonica, dove la Storia si è data spesso appuntamenti memorabili: qui ha concluso la sua parabola di paradossale "imperatore" Massimiliano d'Asburgo, imposto da Napoleone III nel 1864 (dopo essere stato governatore del Lombardo-Veneto e aver lasciato un maestoso castello nei pressi di Trieste) e fucilato nel 1867 sul Cerro de las Campanas, il colle che domina l'abitato. Sempre a Querétaro, nel 1848 era stato firmato l'iniquo Trattato di Guadalupe Hidalgo al termine della guerra con gli Stati Uniti, che si presero metà del territorio messicano, e infine, nel 1917, all'interno del sontuoso Teatro de la República venne redatta la Costituzione ancora in vigore. Città tra le più ricche del paese, Querétaro è la capitale dell'omonimo stato ma non ha certo le dimensioni della metropoli, con un centro storico accuratamente conservato e la periferia industriale meno desolante di tante altre.

Percorrendo una quarantina di chilometri in direzione nord-est si arriva a Bernal, un borgo coloniale di struggente semplicità e genuinamente messicano da tutti i punti di vista. Pressoché inesistente sulle guide turistiche, Bernal costituisce una singolare attrazione per molti abitanti degli stati limitrofi, che si danno appuntamento qui ogni 21 marzo per celebrare l'equinozio di primavera seguendo un suggestivo rituale preispanico. Perché proprio a Bernal? La risposta è intuibile molto prima di entrare nel minuscolo centro abitato, quando, guidando lungo la strada rettilinea, la vista sul panorama dell'altopiano è invasa da un colossale picco roccioso che si staglia solitario e imponente, e ai piedi del quale sorge l'agglomerato di casette dai colori caldi e i tetti di tegole. La Peña de Bernal è la seconda cima del continente (dopo il "Pão de açúcar" di Rio de Janeiro) per mole e altezza: si erge per 455 metri al di sopra del paesino, quindi a 2545 sul livello del mare, scaturita dalle viscere della terra un centinaio di milioni d'anni fa, quando chissà quale tremenda apocalisse sparò verso l'alto questa massa di porfido basaltico con – particolare curioso – un immenso cuore di ametista, meglio conosciuto in Messico come *el cristal de los recuerdos*. Si dice che da esso emani un'energia magnetica capace di alleviare molti mali, non solo dello spirito ma anche del corpo, e a parte lo stuolo di esoterici e mistici, a cui vanno aggiunti innumerevoli artisti, fotografi e poeti in cerca d'ispirazione, è pur vero che stimabili scienziati continuano ad alternarsi ai piedi e sulla sommità di questa "montagna magica" studiandone i singolari aspetti geodinamici e i campi magnetici presenti: inutile aggiungere che, nella zona, gli avvistamenti di Ufo sono all'ordine del giorno.

Nel linguaggio dei conquistadores c'erano molti termini d'origine "moresca", e ciò spiega perché in Messico vi siano parole d'uso comune che derivano dall'arabo; è anche il caso di Bernal, nome che nella lingua di Averroè significherebbe "picco roccioso". Il borgo coloniale è incantevole: porticati e palazzine rosso terra, ocra intenso o bianco calce, con innesti di azzurro e verde pallido, tutto stretto intorno allo Zocalo, con l'immancabile giardino e il chiosco per la banda di paese, e la chiesa più mediterranea che tropicale, eretta dai frati francescani agli inizi del XVIII secolo e che, secondo l'usanza dell'epoca, ospitava il cimitero del villaggio, spostato in periferia nel 1900: questo alimenta l'ennesima leggenda di Bernal, che si vorrebbe frequentata da fantasmi d'ogni sorta, tra i quali si distinguono El Charro Negro (il cow-boy nero), una giovane dama detta Martina la Larga (cioè "lunga", perché sarebbe di notevole statura), o un intero gruppo formato dalle Animas Danzantes, e così via.

Malgrado non avesse alcuna importanza strategica, Bernal ha visto battaglie e scaramucce a non finire, ai piedi della sua Peña. Qui combatteva e sbaragliava il nemico un celebre ribelle conosciuto come El Tigre de la Sierra Gorda (la catena montuosa di Querétaro), che aveva dalla sua schiere di indios otomí. L'altra etnia della regione, i chichimeca, diedero sempre del filo da torcere agli spagnoli, che non riuscirono mai a sottometterli definitivamente: i loro guerrieri non hanno lasciato nella Storia (e a Hollywood) un ricordo di leggendaria temibilità quanto i fratelli apache più a nord, ma erano altrettanto indomiti e combattivi. Durante le festività legate a eventi storici, a Bernal si organizzano danze in piazza dove si mimano le battaglie tra i chichimeca e i soldati coloniali, anche se, complici il clima gradevole e le libagioni, tutti hanno un'espressione divertita e ben poco agguerrita.

Nella via principale c'è una singolare statua lignea di Don Chisciotte, in una posa pensosa e un po' malinconica. Sembra riflettere sul fatto che, se fosse nato in Messico, avrebbe ricevuto più onori da "matto" che da rinsavito, perché qui lo considerano un eroe delle cause perse, quanto Villa e Zapata, e tutti gli eroi popolari, in Messico, sono perdenti che hanno sfidato i mulini a vento del potere.

Proseguiamo il viaggio, passando nello stato di Hidalgo. Superata Huichapan e quindi Ixmiquilpan, il paesaggio diventa desertico e la strada asfaltata lascia il passo a una pista di polvere bianca finissima, che si infila ovunque. Famiglie di giganteschi *cactus saguaro* costellano le montagne aride con vallate di sabbia compatta e screpolata: stento a credere a quello che José mi ha preannunciato, cioè un bagno caldo in una fonte termale sotterranea... Difficile immaginare tanta acqua in mezzo a questa desolazione, per quanto affascinante, come solo il deserto sa essere. Scendiamo per tornanti su strapiombi vertiginosi, finché, sul fondo di una sorta di imbuto formato da montagne scoscese, si intravede una macchia verde, un'oasi che si rivela ricca di vegetazione tropicale.

Tolantongo è conosciuta solo dai messicani, a quanto pare. Lo spettacolo è straordinario: una serie di cascate che precipitano da una montagna ricoperta di muschio, e varie sorgenti all'interno di grotte, dove la temperatura dell'acqua varia dai 20 ai 40 gradi, formando laghetti in cui i bagnanti si avventurano al buio, aspettando di abituare la vista gradualmente, perché il rispetto di questo fenomeno della natura ha evitato illuminazioni artificiali e comode passerelle. Raggiungerne le viscere non è impresa agevole, ma il risultato finale merita il rischio di qualche scivolone: il biancore del fondo calcareo riflette i flebili bagliori di luce che provengono dagli ingressi, e dopo qualche minuto riesco a scorgere i contorni di vaste caverne istoriate di stalattiti e civilmente prive di rifiuti; fuori, c'è un cartello su un albero che dice: "Mentre me ne sto qui in attesa del tramonto e che spunti la luna, penso che la tua bottiglia di vetro o la tua lattina, per quanto trasparenti o variopinte, stiano molto meglio nel cestino che tra le mie radici... Parola di vecchio albero che ne ha viste tante".

Dunque, come dicevo prima, nella camionetta reduce dal Circolo polare artico siamo in dieci. Leonardo e Darío, i figli di José e Berta, tornano a La Cruz con alcuni amici. Da anni hanno deciso di vivere sulle spiagge della Bahía de Banderas, dove frequentano una scuola a dir poco invidiabile. Mi spiegano che fra le materie studiate nell'istituto tecnico di La Cruz ci sono immersione in apnea e con bombole, surf, canotaggio, e così via. Inoltre, ogni alunno deve portare a termine un certo numero di ore dedicate a "servizi socialmente utili": che significa, per esempio, trascorrere intere nottate sulle spiagge dove le tartarughe depositano le uova, vigilando contro i predatori umani. Mi raccontano vari aneddoti sui loro professori. Recentemente, durante un'immersione, la classe di Leonardo è schizzata fuori dall'acqua perché alcuni squali si erano avvicinati un po' troppo. Il professore è andato su tutte le furie, apostrofandoli pesantemente: "Erano squali innocui, non li avete riconosciuti, branco di ignoranti, e comunque, non correvate nessun rischio, perché gli squali non mangiano le cacche!". Rude, ma efficace.

Dall'istituto tecnico di La Cruz usciranno non solo degli ottimi biologi marini, ma soprattutto giovani coscienti di quanto sia importante il rispetto degli equilibri della natura in un pianeta che, come dice il mio amico Lucho Sepúlveda, "è pur sempre l'unico che abbiamo".

Dopo esserci lasciati alle spalle Guadalajara, seconda metropoli del paese, José a un certo punto accosta e si ferma in uno spiazzo della superstrada. Non vedo niente di particolare, a parte le distese di *agave tequilera* che qui sono un po' come i vigneti nelle campagne di Bordeaux o nel

Chianti. Ma è sufficiente scavalcare il guardrail per scoprire uno sterminato giacimento di ossidiana a cielo aperto: ovunque si volga lo sguardo, ci sono nel terreno blocchi di cristalli neri spesso grandi come macigni, assieme a una miriade di schegge d'ogni misura. Ne prendo una sola, delle dimensioni di un pugno, ma abbastanza pesante e voluminosa da creare chissà quale sconquasso nei futuri controlli "antitutto" dei vari aeroporti, quando verrà il giorno di tornare in Italia.

La Cruz de Huanacaxtle è un paesino di pescatori dove è pressoché impossibile imbattersi in un turista. Ed è strano, se si considera che a venti minuti da qui, al centro della baia, sorge l'affollata Puerto Vallarta, località divenuta famosa a metà degli anni sessanta quando John Huston vi girò *La notte dell'iguana*, tratto dal romanzo di Tennessee Williams. A Vallarta nacque l'amore travagliato fra Richard Burton e Liz Taylor, e lei parve innamorarsi anche del posto, visto che si fece costruire una villa, mentre Ava Gardner riuscì a combinarne tante da attirare le attenzioni di uno stuolo di paparazzi, che fecero anche la fortuna turistica di quello che era allora un villaggio sconosciuto. Huston ci rimase a vivere fino alla fine dei suoi giorni, come testimoniano le foto con dedica in molti bar del centro, anche se rimpianse di aver reso famosa la località ai suoi conterranei, di cui non sopportava la chiassosa presenza. Oggi Vallarta è un agglomerato di hotel lussuosi e dimore pacchiane per nuovi ricchi, ma standosene a La Cruz de Huanacaxtle, tutto questo sembra lontano nello spazio e nel tempo.

Al centro dell'abitato c'è un maestoso albero secolare, uno *huanacaxtle* che dà il "cognome" al paesino, alla cui ombra i pescatori rammendano le reti. Poco più in là, sulla spianata brulla del porto dove attraccano i pescherecci, c'è un uomo che distende al sole dei filetti di pesce. Sembrano stoccafissi, ma lui mi spiega che è *tiburón*, cioè squalo, di una varietà commestibile. A La Cruz molti pescano il tiburón, anzi, ne vanno a caccia, inseguendoli con le *panga*, le lance a motore. Quella del nostro pescatore si chiama *Sofia Loren*. Gli chiedo perché. "Be', è una gran bella donna," dice con un sorriso sornione, "e se in mezzo al Pacifico, quando arriva la burrasca, ci raccomandiamo tutti alla

Vergine di Guadalupe, poi, tornando a terra, finisce che do un bacio sul bordo della mia panga e ringrazio Sofia Loren che mi ha portato fortuna..."

C'è chi dà il nome di una santa alla propria barca, e chi preferisce un'attrice formosa. Però è curioso: qui mi aspetterei di vedere una panga *Liz Taylor* o *Ava Gardner,* e invece l'ha spuntata Sofia Loren. Misteri dell'immaginario cinematografico.

Lungo la strada fra La Cruz e Vallarta, al cui ingresso si staglia il monumento alla balena, noto il profilo di una gigantesca bottiglia: che sia un monumento ai bevitori?

"Quella è la distilleria della Porfidio," mi spiega José, che poi riesce a convincere il guardiano a farcela visitare. Entriamo così nel tempio della tequila più esclusiva, con una produzione artigianale limitata a sole centocinquantamila bottiglie all'anno e un prezzo da capogiro: un litro di Porfidio *añejo,* cioè invecchiata tre anni in botti di rovere bianco americano usate un'unica volta, costa l'equivalente di cento euro. Che pochi messicani possano permettersela, non li preoccupa, tanto il novanta per cento della produzione viene esportata in Usa, Canada e Giappone. Dopo cinque livelli di filtraggio, testa e coda della distillazione non vengono gettate via ma cedute a marche meno pregiate, mentre soltanto il cuore diventa Porfidio, e non contiene la minima traccia di metanolo: ecco perché si può berne una bottiglia intera senza avere la famigerata *cruda* del giorno dopo. L'intero ciclo di lavorazione viene fatto a mano, dall'imbottigliamento alle etichette, e a questo proposito è bene sapere che la tequila genuina porta la dicitura "100% agave azul", mentre quella di media qualità si accontenta di un semplice "100% agave", e vuol dire che la materia prima ricorre a tipi di agave meno pregiati. Se invece, come accade con la maggior parte delle marche, non compare nessuna delle due, ma solo la vaga scritta "tequila", allora state bevendo un 49% di alcol di canna, cioè un rum aromatizzato all'agave di scarto. Dunque, quasi tutta la tequila importata in Italia, in realtà, non è tequila.

Nel cortile della distilleria ci sono dei galli da combattimento che gironzolano tra le piante di agave *weber tequilana,* coltivate più a scopo ornamentale che per la produzione, alcune delle quali stanno per raggiungere i dieci anni, l'età matura per essere sacrificate sull'altare della vera tequila. I *gallos de pelea* sono un altro simbolo del Jalisco, assieme alla tequila e ai cavalli da rodeo. E si comportano come cani da guardia: inutile provare a spaventarli, non hanno paura di niente e di nessuno. Quello che ho davanti sta gonfiando il petto e abbassando le ali: brutto segno, la prossima mossa potrebbe essere un balzo con gli speroni puntati agli occhi. Poi lancia un grido di guerra fissandomi con quei suoi occhi da aquila, e io lo lascio alle cure dell'allevatore che è venuto a prenderselo. Il tipo lo bacia addirittura sulla testa: il gallo da combattimento riconosce il proprio allevatore, l'unico a poterlo prendere in braccio senza farlo arrabbiare.

Klaus, un amico di José che fa lo skipper in giro per il mondo – e tra gli innumerevoli posti conosciuti ha scelto La Cruz per costruirsi una casa –, ci porta a fare una gita sulla Bahía de Banderas. Dopo un paio d'ore di navigazione entriamo nella caletta di Yelapa, villaggio raggiungibile solo dal mare. Qui, oltre agli abitanti indigeni, vivono diversi stranieri desiderosi di vita spartana e incontaminata: a Yelapa non solo non ci sono strade ma neppure la luce elettrica, e i frigoriferi dei tanti ristorantini sulla spiaggia sono alimentati da piccoli generatori a scoppio. L'approvvigionamento idrico del villaggio è un singolare intrico di tubi in gomma che si perdono verso la montagna ricoperta di giungla fitta. Seguendoli, arriviamo a una cascata, davanti alla quale c'è il "parcheggio": uno spiazzo ingombro di muli e cavalli, unico mezzo di trasporto, a parte le barche, in un villaggio senza strade. Chiedo a una ragazza del luogo se tutto questo andrà avanti così; mi risponde che forse tra non molto porteranno la luce elettrica, ma di una strada che la colleghi a Vallarta, non se ne parla. Non la vuole nessuno. "È per preservare la natura unica di Yelapa: siamo a poche ore di barca da uno dei centri turistici più frequentati del Messico, ma chi si spinge fin qui vuole il silenzio e la pace assoluta. La strada porterebbe auto, corriere, inquinamento... No, grazie." Encomiabile, penso. Poi la ragazza sorride con un velo di malizia, e aggiunge: "Be', c'è da dire che su quelle montagne cresce più marijuana che palme... capisci, è pur sempre una delle principali voci del reddito locale, se fanno una strada, l'esercito potrebbe piombare lassù senza preavviso".

Ah, ecco, mi pareva.

Un giorno José mi ha portato a fare una "gita" nella spiaggia più bella della zona di La Cruz. Dopo una mezz'ora di strada costiera, ci siamo fermati davanti a una sorta di garitta da cui è uscito un improbabile guardiano. José ha "parlamentato" a lungo con lui: sembrava doverlo convincere a lasciarci passare. Alla fine ha spostato la sbarra, raccomandandosi di non dire che siamo stati qui. Ci ha fatto un favore perché suo figlio va a scuola con i figli di José.

Percorriamo una pista fra selva di palme e arbusti, finché sbuchiamo in una baia sul Pacifico di straordinaria bellezza, incontaminata, circondata dalla vegetazione, spiaggia di sabbia dorata e scogli popolati di pellicani e migliaia di granchi enormi che scorrazzano sul bagnasciuga e... "Entro un anno tutto questo non ci sarà più," mi spiega José frantumando il mio senso di estasi. "L'intera baia è stata venduta a una multinazionale alberghiera che qui costruirà un megahotel, ecco perché hanno già sbarrato l'accesso... Presto verranno le ruspe, le betoniere, le asfaltatrici... Be', come si dice adesso, è la globalizzazione, baby."

Ay, pobre México...

Il canto di Kauymali

Lasciandomi dietro San Luís Potosí, anche l'asfalto prende a ingrigire come la sabbia che lo circonda. Il calore diventa più secco, irradiato da un cielo azzurro intenso dove il sole sembra scostarsi dallo zenith soltanto per esplodere nell'arancione dei tramonti. E appena risorge, è subito una mazzata che trasforma l'abitacolo in un forno a microonde. Mi fermo spesso alle innumerevoli baracche di *refrescos* disseminate sui lati della strada.

Poi arriva la tappa obbligata davanti al monumento che segna il passaggio del Tropico del Cancro. Qualche minuto di contemplazione, finché non ti assale la domanda sul motivo che fa stare ferma la gente sotto il sole a guardare due blocchi di cemento e una linea immaginaria. Riparto di corsa, boccheggiando.

Città del Messico è ormai seicento chilometri più a sud, quando imbocco una salita di *empedrado* che appare come un mosaico di ciottoli neri e lucidi, incastrati a uno a uno da una mano d'opera che ai suoi tempi doveva costare più frustate che pesos. Sicuramente, è l'unico tipo di manto stradale che non richiede alcuna manutenzione. Percorrendolo, le ruote trasmettono un rumore cupo, una vibrazione che si diffonde a tutta la macchina e dà l'impressione di sgretolarla.

La vegetazione è una distesa brulla di cespugli spinosi punteggiata da lunghi tronchi contorti con dei ciuffi aguzzi sulla sommità, alberi che qui chiamano "palme del deserto". Più in alto cominciano i tornanti, e l'altopiano si allontana sul fondo degli strapiombi.

Finalmente, dietro l'ultima curva, mi si spalanca davanti il budello nero dell'Ogarrio, il tunnel di due chilometri e mezzo che immette nella città fantasma. Scendo a stirare le gambe, guardo un quadrato delimitato da una parvenza di muretto basso e circondato da cespugli. Un tipo si avvicina, raccoglie una pietra e me la porge. Fa segno di buttarla oltre il bordo. Senza chiedere perché, ce la butto. Lui sorride, e aspetta. Aspetto anch'io. Dopo un certo tempo, quando mi sono ormai convinto di non aver prestato sufficiente attenzione, mi arriva un tonfo sordo, lontanissimo, con tanto di eco. Il tipo annuisce, con l'espressione soddisfatta. Il pozzo deve finire direttamente all'inferno, e non provo neppure a immaginare che profondità possa avere.

Dalla casupola di pietra si affaccia un uomo col sombrero plastificato e la giacca a vento. Vedendolo, mi accorgo che quassù non è affatto caldo, e che probabilmente stanotte avrò bisogno di una coperta pesante. Mi fa segno di avanzare verso l'imboccatura della galleria. Fino a una certa ora, lui sta qui ad avvertire i rari viaggiatori se dall'altra parte qualcuno si è avventurato in senso contrario. Una specie di telefono lo tiene in contatto col collega oltre la montagna. Quando se ne va a casa, infilarsi nell'Ogarrio comporta il rischio di fronteggiare un altro malcapitato per decidere a chi tocchi la retromarcia. Devo essere l'ultimo della giornata, visto che il segnalatore mi dà via libera e poi chiede un passaggio verso la porzione di paese ancora abitata.

È il buio assoluto. All'inizio, la galleria ha una forma regolare come quella di una linea ferroviaria, ma più avanti si restringe e diventa una caverna, con le pareti scolpite a picconate. L'uomo che ho accanto dice che c'è morta un sacco di gente, per scavarla. "Però, se adesso vale poco, allora la vita di un uomo valeva meno di niente," conclude sistemandosi la copertura in tela cerata del sombrero. Credo la tenga per renderlo più pesante e caldo, visto che la stagione delle piogge è ancora lontana.

Quando ci riaffacciamo alla luce, è come se si fosse spenta la macchina del tempo: resta solo il vento tra i vicoli, le pietre, attraverso le finestre e le porte senza battenti, che si insinua nelle rovine e consuma ogni giorno un centimetro di città disabitata.

Real de Catorce è morta dopo centocinquant'anni di ricchezza, che l'avevano resa leggenda quando era ancora uno dei centri minerari più conosciuti del paese. Qui gli spagnoli hanno estratto quantità d'argento da rallentare il viaggio di innumerevoli bastimenti, e gli scheletri di costruzioni maestose evocano ancora il potere incontrastato dei Conti de la Maza. Chiusa in una fortezza naturale di montagne grigie, sopravvive silenziosa nelle poche anime che si stringono nella parte più vicina all'uscita del tunnel, intorno alla chiesa della Purissima con le sue pareti fitte di ex voto, microdipinti naïf che raccontano due secoli di miracoli. Sono le famiglie degli ultimi minatori, che si ostinano a estrarre rimasugli di metalli pregiati o gestiscono piccole botteghe di artigianato, dove si vendono anche i frammenti dei meteoriti che nelle vicinanze di Real cadono con frequenza incessante. E intanto guardano indifferenti quei giovani stranieri che, ogni tanto, si rivendono il biglietto di ritorno e vengono qui a rabberciare il tetto di qualche casa abbandonata per dimenticare cosa ci sia al di là di un aeroporto. Tutti amalgamati nell'immobilità che sembra pervadere i vivi e i fantasmi, in una calma irreale che rende assurda qualsiasi scadenza.

Si narra che il primo cercatore d'oro sia arrivato nel 1700, e si facesse chiamare El Jerga. Oggi restano aperte due sole miniere, anche se molti continuano a giurare sulla presenza di vene mai scoperte. Ed è un'opinione diffusa che gli ultimi ingegneri al lavoro confidino più sulle indicazioni dello spirito del Jerga che nei complicati calcoli geologici.

Nessuno sa dire con precisione quando e perché Real de Catorce fu abbandonata dalla "civiltà". Persino il nome resta un mistero su cui le leggende hanno tessuto innumerevoli ipotesi. Real dei "Quattordici" perché quattordici erano i soldati del re che giunsero qui per primi, ma anche perché quattordici sarebbero i soldati uccisi da altrettante frecce degli indios. C'è anche una versione antieroica, quella dei quattordici banditi che imperversavano nella zona assaltando le carovane delle miniere. E il 14 febbraio 1783 fu collocata la prima pietra della cattedrale, ma quattordici sono pure i tesori che le truppe di Villa avrebbero nascosto nelle cavità qui attorno. Infine, quattordici giorni dura il "viaggio" col peyote degli indios huicholes. Perché, al di là di tutte le leggende, la fama di Real de Catorce è dovuta soltanto a lui, il cactus grande quanto un riccio senza spine, che attira in questo punto poco celebrato dalle guide i discendenti di un'etnia che gli spagnoli non riuscirono a sottomettere, e che la "civilizzazione" non ha minimamente corrotto.

Kauymali chiese udienza al Padre Sole. Voleva il suo aiuto per combattere gli effetti nefasti della magia nera di Datura, dal cui cadavere si erano generati lupi, giaguari, serpenti, e tutti gli animali che minacciavano gli huicholes. Nel suo canto Kauymali narra che il Sole è disposto a scatenare la sua collera sull'ingannevole canto di Datura solo se gli huicholes offriranno cerimonie nel Paese del Peyote, eseguendo la danza del cactus divino ai quattro punti cardinali affinché gli altri dèi possano vederla...

Da allora, cioè da sempre, gli huicholes attendono la fine della stagione delle piogge che conclude il ciclo vitale del mais, e all'inizio della *temporada seca* convergono dagli stati di Jalisco, Nayarit e Zacatecas verso il cuore della Sierra Madre nordoccidentale, in un pellegrinaggio a piedi che può significare anche due mesi di marcia. Raggiunta la Montagna Sacra, la stessa su cui si aggrappava la periferia di Real de Catorce, gli huicholes si mettono alla ricerca del peyote, che loro chiamano anche *hikuli,* e che cresce soltanto ai piedi della pianta *gobernadora*, detta così proprio per la protezione che le sue radici offrono ai minuscoli cactus carnosi. Per giorni e notti gli eletti della tribù, che oggi conta circa diecimila persone, masticano il peyote e si limitano soltanto a bere l'acqua portata dalle loro donne, e innalzano il canto agli dèi protettori. Danzano, ma soprattutto siedono in cerchio per la meditazione e vagano negli spazi di altre dimensioni...

Un altro grande mistero è come si sia diffuso il culto del "cactus della conoscenza" fino alle tribù del Canada, quando l'unica zona in cui cresce è il deserto ai piedi della Sierra Madre. Ad aumentare l'alone magico che circonda il peyote c'è anche la vaghezza in cui si sono stemperate le ricerche scientifiche al riguardo. Si è soltanto stabilito che deve la classificazione tra gli "stupefacenti" alla presenza di mescalina, ma è impossibile coltivarlo lontano da questa zona, quindi non si presta ad alcun traffico. E anche la legge messicana, in proposito, è alquanto incerta. Fino a qualche anno fa il possesso di peyote non era neppure perseguibile, oggi lo si è incluso tra le "sostanze proibite" ma con una postilla che ne consente l'uso e la detenzione ai soli huicholes. A detta di quanti lo tengono in grande rispetto, è risibile accostargli il termine di "droga". In ogni caso, è improprio definirlo "allucinogeno" in quanto non ha assolutamente nulla in comune con i funghi che spuntano nel Sud. Quale sia l'insondabile *poder* che dilata la coscienza e acuisce i sensi, non può spiegarlo la scienza e tanto meno ci si deve aspettare delucidazioni dagli huicholes, che certo non respingono gli intrusi ma neppure cercano una qualsiasi comunicazione. La botanica lo considera "tossico": eppure i minatori l'hanno sempre usato come pianta medicinale per curare una vasta gamma di malanni. E deve comunque possedere enormi qualità nutritive, se dopo aver cancellato per giorni la fatica – anche così si spiega la marcia attraverso il deserto – non lascia segni debilitanti...

Di problemi religiosi, il peyote ne ha creati molti di più in passato, viste le feroci persecuzioni scatenate dagli inquisitori spagnoli. Il cattolicesimo d'esportazione considerava l'ingestione di peyote come l'atto osceno per eccellenza tra quelli direttamente ispirati dal demonio, ed esiste un documento in castigliano che associa il suo consumo al cannibalismo. Eppure, dopo secoli di massacri, il rito del peyote è ancora una realtà, e gli huicholes sono tra i pochi del continente americano a conservare intatte le tradizioni antecedenti alla Conquista. Persino la parte di loro che si è convertita al cattolicesimo venera un santo patrono che si chiama Santo Niño del Peyote, il cui spirito benigno aleggia sulle montagne che circondano Real de Catorce.

Una partita a "ulama"

La maggior parte degli statunitensi ha scoperto l'esistenza del Sinaloa solo quando una forza di intervento rapido della Dea ha avviato l'Operazione Condor. Non è chiaro cosa abbia convinto l'ufficio marketing della Drug Enforcement Administration a usare come simbolo un animale che da queste parti è sconosciuto. Forse era per la vaga somiglianza con gli elicotteri da assalto che vennero impiegati assieme alle autoblindo munite di lanciafiamme. In pochi mesi di fuoco e defolianti, il Sinaloa perdeva il primato come produttore di una delle migliori varietà di marijuana del pianeta. Curiosamente, gli stessi Stati Uniti vi avrebbero subito dopo incentivato l'estensione delle odierne piantagioni di papavero da oppio, il cui raccolto viene "interamente" importato per scopi farmaceutici, con un notevole risparmio rispetto al trasporto dalla Turchia o dal Pakistan. Il fatto che qualche tonnellata di *goma* sfugga poi al duttile controllo federale spiega perché la mafia di Sinaloa e Nayarit sia da queste parti molto più famosa di quella siciliana e marsigliese messe insieme.

Nonostante l'Operazione Condor e il conseguente clamore giornalistico, il flusso di turismo dal Nord non ha subito contrazioni. Mazatlán è sempre la meta dei pescatori d'altura in vacanza, che qui possono affittare motoscafo, canne, esche, pilota e personale addetto a far abboccare i pesci vela e a tirarli in secco. Al termine dell'emozionante fatica, i primi posano per l'istantanea accanto alla preda e i secondi riprendono la routine con l'ingaggio seguente. Un altro ottimo motivo per spingersi fino a Mazatlán gli americani lo trovano nella selvaggina, che offre appunto cervi dalle maestose corna, ambitissime per l'esposizione su caminetti a Los Angeles come a Dallas. Nei periodi a rischio, cioè nei mesi estivi e durante le festività comandate, è quindi sconsigliabile avventurarsi nelle foreste limitrofe, battute da agguerriti plotoni di avvocati e agenti di Borsa che sparano chili di piombo su qualsiasi cosa accenni a muoversi. Il flagello delle incursioni straniere ha sempre afflitto Mazatlán. Per difendersi dagli sbarchi dei pirati, hanno costruito un posto di vedetta abbarbicato sul Cerro de Nevería, ma purtroppo nessuno lancia più l'allarme ogni volta che una nave da crociera entra in porto.

Lascio Mazatlán su una salutare corriera Estrella Blanca, sufficientemente sgangherata da scoraggiarne l'uso ai non indigeni. Sale a bordo anche qualche "meticcio d'importazione", che intuendo una probabile affinità mi rivolge un vago saluto appena accennato, senza sentirsi in obbligo di scambiare le solite impressioni tra europei in terre esotiche. Sono diretto a Escuinapa, a sud e lontano dalla costa, dove non può esserci assolutamente nulla che attiri i nuovi bucanieri in bermuda fosforescenti e ciabatte anatomiche. I finestrini apribili sono pochi, gli altri si rivelano incastrati per la polvere e la ruggine. Ben presto, anche le mosche sono stremate dal caldo e smettono di volare, trascinandosi faticosamente sulla finta pelle dei sedili unticci. Il minimo movimento fa perdere litri di sudore, e l'aria è così afosa che non permette nemmeno di pensare. Mi addormento dopo un centinaio di chilometri, cullato dalla musica dei Sonora Dinamita diffusa dalle due pesanti casse appese ai lati dell'autista, una struggente ballata che rimpiange amori perduti e cavalli insostituibili.

A Escuinapa vive Sebastián, che ho conosciuto tre anni fa a Città del Messico, dove faceva il tassista con turni di sedici ore filate e l'obiettivo di raggiungere una somma sufficiente a comprarsi una *vulcanizadora* nel suo paese. C'è riuscito, e lo ritrovo sommerso di camere d'aria e copertoni levigati dall'usura, intento a compiere miracoli con innesti e trapianti di gomma degni di un chirurgo plastico. Sebastián mi aveva parlato di uno strano sport che si pratica ormai soltanto nella sua terra, prossimo all'estinzione e dimenticato nel resto del Messico. Oggi è sabato, e se mi fermo a dormire a Escuinapa, domattina mi porterà a vedere una partita...

Per raggiungere il campo a pochi chilometri dal paese, Sebastián viene a prendermi sulla camionetta con cui due volte all'anno va a recuperare quintali di copertoni usati alla frontiera di Nogales, "perché i gringos buttano via le cose molto prima di averle consumate". Quando nota il mio sguardo incredulo davanti allo sfacelo della carrozzeria, si affretta a spiegare che suo cugino è un mago dei motori e nel cofano gli ha incastrato un otto cilindri della penultima generazione. Per dimostrarmelo, tira le prime tre marce al limite del fuorigiri appena trova un rettilineo quasi senza buche, poi si rilassa appagato dalla mia espressione annichilita, e prende a guidare lento, per dedicare tutta l'attenzione al racconto di come il gioco dell'*ulama* si sia tramandato attraverso tanti secoli.

Quello che gli spagnoli avrebbero chiamato *pelota* per gli aztechi era *ullamaliztli,* diffuso a tal punto che ogni città di una qualche importanza aveva al centro il suo *tachtli,* il campo di gioco le cui dimensioni variavano da 36 a 85 metri di lunghezza e da 7 a 20 di larghezza. Nell'esatta metà c'era l'anello di pietra attraverso cui si doveva far passare la palla per segnare il punto. Gli spagnoli rimasero così affascinati dall'abilità dei giocatori che Hernán Cortés se ne portò due squadre oltreoceano per mostrare a Carlo V e alla sua corte quanto fosse spettacolare la disputa di una partita. Sebastián interrompe l'erudita narrazione e scoppia a ridere: si è accorto che lo sto osservando con un certo stupore, e così mi spiega di aver letto un articolo su una rivista che ricostruiva la storia dell'ulama in modo dettagliato. "Però le date e certi nomi non me li ricordo mai," aggiunge con una smorfia dispiaciuta. Non provo a fargli credere che non mi avrebbe stupito eccessivamente se si fosse rivelato un gommista-antropologo, considerando che in questo paese ho conosciuto persone innamorate a tal punto delle propric origini da affiancare alle attività più improbabili le passioni meno sospettabili.

Superata l'iniziale curiosità, gli spagnoli hanno proibito l'ullamaliztli come qualsiasi altra manifestazione della cultura indigena, distruggendo la maggior parte dei campi di gioco. Il termine *ulama* ha una doppia derivazione: *ollin* significava "movimento", la cui radice era *olli,* il caucciù estratto dagli alberi e lavorato fino a renderlo una sfera di gomma poco più piccola dei nostri odierni palloni. L'ulama che si pratica nel Sinaloa è generalmente quello da "avambraccio", che opportunamente fasciato di cuoio è l'unico arto con cui si può colpire la palla. Ma a Escuinapa si gioca ancora l'ormai rarissimo *ulama de cadera,* cioè "da fianchi", nel quale i contendenti compiono incredibili piroette per rilanciare la palla ricorrendo esclusivamente alle anche.

Quando arriviamo sul campo, che qui chiamano *taste* e consiste in una striscia di terreno lunga una sessantina di metri e larga non più di quattro o cinque, i dieci giocatori delle due squadre si stanno aggiustando le fasce di cuoio sui fianchi, e indossano soltanto i pantaloncini e un fazzoletto in testa per il sole; niente magliette, e neppure scarpe: un particolare che dà un senso alla fila di scope che ho notato ai bordi del campo; e Sebastián, dopo avermi presentato, me ne passa una per suggellare il definitivo coinvolgimento nella situazione. Aspetto di vedere cosa fanno gli altri, poi anch'io mi metto a spazzare la terra fine, eliminando accuratamente pietre e tappi di bibite, senza però riuscire a non sollevare una nuvola di polvere. Sebastián dimostra invece una certa dimestichezza, perché la sua scopa lavora leggera quanto le altre evitando di accecare i vicini come sto facendo io.

Conclusa l'opera di prevenzione verso i piedi nudi dei giocatori, i giudici di gara si dispongono al centro e alle due estremità. Prima che venga dato il via, mi mostrano la palla di caucciù lanciandomela fra le mani: e scopro che pesa almeno quattro chili... "C'è rimasto un solo fabbricante in tutto il Messico," dice Sebastián indicandola. "È di Rosario, a una ventina di chilometri da qui, e le ottiene con la stessa tecnica usata mille anni fa: uno strato dopo l'altro, pungendolo di continuo con spine di agave per tirare fuori l'acqua, fino a renderla ben secca e rotonda."

Il "calcio di inizio" è un poderoso guizzo di anca che fa schizzare via la *bola* con una forza per me inconcepibile. Quello che la respinge si chiama *caidor de golpe,* e la fa rimbalzare con un colpo di fianchi precisissimo.

Quando la palla arriva rasoterra, i giocatori sgusciano sotto e continuano a farla volare senza mai ricorrere a piedi o mani, e quello che vedo fare con i soli fianchi ha dell'incredibile. Sebastián tenta di spiegarmi le regole e la logica del punteggio, ma nonostante la sua pazienza nel ripetere concetti e proporre esempi, alla fine non ci capisco molto. L'unica cosa chiara è che gli avversari guadagnano punti, cioè *rayas,* quando un giocatore la tocca con una qualsiasi parte del corpo che non sia la *cadera,* o nel caso che oltrepassi i confini del taste e, naturalmente, se non riesce a respingerla. Inoltre c'è una differenza tra i colpi elevati e quelli rasoterra, che causano un continuo cambio di tecnica. Il particolare che mi risulta meno comprensibile è che la squadra col punteggio vincente si ritrova di colpo a zero se viene raggiunta da quella avversaria... Poi c'è tutta una serie di successive complicazioni, e il risultato dei repentini mutamenti di punteggio è che una partita non deve necessariamente durare una mattinata o un giorno, ma può addirittura estendersi a varie settimane e mesi. Tutto questo perché, dice Sebastián, l'ulama è nato come rappresentazione simbolica del giorno e della notte, che si inseguono incessantemente senza mai raggiungersi.

Alla fine, la partita viene aggiornata alla prossima domenica, e Sebastián propone di passare alla seconda specialità di Escuinapa: sembra che qui si coltivi una varietà di ostriche giganti che possono raggiungere i venti centimetri di diametro. Accetto con entusiasmo, unicamente per la prospettiva di andarmi a sedere all'ombra. Mi informo solo sulla disponibilità di birra nel *comedor* dove ci stiamo dirigendo. Lui fa un gesto eloquente, e poi aggiunge: "Che altro vorresti bere, con un caldo simile? Devi sudare birra, se vuoi tenere lontane le zanzare...".

Mancano una sessantina di chilometri a Hermosillo, e pochi minuti a mezzogiorno. Sulla Carretera Federal 15, vagamente simile a un'autostrada, l'aria che esala dall'asfalto ha già raggiunto i quarantotto gradi. I tre cilindri superstiti della Combi sembrano essersi stufati di trascinare il quarto agonizzante, e l'aver legato con lo spago lo sportello del motore in modo che rimanga spalancato non può apportare grande sollievo considerando che fuori fa caldo almeno quanto dentro. Una tregua temporanea la ottengo deviando verso il parco naturale del Cerro Prieto, dove si apre una spaccatura nel terreno che forma un canyon famoso per le pitture rupestri, alcune risalenti a secoli prima dell'arrivo degli spagnoli, altre decisamente posteriori, visto che raffigurano uomini a cavallo. Il particolare più interessante, nelle mie condizioni, è la temperatura nel fondo del canyon, che non supera mai i venti gradi. Il quarto cilindro manifesta un patetico ritorno alla vita, ma attraversando Hermosillo rientra nel suo coma abituale. Le cure di un benzinaio che si improvvisa concessionario Volkswagen servono a malapena per raggiungere Sahuaripa, duecento chilometri a est tra la Sierra Campanera e quella di Chiltepin.

Nel 1641 il gesuita Pedro Méndez fondò il villaggio dandogli il nome di Misión de Santa Maria de los Angeles de Sahuaripa, denominazione fortunatamente abbreviata nel corso degli ultimi trecento anni. Sulla facciata del municipio c'è un grande stemma dipinto, che da solo riassume buona parte del passato e del presente di Sahuaripa: una chiesa bianca, la stessa che sorge qui accanto e che fu costruita dai gesuiti per affidare la città alla Vergine di Guadalupe; un toro dalle narici dilatate ma dallo sguardo rassegnato che rimanda a imminenti bistecche, e un tunnel con carrello che sbuca su rotaie sovrastando pala e piccone, cioè le due risorse della zona, allevamento e miniere di oro e argento; nella parte superiore, stagliato contro un sole che sorge, un indio con copricapo di penne ritte sembra voler accogliere il viandante mettendogli a disposizione tutto questo. Ma il suo gesto di allargare le braccia appare piuttosto come una triste constatazione rivolta a tutto ciò che ha perso, compresa la sua razza ormai estinta. È Sisibutari, "Aquila Libera", a cui è anche dedicata una statua di bronzo con targa che recita: "Signore e padrone di sessantaquattro nazioni opata, forgiatore della razza sonorense, che senza sottomettersi auspicò la nascita dei meticci...". Nell'arrivo degli spagnoli, Sisibutari vide l'occasione per mettere al riparo le proprie genti dalle eterne guerre con i vicini. Acerrimi nemici degli apache, gli opata si erano scontrati per secoli con i pima, nella cui lingua il termine *opata* significa "gente ostile". Condannati persino dal nome a essere sempre il nemico di qualcuno, si allearono ai conquistadores per ottenerne protezione. Sisibutari favorì perciò la conversione al cattolicesimo e i matrimoni misti, chiedendo agli opata di aprirsi alla nuova cultura accettandone usi e costumi, e il processo da lui avviato avrebbe paradossalmente ottenuto l'esatto contrario di quanto auspicava: già nel secolo scorso la lingua opata non era parlata che da pochi vecchi, e nessuna radice di quella che fu "la razza sonorense" è riscontrabile nei discendenti dei primi meticci. Sisibutari li protesse da guerre e carestie, senza però rendersi conto che il prezzo della pace sarebbe risultato a lungo termine la totale estinzione degli opata.

Nello stato di Sonora rimane soltanto un'etnia che continua a resistere caparbiamente al *mestizaje* strisciante e a qualsiasi tentazione della "civiltà". Gli yaqui, che oggi abitano la regione a nord dell'omonimo fiume, sono gli ultimi eredi delle otto tribù che un tempo costituivano la Grande Confederazione Pusolanica, e che si estendeva dal nord di Sinaloa fino all'intero Sonora e Arizona. Popolo guerriero, gli yaqui hanno combattuto senza distinzioni gli spagnoli e tutti i coloni europei che in seguito hanno tentato di insediarsi nei loro territori, scontrandosi infine col governo messicano ogni volta che ha preteso di imporre le sue leggi. Indifferenti alla Storia scritta dai bianchi, la proclamazione d'indipendenza del Messico ha cambiato per loro solo le divise su cui puntare archi e fucili. Irriducibili a qualsiasi proposta di patteggiamento sulla distribuzione delle terre, e vittime di massacri a tradimento, nei primi anni del secolo hanno subito una deportazione di massa che li ha trascinati fin nell'estremo sud dello Yucatán, venduti come braccianti a sessanta pesos l'uno per morire di stenti nelle piantagioni. Ma nonostante tutto, gli yaqui non sono scomparsi dal Sonora. Le tribù superstiti si allearono col generale Álvaro Obregón nel 1910, unicamente per ottenerne in cambio i territori degli avi. Protagonisti secondari di quel magma indistricabile che fu la Revolución, combatterono senza risparmio e distinguendosi per assoluto sprezzo della vita propria e altrui. Ma la vittoria di Obregón non avrebbe portato i benefici promessi, se non in minima parte. Soltanto con l'avvento alla presidenza di Lázaro Cárdenas, negli anni trenta, gli yaqui si videro finalmente assegnare quattrocentomila ettari di riserva, dove vivono attualmente.

Riuniti in otto clan che rappresentano le antiche tribù della Confederazione, gli yaqui godono di una singolare "extraterritorialità" riguardo alle istituzioni e alle leggi messicane. Sulla riva settentrionale del fiume che ha dato vita alla loro storia millenaria, non c'è cambio di governo o successioni al comando dell'esercito e della polizia che possa mutarne le abitudini. Qui le assemblee popolari amministrano la giustizia e risolvono le controversie, emettendo sentenze dall'effetto immediato.

L'intera popolazione adulta, senza discriminazioni tra uomini e donne o per ruoli sociali, si riunisce ogni volta che occorre prendere una decisione su questioni ritenute importanti per la comunità. Il *kobanáwak,* sorta di sindaco del villaggio e giudice, presiede le assemblee e tira le conclusioni al termine della discussione. I delitti vengono distinti in due categorie: i crimini maggiori, come l'omicidio, lo stupro e il tradimento verso la tribù, e i crimini minori, cioè le risse con lesioni gravi, gli insulti, la diffamazione, e in certi casi persino l'adulterio, se arreca al coniuge danni ritenuti irreparabili. Nel primo caso, qualora l'accusato sia riconosciuto colpevole all'unanimità, l'esecuzione avviene l'indomani stesso, tra le otto e mezzogiorno. La notte precedente, parenti e amici vegliano il condannato come se fosse già morto, con una cerimonia solenne all'interno del *teokári,* la "casa benedetta", che in genere è la chiesa del paese. Per la fucilazione viene convocato un plotone composto da otto rappresentanti di ogni clan, a sancire che l'intera tribù si fa carico di eliminare i rei. Negli altri casi, la pena è sempre costituita da un numero di scudisciate che variano a seconda della gravità, ma se l'accusato non viene riconosciuto colpevole, è l'accusatore a riceverle in pari quantità. Un trattamento "speciale" viene invece riservato alla *cruda,* cioè i postumi di una sbronza, che se nel resto del paese gode di una indiscussa e benevola comprensione, qui ha spesso un epilogo traumatico e una cura a dir poco radicale... Dato che nel linguaggio popolare la cruda è detta anche *cruz,* gli yaqui prendono il termine alla lettera e mettono in croce l'incauto che ha causato schiamazzi e molestie con la sua ubriachezza. L'abusatore di aguardiente è prima esposto al pubblico ludibrio nella piazza principale, dove tra l'altro si busca qualche frustata di passaggio, quindi lo si lega per le braccia a una croce di legno pesante almeno quanto quella del Nazareno e, trascinandosi sulle gambe rese ancor più malferme dalle libagioni dell'infausta serata, è obbligato a percorrere una via crucis attraverso il villaggio, fermandosi a ogni stazione per le scudisciate addizionali. Al termine di un simile "calvario", torna totalmente libero: rarissimi i casi di recidiva.

Le autorità del Sonora, e meno ancora quelle federali, evitano di intromettersi in ciò che, secondo la legislazione della repubblica, andrebbe perseguito come linciaggio o abuso di poteri peraltro mai riconosciuti ufficialmente. Non più di tre anni fa, una disputa per alcuni terreni occupati con la forza da coloni bianchi ha scatenato sparatorie con morti e feriti, e un intervento dell'esercito avrebbe causato la mobilitazione in armi di tutti gli yaqui. Col governo centrale hanno un rapporto fin troppo chiaro: qualsiasi ingerenza è considerata un atto di guerra, senza possibilità di mediazione.

Il rigore con cui impongono ai membri del clan l'osservazione ferrea delle antiche tradizioni è l'unica spiegazione al fatto che gli yaqui non si sono estinti come la maggior parte delle etnie che popolavano queste regioni. Orgogliosi e fieri, per quanto si dedichino all'allevamento e all'agricoltura, restano per indole e costumi dei guerrieri. L'uso delle armi viene insegnato ai giovani prima di ogni altra pratica di sopravvivenza, e il rito di iniziazione dell'adolescente che entra nell'età adulta prevede ancor oggi la consegna di un fucile e delle relative munizioni. Da quel giorno non viene più considerato un ragazzo, ma un combattente pronto a uccidere e morire per la difesa della tribù. Anche la severità con cui vengono trattati i colpevoli di reati risponde all'esigenza di preservare la razza reprimendo cedimenti e debolezze. Se poi consideriamo che l'alcol ha devastato le popolazioni indigene quanto e più delle armi dei bianchi, è comprensibile perché gli yaqui siano così crudeli con gli ubriaconi.

Eppure, sarebbe sbagliato vederli come genti indurite e chiuse da secoli di sopraffazioni e soprusi. Nonostante tutto, gli yaqui dimostrano un'allegria istintiva in qualsiasi atto della loro vita sociale e individuale, oltre a un'indiscutibile apertura verso gli "stranieri", purché non vengano qui per sfruttare risorse e accaparrarsi terre. È un'esperienza struggente assistere alle feste durante le quali si svolgono i riti propiziatori per le piogge e i raccolti. La danza è la massima espressione artistica degli yaqui, e il *másso pákuo,* la danza del cervo, rimane forse una delle ultime cerimonie preispaniche immuni al trascorrere del tempo e alle influenze delle dominazioni. Il cervo è il simbolo del Bene, l'animale sacro da cui gli yaqui sono stati generati, in eterna lotta col coyote che incarna il Male. Accompagnati dalla musica di strumenti antichissimi, i danzatori si muovono ripetendo con impressionante somiglianza la gestualità dei due animali: quello che porta legata sul capo la testa del cervo, dopo una lunga lotta contro la muta dei coyote riesce a sopraffarne uno piantandogli le corna nel ventre. Ma dal cadavere prende forma l'Uomo, che impugna arco e frecce uccidendo così il cervo. Dal simbolo del Male, dunque, si materializza il genere umano che sopprime il Bene. L'agonia del cervo ferito è l'atto finale della danza, di un realismo tale da trasmettere la sensazione di sofferenza fisica, ma anche di un attaccamento alla vita che si dibatte con tutte le forze per non soccombere alla morte.

Anche la persecuzione di certi casi di adulterio potrebbe dare un'immagine falsa degli yaqui. Il loro atteggiamento verso gli istinti sessuali è tutt'altro che repressivo. Condannano la trasgressione solo quando si risolve in un danno per il più debole, in un'ottica di suprema difesa del nucleo familiare che rappresenta semplicemente la continuazione della specie, niente di più. Ma buona parte delle danze rituali trasmette l'esatto contrario, cioè un innato erotismo vissuto come gioco e motivo di allegria scherzosa. La *paskola,* per esempio, ha una curiosa assonanza con la pasqua cristiana e si balla esattamente alla fine del periodo che per il cattolicesimo corrisponde alla quaresima, però risale a molto prima della Conquista e ogni movimento dei danzatori ha un inequivocabile significato sessuale, dove le maschere indossate sembrano favorire la perdita di qualsiasi tabù. Un tempo gli yaqui danzavano anche il *matapuri,* vero e proprio rito della fecondazione e fertilità, ma all'inizio del secolo se ne è persa ogni traccia, ed è probabilmente questo il solo cedimento da registrare nei confronti dei "civilizzatori" religiosi che da quasi quattrocento anni tentano inutilmente di condurli sulla retta via del nostro innaturale ordine delle cose...

L'impiegato dell'autonoleggio ha improvvisamente mutato atteggiamento quando mi sono lasciato sfuggire la direzione che intendevo prendere. Ma ormai avevo le chiavi, e il tentativo di farmi cambiare idea ha ottenuto comunque un aumento della cauzione. Con un tono tra l'implorante e il minaccioso, ha detto alla fine: "Da laggiù mi sono tornati a piedi già tre volte. Se non me la riportate, vi faccio pagare le spese del carro attrezzi".

La camionetta Chevrolet ricorda le ultime immagini di *Getaway*: dev'essere una buona annata, forse un '62, a voler essere ottimisti. Però ha il motore in ordine, e le sospensioni nuove, che sono la cosa più importante. Quelle di un'auto non sarebbero sopravvissute ai cinquantacinque chilometri fra Ceballos e Cerro San Ignacio, cioè buche e spaccature mimetizzate dalla polvere e pietre che schizzano sotto le gomme con un rumore di schianto secco. Ed è così fine e onnipresente, la polvere, da costringermi a usare il tergicristallo di continuo, azionato da un motorino asfittico e in preda a sussulti che a ogni scatto sembra voler scaraventare la spazzola sul cofano. Don Churro fissa un punto sull'orizzonte e mantiene il mezzo sorriso di sempre. La sua mancanza di preoccupazioni finisce col contagiarmi, e così non bado allo sfiatare degli otto cilindri che probabilmente stanno bruciando chissà quali porcherie mescolate alla benzina. Don Churro l'ho conosciuto a Torreón, nell'officina vagamente meccanica dove la mia Combi ha esalato l'ultimo respiro asmatico sputando una candela: con la testa sfilettata, ho ricevuto solo una promessa di smontaggio valida tre giorni. Don Churro si è avvicinato masticando, ha annuito per un po', e quando gli ho chiesto qualcosa sul percorso tanto per rivolgergli la parola, lui mi ha raccontato che un suo lontano parente vive proprio ai bordi della "Zona del Silenzio". E ha concluso con: "Posso insegnarti il cammino... o almeno, quello che ho sempre fatto a cavallo". È un indio yaqui, di età compresa fra i cinquanta e i settantacinque. Ho provato a definirla meglio con qualche domanda indiretta, ma ha risposto semplicemente: "Vivevo qui prima che arrivassero tutti questi *güeros*". Dopo un'ora di viaggio in corriera verso Bermejillo, mi sono spinto a chiedergli un parere sui suoi antenati; don Churro ha sputato dal finestrino, si è aggiustato il sombrero sfilacciato, per poi mormorare: "Noi yaqui ci siamo battuti per un secolo. Guerrieri valorosi, certo. Ma con i güeros, il coraggio serve solo a dar lavoro ai becchini". E ha cominciato a ondeggiare lento in una risatina silenziosa. Quindi ha scosso il capo, e si è rimesso a dormire. Continuo a pensare alla borraccia appesa dietro il sedile come il console Firmin di *Sotto il vulcano* pensava alla sua bottiglia di whisky nascosta in giardino. Più acqua bevo e più sudo e meno sopporto il caldo, così mi sforzo di imitare don Churro, che sembra a suo agio come se fosse su un divano davanti a un ventilatore. Ogni tanto sorgono sullo sfondo picchi di roccia nera, a interrompere la monotonia del deserto. All'orizzonte, una catena di montagne brulle riflette una luce rossastra. Verso nord, fin dove arriva la vista, sabbia e cactus filiformi, strani candelabri di carne alti una decina di metri. Don Churro mi allunga un'occhiata strana. Appoggia la mano aperta dietro l'orecchio, dice: "Non senti l'eco di Siete Leguas?". Guardo fuori, provo a manifestare interesse. E lui ride. Poi mi racconta la leggenda della cavalla di Pancho Villa, chiamata Sette Leghe. Stiamo raggiungendo il confine immaginario tra gli stati di Durango, Coahuila e Chihuahua. La Zona del Silencio fa parte di una valle un tempo delimitata solo dal Río Bravo, che oggi si estingue alla frontiera con gli Stati Uniti. Cioè una linea inesorabilmente retta sulla carta geografica che circa un secolo e mezzo fa ha dimezzato il territorio messicano separando la Sierra Madre occidentale da quella orientale. Si ricongiungono più a nord, ma lassù preferiscono chiamarle Montagne Rocciose. A sentire don Churro, qui persino il vento soffia piano per paura di svegliare gli spiriti. Quegli stessi che proteggerebbero la valle con una barriera di antienergia, impenetrabile a qualsiasi mezzo di comunicazione.

Ho cominciato a prendere la faccenda sul serio quando abbiamo oltrepassato un cartello che diceva *Estación Estudios Biosfera de la Reserva Mapimi*. E non mancano i fatti reali, per alimentare le tante leggende sulla Zona del Silencio. Nel 1963 l'ingegnere Harry de la Peña, originario di Torreón, partecipava a una serie di esplorazioni per conto della Pemex, l'ente petrolifero messicano. Fu allora che vennero scoperti i giacimenti di Monclova, a circa sessanta chilometri da Ceballos e quasi ai piedi del monte San Ignacio. De la Peña, equipaggiato con sofisticati strumenti di fabbricazione tedesca, individuò un vasto giacimento che lo avrebbe spinto in una zona particolarmente inospitale: nessuna forma di vita vegetale, assenza di insetti, terreno con rocce improvvisamente diverse rispetto alla conformazione del deserto circostante. Notò che erano scomparsi persino gli avvoltoi che seguivano abitualmente la spedizione. E gli strumenti che fino a poco prima avevano indicato la presenza del petrolio erano ammutoliti. Dopo una serie di tentativi a vuoto, si era deciso a comunicare alla base la strana situazione. Ma neppure la radio dava segni di vita. Verificato che non c'erano avarie di alcun genere, si rassegnò a tornare indietro. Poco più tardi, scoprì che radio e strumenti avevano ripreso a funzionare: era bastato uscire da quella che l'ingegnere avrebbe definito in seguito "Zona del Silenzio", termine che col tempo è diventato il nome della regione. Nel 1964 tornò a studiare i fenomeni con l'aiuto di altri tecnici, finché l'Istituto ricerche scientifiche di Coahuila cominciò a interessarsi del caso. Si stabilirono così le fasce di silenzio radiale, estese da est a ovest e all'interno delle quali radio e televisioni non emettono né ricevono segnali. E pochi metri fuori dalle fasce riprendono a funzionare perfettamente.

Nel luglio del 1970 un vettore spaziale della serie Athena fu lanciato da New River, Utah, programmato per discendere in un punto del New Mexico. Ma un'avaria al sistema direzionale lo fece cadere a otto chilometri dal Cerro San Ignacio. Le ricerche durarono ben tre settimane. Gli yaqui della vicina riserva osservavano ridacchiando, e prese a circolare la voce che la Danza del Venado aveva messo fuori uso la tecnologia gringa. Fu allora che la stampa messicana e statunitense cominciò a interessarsi della Zona del Silencio. Ma i tecnici della Nasa sembrarono molto più attirati dallo studio geofisico della regione che non dalle ricerche del razzo caduto. Rilievi topografici, raccolta di campioni, migliaia di fotografie. E non hanno mai fornito alcun dato su quegli studi.

Don Churro sospira, borbotta qualcosa di incomprensibile rivolto al paesaggio. Che in effetti sta diventando piuttosto strano: i colori sono gli stessi, e nell'insieme non appare alcun cambiamento vistoso, ma è come se ogni particolare fosse diventato più *aggressivo*. La radio è praticamente evaporata. Lascio andare l'acceleratore e aspetto che la camionetta si fermi da sola. Scendiamo, con le gambe intorpidite dalle vibrazioni. C'è un silenzio così assoluto da risultare opprimente. Muovo qualche passo, osservo le pietre nere sparse intorno a perdita d'occhio. Qui la pioggia di meteoriti ha raggiunto in taluni casi quaranta cadute in tre ore. Per fortuna arrivano già ridotti in frammenti, e quindi anche la polvere che si mescola alla sabbia è di origine extraterrestre. Hanno stabilito che nella Zona del Silencio c'è un assorbimento di energia solare di un trentacinque per cento superiore al resto del paese. Che, unito alla presenza nel sottosuolo di una enorme massa di magnetite, spiega almeno in parte le correnti magnetiche in grado di mettere fuori uso qualsiasi apparato. Teorie che però rischiano di suonare ridicole avendo davanti la faccia di don Churro: mi guarda con la pazienza di chi sta sopportando un povero di spirito. Poi fa un cenno di attesa, come per chiedere se mi decido a ripartire o no.

"Visto? Non c'è niente di speciale," dice sputando sui meteoriti. "È un pezzo di deserto come un altro."

Salendo sulla sgangherata Chevrolet provo a indicargli la radio neutralizzata. Sorride calmo, dice: "Questo è niente. Qualche secolo fa, noi yaqui abbiamo visto ben altro...". Sospira rumorosamente, scuote la testa e si aggiusta il sombrero. "Il guaio dei güeros è che pretendono sempre di spiegare tutto." Mi guarda con gli occhi socchiusi, la risatina che va aumentando. "La vera stranezza del creato sono loro," conclude affondando nello schienale. Penso di essermi guadagnato un po' della sua stima, visto che non mi ha incluso nei *bianchi* dicendo "loro".

Quando riprendo a guidare, don Churro sembra dormire profondamente. Dopo un quarto d'ora usciamo dalla Zona del Silencio, e la radio riprende di colpo a emettere canzonette country. Lui alza il sombrero, fissa per un po' la radio. Poi borbotta qualcosa, soffia un respiro lungo, mormora: "E c'è qualcuno che, in mezzo al deserto, considera una radio accesa più normale del silenzio... Per fortuna gli spiriti sanno ancora come fare a spegnerle".

La cicatrice

"Una cicatrice che sanguina ancora," l'ha definita Carlos Fuentes, che alla *Frontera* ha dedicato pagine memorabili della sua opera letteraria. Porfirio Díaz era solito dire: "Povero Messico, così lontano da Dio e così vicino agli Stati Uniti". E per innumerevoli registi, scrittori, artisti, fotografi e giornalisti, i tremiladuecento chilometri che si estendono da Tijuana a Matamoros, da San Diego a Brownsville, dal Pacifico all'Atlantico, sono stati e continuano a essere un'inesauribile fonte di ispirazione. Perché questa è la Frontiera per eccellenza, la linea che separa non solo due grandi paesi, ma anche due mondi contrapposti eppure ineluttabilmente attratti l'uno dall'altro, due filosofie del vivere, due diverse concezioni dell'esistente. L'opulenza consumistica e la penuria dignitosa. Il trionfo delle merci e il desiderio di ottenerle. La modernità che non conserva memoria del passato e l'accanita difesa delle proprie antiche radici e tradizioni ancestrali. Il progresso tecnologico, con i suoi vantaggi e le troppe storture, e la civiltà indigena depositaria di valori profondi. E questi due opposti in tutto comprendono da una parte e dall'altra del confine milioni di persone che rimpiangono o anelano il contrario di ciò che rappresentano. Molti nordamericani sognano il Messico come terra di assoluta libertà nei comportamenti, nei ritmi esistenziali, nei rapporti tra le persone. Moltissimi messicani sognano di sfondare la vetrina per impossessarsi di ciò che vedono ma non possono toccare.

Una frontiera culturale, soprattutto, che separa due civiltà in alcuni casi compenetrate, spesso esasperatamente conflittuali: si sfidano e si arricchiscono a vicenda e, al di là delle ideologie, i due paesi sono ormai strettamente interdipendenti. Ogni giorno si calcola che almeno cinquemila messicani, tra legali e illegali, la varcano per cercare fortuna, mentre il ricco Nord non potrebbe più fare a meno della mano d'opera – e dell'ingegnosità, senza dubbio – dei messicani che in un secolo hanno reso economicamente più prosperi i suoi stati del Sud. Il Messico è tra i principali partner commerciali degli Usa; per ogni dollaro che spende in importazioni, tre quarti vanno al vicino del Nord.

Paese sovrano e indipendente dal 1821, fino alla metà del secolo scorso il Messico era circa il doppio di quello attuale. Poi, con la perdita del Texas nel 1836, e l'impari guerra del 1845-46, fino al trattato imposto nel 1848, gli Stati Uniti si presero anche California, Arizona, New Mexico, Colorado, Utah e Nevada. E i milioni di messicani che si ritrovarono nella condizione di cittadini statunitensi di terza serie diedero vita alla cultura *chicana*, mentre gli ex connazionali a sud avrebbero permeato quella singolare filosofia del vivere denominata "messicanità", di un profondo e doloroso "senso della perdita" che permane ancor oggi. Intanto, l'invasione prosegue, ma nel senso inverso... A parte i milioni di braccianti, operai, lavoratori in ogni genere di servizi, le arti, la musica e la letteratura dei chicanos guadagnano spazi sempre più vasti negli stati dell'ultima "conquista", e si prevede che entro vent'anni la lingua spagnola sarà più diffusa dell'inglese.

Città emblema della frontiera è Tijuana, record mondiale di transiti legali e traffici illegali, metropoli apparentemente senz'anima eppure profondamente avvinghiata al concetto di "messicanità".

Non è mai stato chiarito perché si chiami così. La prima volta che compare con il nome di Tía Juana risale al 1809, quando un missionario di San Diego battezzò un indio di cinquantaquattro anni scrivendo nel registro che era originario del villaggio "La Tía Juana". Chi fosse, la "zia Giovanna" in questione, è un mistero. La leggenda narra di un'autorevole dama della zona, ma probabilmente il frate aveva spagnolizzato un termine indigeno, che suonava più o meno "Llatijuan". Già agli inizi del XVIII secolo esisteva un villaggio nel Sud della penisola chiamato San Andrés Tiguana. Forse un missionario o un soldato spagnolo di ritorno a San Diego aveva deciso di usare lo stesso nome per il nuovo centro abitato che stava sviluppandosi più a nord. Comunque, nel secolo scorso era conosciuta come Tía Juana. E quando gli Stati Uniti si presero mezzo Messico, la penisola della Baja California riuscì a tenersi Tijuana solo per restare collegata via terra al resto della nazione. A quei tempi, era a malapena un gruppo di baracche sparse. Grazie al posto di controllo doganale, sarebbe cresciuta in fretta.

Nel 1911 l'ala anarchica della rivoluzione, che aveva in Ricardo Flores Magón il principale ispiratore, fece della Baja California il suo campo di battaglia. Tennero il controllo di Tijuana per pochi mesi, prima di essere sconfitti dall'esercito di Porfirio Díaz. Villa e Zapata erano troppo lontani, e il sogno di una penisola amministrata secondo i principi dell'anarchismo lasciò in eredità l'accusa di "separatismo". Difficile immaginare che il posto di frontiera più caro agli Stati Uniti potesse diventare la capitale dei "sovversivi". Comunque, a scanso di grane future, la polizia statunitense sbatté in galera Flores Magón e un giudice lo condannò a vent'anni da scontare nel penitenziario di Leavenworth, in Kansas. L'accusa? Ufficialmente, "disfattismo". Aveva pubblicato articoli contro la guerra sulle pagine della sua rivista "Regeneración" e un appello agli anarchici di tutto il mondo, e questo, per gli Stati Uniti che partecipavano al conflitto, era un buon pretesto per toglierlo di mezzo. Non sarebbe mai giunto a "fine pena": Flores Magón, una delle menti più fervide del Messico rivoluzionario, fine intellettuale e integerrimo idealista, morì in cella il 20 novembre 1922. Secondo alcuni biografi, assassinato da un sicario per conto del governo statunitense. Più probabilmente, furono le dure condizioni di prigionia: ammalatosi, lo lasciarono morire senza prestargli alcuna cura. Già nel 1921 un giudice della Corte suprema rispondeva alle petizioni che giungevano dal Messico con questa scarna lettera ufficiale: "Certo, Magón è infermo. Ma ritengo possa vivere ancora per qualche anno, e pagare almeno una parte del suo debito". Una fine simile a quella di un altro grande pensatore del Novecento, Antonio Gramsci, con la differenza che quest'ultimo veniva lasciato morire nelle carceri della dittatura fascista, mentre Ricardo Flores Magón in quelle della "più grande democrazia al mondo".

Negli anni venti Tijuana divenne invece la capitale dei gringos ubriaconi, che scendevano qui per ridersela del proibizionismo. Hollywood era vicina, e per le strade polverose della Tía Juana notturna caracollavano alticce e chiassose le figure di Douglas Fairbanks, Johnny Weissmuller, e più tardi Clark Gable, Bing Crosby... Anche Al Capone ci veniva spesso, ma evitava accuratamente di farsi notare in pubblico con un solo capello fuori posto. Più attenzioni di lui, sicuramente, le ottenne Rita Hayworth, che cantò varie volte al Riorita, uno dei vecchi locali di un'epoca perduta.

A partire dagli anni quaranta, la popolazione ha preso ad aumentare con ritmi superiori a quelli della stessa capitale federale, e Tijuana è diventata tre città distinte: quella dei turisti che calano dall'opulento Nord, tutta grandi alberghi con saloni per feste sfrenate e sbracate, scintillanti centri commerciali, ristoranti alla moda, un verdeggiante golf club che succhia buona parte dell'acqua a quanti ne hanno già poca; poi c'è la Tijuana degli abitanti originari, sempre più frastornati dal vortice di cambiamenti traumatici e, infine, l'agglomerato di *maquiladoras*, le industrie di assemblaggio straniere che attirano valanghe di messicani dal resto del paese: molti arrivano con la speranza di passare "dall'altra parte", ma è un sogno difficile da realizzare, e allora si fermano qui a guadagnare magri stipendi permettendo che innumerevoli prodotti tecnologici abbiano un prezzo "concorrenziale", basato sui bassissimi costi della mano d'opera. Virtualmente, il Messico potrebbe figurare come il primo produttore mondiale di televisori e videoregistratori, perché le più grandi multinazionali del settore li fanno assemblare al di qua della frontiera, nelle maquiladoras che ormai si estendono lungo tutta la fascia di confine.

Il termine deriva, chissà come, dall'arabo *makíla*, che era la quota in grano da dare al proprietario del mulino per l'uso della macina, vocabolo le cui origini andrebbero probabilmente ricercate nella cultura "moresca" che permeava i conquistatori andalusi. Le maquiladoras dipendono, o appartengono, quasi tutte a industrie statunitensi o asiatiche; vi si assemblano macchinari e apparati elettronici, si producono tessuti sintetici o sostanze chimiche altamente nocive, il cui trattamento, nei paesi ad alto sviluppo tecnologico, richiede notevoli costi per la sicurezza: in Messico, oltre alla comoda vicinanza della frontiera Usa, si aggirano le severe leggi vigenti nelle nazioni degli "investitori" in cambio di agognati posti di lavoro. Il sistema della *maquila* ha riportato indietro di un secolo, o addirittura due, le condizioni degli operai, che ricevono paghe di cinque o sei dollari al giorno per dieci o dodici ore di lavoro, e rischiano l'immediato licenziamento al solo nominare parole tabù come "diritti sindacali". Inoltre, l'inquinamento che ne deriva è spaventoso: tutte le zone dove sorgono gli impianti hanno subito enormi disastri ambientali. La periferia di Tijuana pullula di baraccopoli insalubri e l'aria spera sempre nel vento del Pacifico, che spazzi via i miasmi delle maquiladoras. In centro, nessun turista si renderebbe mai conto di questa realtà degradante: l'avenida Revolución trabocca di negozi d'artigianato, locali alla moda, discoteche rutilanti, e tutti gli acquirenti dei sombreros pieni di lustrini e ricami dorati – che un messicano non si sognerebbe mai di mettere in testa – fanno la sosta d'obbligo al Long Bar, che vanta il bancone più lungo del mondo e di conseguenza il record di gringos alticci messi in fila l'uno accanto all'altro per centosessanta metri di seguito.

Tra gli innumerevoli mestieri che la frontiera ha creato, quello del *coyote*, detto anche *pollero*, è tra i più diffusi: trafficante di clandestini. Con l'irrigidimento degli Stati Uniti nei confronti dell'immigrazione, tra San Diego ed El Paso sono sorte muraglie invalicabili, con tanto di reticolati, filo spinato, cavalli di frisia, sensori e cellule fotoelettriche, e sofisticate apparecchiature per la visione notturna in dotazione alla Border Patrol. Ma i coyote non demordono. Con il loro carico di disperati, aggirano gli ostacoli inoltrandosi nel deserto, un lungo viaggio che spesso si conclude in tragedia: chi non è attrezzato per sopravvivere nello spietato deserto del Sonora rischia di morire disidratato.

E pensare che, pochi chilometri più a sud di questo inferno per diseredati, c'è il paradiso terrestre: la Baja California, con i suoi santuari per balene in amore e foche giocose, baie e calette popolate soltanto da pellicani, isole in un mare ricco di pesci vela e distese di cactus monumentali a perdita d'occhio. Ogni grande albergo, da queste parti, fa a gara nell'esporre le foto degli abituali ospiti famosi: dalle stelle di Hollywood a quelle del rock (Mick Jagger pare apprezzi molto i panorami della Baja, mentre Jim Morrison era più attirato dalle *cantinas* nei pressi del confine); una vacanza da queste parti lascia sicuramente ricordi indelebili. E il Muro della vicina Tijuana sembra cosa di un altro mondo, lontano anni luce dalla pace assoluta che si estende da Ensenada a Los Cabos.

La statale numero 2 costeggia il confine dall'oceano al cuore del Gran Desierto, spettacolare in certi punti dove le montagne scendono vertiginosamente verso uno sterminato lago salato, e se fino a Tecate il panorama offre campagne relativamente fertili, più avanti i precipizi e la seguente pianura sabbiosa creano qualche inquietudine al passeggero delle corriere che arrivano fino a Mexicali. Dall'altra parte c'è Calexico, ed entrambe le città prendono nome dalla mescolanza di Mexico e California, e viceversa. Mexicali è un importante nodo stradale e ferroviario, capitale della Baja Norte, ma non possiede minimamente il fascino un po' perverso di Tijuana: oltretutto, ha un clima feroce, caldo torrido di giorno mentre la notte, d'inverno, si scende sottozero.

Ciudad Juárez è praticamente a metà dell'interminabile frontiera, e qui il Río Bravo – per i messicani – o Rio Grande – per gli statunitensi – si sostituisce alla linea retta tracciata nel deserto. Di là, c'è El Paso. In mezzo, due ponti, entrambi a senso unico: su quello grande e moderno, turisti e commercianti scendono in Messico, sul più vecchio e stretto gli emigranti giornalieri entrano negli Usa. Simbolismo non casuale. Sotto, scorrono le acque tutt'altro che limpide del fiume più celebrato dal cinema Usa, dove Orson Welles finì per cadere – come esigeva il copione – al termine del celebre *L'infernale Quinlan*. Entrambe le città offrono ben poco quanto ad attrazioni turistiche. El Paso si anima nei fine settimana, in un crescendo che ha visto quintuplicare il numero di bar negli ultimi anni. Ciudad Juárez non è da meno, e si può asserire che, tra i tanti primati di questa frontiera, c'è indubbiamente il più alto consumo di alcolici rispetto a qualsiasi altra linea di confine al mondo. Le guide aggiornate tengono a sottolineare che in entrambe le città proliferano i locali notturni per gay e lesbiche, e il fatto che Juárez ne annoveri più di El Paso dovrebbe sfatare certi luoghi comuni riguardo a machismo e intolleranza. Purtroppo, negli ultimi anni Ciudad Juárez si è guadagnata una fama sinistra, per l'alto numero di donne sequestrate: molte sono scomparse nel nulla, di altre hanno rinvenuto i corpi orrendamente martoriati e gettati in discarica. Nella maggior parte dei casi si tratta di operaie di maquiladoras, donne di umili condizioni che vengono spesso rapite all'uscita dal lavoro, e si ritiene che il principale motivo siano i famigerati *snuff movies*, i filmini con persone torturate e uccise "dal vero", un fenomeno talmente diffuso negli Stati Uniti che Hollywood ne ha già fatto un film con Marlon Brando e Johnny Depp, *The Brave*. Anche in questo caso, la parte messicana della frontiera subisce gli effetti nefasti di un marciume generato al di là della *cicatrice*.

A differenza della texana El Paso, la città messicana, per quanto poco attraente, offre qualche punto d'interesse storico, come la casa di Benito Juárez che le dà il nome, il primo – e per ora unico – indio divenuto presidente della Repubblica, riformatore illuminato che qui diede vita al governo provvisorio durante la guerra contro la seconda dominazione straniera. Inoltre, siamo nello stato del Chihuahua, dove Pancho Villa iniziò la Revolución dal Nord – con Zapata dal Sud – e nel 1911 espugnò la città nonostante fosse difesa da forze federali più numerose e meglio armate, la prima di una serie di folgoranti vittorie che liberarono il paese dalla tirannia porfirista. Alcuni musei ne ricordano le gesta. A ovest di El Paso c'è Columbus, che Villa occupò per una notte mettendola a ferro e fuoco: l'unico caso nella storia in cui gli Stati Uniti hanno subito un'"invasione", e da questa parte del confine, molti souvenir con l'effigie del "Centauro del Norte" sottolineano l'evento con orgoglio.

Río Bravo, Rio Grande: ha dato vita a più leggende di quanta acqua abbia trasportato fino al Golfo, nei suoi oltre millecinquecento chilometri di frontiera. Lo attraversavano gli indomiti apache, ignorandolo come confine e combattendo indifferentemente messicani e gringos. Anelavano raggiungerlo i *desperados* da nord, lasciandosi alle spalle gli inseguitori con la stella di latta. Vi rimase a metà del guado, e con le due Colt ormai scariche, Gregorio Cortéz, il bandito messicano immortalato in una celebre ballata.

E nell'infinità di aneddoti, ne ricordo uno, forse il meno conosciuto. Un caldo pomeriggio del 1909, il comico Roscoe "Fatty" Arbuckle, divo del muto – faccione pallido su cui si abbatteva l'immancabile torta alla panna –, stava facendo un picnic sul fiume assieme a una comitiva di amici. Sull'altra sponda, comparve un messicano a cavallo, sombrero a tesa larga, cartuccera a tracolla e due revolver nelle fondine. "Fatty", incuriosito, gli gridò di guadare e unirsi al banchetto. Il messicano continuò a fissarlo da lontano senza rispondere. Dopo aver insistito, l'attore si spazientì, e un po' per scherzo, un po' perché era sempre stato un irresponsabile, prese a lanciargli mele, banane e arance. L'altro schivava spostandosi appena, neanche fosse stato una sagoma del luna park. Alla fine, Arbuckle afferrò una torta alla crema, avanzò nell'acqua portandosi a distanza utile e, con l'abilità che lo avrebbe reso celebre nella storia del cinema comico, la scagliò contro il messicano. Questi, inaspettatamente, riuscì ad acchiapparla al volo senza sfracellarla, e la ritirò indietro, centrando "Fatty". Tra le risate a crepapelle degli amici americani, il comico chiese allo strano tipo come si chiamasse. "Pancho Villa," rispose l'altro. E nel 1909, quel nome era già noto alle cronache per le innumerevoli taglie poste sulla sua testa dall'una e dall'altra parte del Rio Grande-Río Bravo. Poi il *bandido* salutò agitando il sombrero, e spronò il cavallo scomparendo alla vista. "Chissà perché non mi ha sparato," si sarebbe chiesto per tanti anni "Fatty" Arbuckle.

Più di ottant'anni dopo, un giovane regista esordiente, Roberto Rodríguez, ha girato nella desolata Ciudad Acuña l'ennesimo film a cavallo del fiume e della frontiera, dal titolo *El Mariachi*. Per quanto fosse ottimista, non poteva immaginare che avrebbe raggiunto un invidiabile primato: il lungometraggio a costo più basso della sua epoca e successivi incassi da major hollywoodiana. Ciudad Acuña è il luogo ideale per un certo immaginario cinematografico: rovente, polverosa, atmosfera rarefatta dove tutto potrebbe accadere anche se non succede nulla da un secolo. Ben diversa è

Piedras Negras, accogliente e tranquilla, forse la città di frontiera ideale, con la piazza principale proprio di fronte al ponte che la separa da Eagle Pass e una casa della cultura che ospita mostre e spettacoli di danze tradizionali; nell'antica missione di San Bernardino i turisti texani possono acquistare prodotti d'artigianato provenienti da tutto il Messico. Nuevo Laredo, invece, compete con Tijuana nei traffici d'ogni sorta, essendo la più grande città di confine dell'Est. La scrittrice e giornalista spagnola Maruja Torres ha narrato nel libro *Amor América* il suo lungo viaggio attraverso il continente latinoamericano, compiuto dove possibile in treno, e conclusosi a Laredo. Qui, dalla finestra di un comodo albergo, dopo tante vicissitudini affrontate, osserva e scrive:

"Sulla sponda sicura della vita, spio i mulinelli sulla superficie del Río Bravo e conto le piccole macchie nere che punteggiano le sue rive melmose. Sono pneumatici di camion a cui si aggrappano quelli che tentano di oltrepassare la frontiera fluviale che li separa da un futuro immaginato migliore. Di fronte c'è il Messico [...] e ho visto i figli dell'oppressione – arrivati fin qui, con mezzi di fortuna, dal Guatemala, dall'Honduras, dal Nicaragua o dal Salvador – saltare sui vagoni al volo, nascondersi nei gabinetti, aggrapparsi ai tetti, sopportare i maltrattamenti e le bravate della polizia di frontiera [...] adesso sono lì, che sguazzano aggrappati a una camera d'aria, o aspettano l'opportunità di farlo, nascosti tra i cespugli, con lo sguardo puntato da questa parte. Mi chiedo cosa vedano".*

Nuevo Laredo, Messico: aria che odora di *tacos*, *fritangas* ed *enchiladas*. Cantinas fumose, taxi Volkswagen e vecchi ronzini attaccati a calessi per turisti grassi e chiassosi. Facce di chi non ha più niente da perdere ma ti regala egualmente un sorriso. Laredo, Usa: grattacieli asettici e vetrine traboccanti di oggetti costosi, fast food e chiese protestanti dalle guglie candide, uomini d'affari dallo sguardo impenetrabile, cravattino di cuoio con fermaglio d'argento e pick-up superaccessoriato con motore che, per eguagliarne la cilindrata, non basterebbero cinque taxi messicani fermi di là dal ponte. Due mondi contrapposti, che si guardano dalla sponda e non si sa cosa vedano realmente.

* Maruja Torres, *Amor America. Un viaggio sentimentale in America Latina*, Feltrinelli, Milano 1994, 2001, p. 9. [*N.d.R.*]

Per fortuna, il viaggio lungo la frontiera finisce a Matamoros, l'unica in questi tremiladuecento chilometri a dare la sensazione di trovarsi in una delle tante ospitali e vivaci città situate molto più a sud. Qui le attrazioni culturali prevalgono sullo scambio di mercanzie, la "messicanità" si manifesta apertamente senza soccombere al commercio, e sulla grande spiaggia battuta da onde vigorose, le famiglie messicane si riuniscono all'ombra delle *palapas*, mentre il centro della città è perennemente affollato di giovani di entrambi i paesi: mescolandosi negli stessi locali ogni sabato sera, danno l'illusione che un giorno, nel loro futuro prossimo, la convivenza gioviale sarà realtà. Ma per i coetanei di Matamoros, e del resto della Repubblica messicana, è molto più difficile fare la stessa cosa a Brownsville, oltre il Rio Grande, Río Bravo... Ha due nomi, perché non è lo stesso fiume: dipende dalla riva da cui si guarda la riva opposta, e la differenza è davvero immensa.

I filosofi dai piedi leggeri

Quando il Río Bravo si chiamava ancora El Gran Río de América, il territorio messicano era almeno il doppio dell'attuale. I grandi spazi tanto cari all'unica mitologia che gli Stati Uniti possano concedersi sono diventati una manciata di stelle in più grazie a molte cannonate e qualche raggiro finanziario del genere "proposte che non si possono rifiutare".

Un tempo la Barranca del Cobre era una fenditura nel cuore del paese, il canyon più spettacolare del continente americano. Per nostra fortuna, il Río Bravo a est e il deserto di Sonora a ovest hanno trattenuto i nonni di John Wayne al di sopra dello stato del Chihuahua. E la Barranca del Cobre è rimasta intatta negli ultimi cento anni come nei precedenti diecimila, senza ville avvinghiate agli strapiombi o fast food nelle stazioni del treno, né cartelloni pubblicitari vasti quanto il ponte della Saratoga o dirigibili sponsorizzati appesi al cielo.

Più a sud, nello stato del Sinaloa, c'è una cittadina a quaranta chilometri dal Golfo di California che si chiama Los Mochis. Nessuna attrattiva particolare, con un clima torrido che invita a schizzare subito verso il Mar de Cortés, magari fino alla vicina Topolobampo per saltare su un traghetto in rotta per La Paz. Ma Los Mochis è un nome conosciuto in tutta la Repubblica per essere il capolinea del famoso Tren Escenico, o Vista Tren.

In Messico la frenesia del "cavallo d'acciaio" è iniziata nel 1837, e già nel 1870 si erano ottenute concessioni per quarantuno linee ferroviarie; ma per l'ottanta per cento sarebbero rimaste irrealizzate. Nel 1940 il governo acquisì i diritti della Kansas City-México e della East Railroad Company, arrivando nel 1952 a riprendersi anche la Mexico North Western Railroad: finalmente, era nata la travagliatissima Chihuahua-Pacifico. L'estrema importanza di mettere in comunicazione il versante del Pacifico con la Mesa Central del Norte scatenò i più azzardati progetti dell'ingegneria messicana. E nel 1961, diventava operativa la linea che attraverso ottantasei gallerie e trentanove ponti "sorvola" gli impressionanti burroni della Sierra Madre occidentale. Questa è anche l'unica via di accesso alla nazione tarahumara, gli indios che vivono in pueblos abbarbicati sulle bocche delle caverne, una posizione grazie alla quale hanno resistito a ogni proposito di conquista. Lassù non si spinsero neppure gli aztechi, e tanto meno gli spagnoli. Fino al 1631, i tarahumara popolavano anche zone meno impervie, ma in quell'anno fu scoperto un giacimento di argento proprio nelle loro terre, e fu l'inizio della caccia all'indio per sfruttarlo come mano d'opera a costo zero. Dopo una serie di rivolte sanguinose, il gran capo Teporaca guidò i tarahumara in una guerra spietata contro l'uomo bianco, che non risparmiò missionari e coloni. Persino le campane delle chiese venivano distrutte, come simboli del male a cui molti indios attribuivano addirittura la diffusione nell'aria delle epidemie di vaiolo... Le armi degli spagnoli conseguirono una facile vittoria, ma i tarahumara superstiti preferirono ritirarsi sugli inaccessibili picchi della Sierra piuttosto che arrendersi al Vangelo imposto col piombo. Ancor oggi sembrano riuscire a contenere i danni della "civilizzazione" che hanno disperso le ultime tribù del Nord.

A Los Mochis ci sono arrivato in un pomeriggio paralizzato da una totale assenza di vento; il che significava cercare al più presto una stanza d'albergo per sfuggire al sole e ai fumi di *fritangas,* che non risparmiavano un solo angolo della plaza Constitucional arroventata da almeno quaranta gradi. Così ho conosciuto il Teniente, un sessantenne che occupava la stanza accanto alla mia e che si sarebbe rivelato una guida preziosa attraverso la Sierra Tarahumara. Entrambi sprofondati in sgangherate sedie a dondolo sulla veranda, fissavamo l'andirivieni di sporadici passanti e bande di cani randagi. Dopo circa un'ora mi ha rivolto un sorriso sospirante; io ho alzato la mia terza bottiglia di Dos Equis ormai calda, e lui ha risposto al brindisi con la sua. Venti minuti più tardi, mi ha chiesto: "Ti stai ubriacando?".

Ho fatto segno di no, indicando il sole finalmente sulla via del tramonto. "E perché?" ha insistito. Non ho trovato una risposta logica alla mia inspiegabile mancanza di voglia d'ubriacarmi, e il Teniente ha scosso la testa rassegnato. Aveva un aspetto da piccolo burocrate di provincia, che contrastava con l'espressione da viaggiatore stanco, lo sguardo di uno che non spera più di vedere qualche novità nel tutto già visto. Un'altra mezz'ora di silenzio e annuire lento, per arrivare a scoprire che l'indomani avrebbe preso anche lui il Vista Tren fino a Chihuahua. Presentatosi come don Rafael, ha subito aggiunto che tutti però lo chiamano El Teniente; cosa c'entrasse col suo mestiere di meccanico, l'ha spiegato con un'alzata di spalle. "Ho una piccola officina nel mio pueblo," ha mormorato indicando con un cenno verso sud, "e da molti anni dedico il tempo migliore a viaggiare per conoscere il mio paese. Questa è la terza volta che faccio Los Mochis-Chihuahua. E ce ne vorrebbero altre novantasette per apprezzare ogni punto del percorso."

Ci siamo salutati verso la sesta o settima birra, a un'ora della notte abbastanza tarda da rendere l'aria respirabile.

Come d'accordo, e con reciproca sorpresa, ci siamo rivisti alle cinque del mattino. La stazione è fuori dalla città, e conviene sempre arrivarci con un buon margine di anticipo sulla partenza. Infatti, nonostante fosse ancora buio, era già piena di gente. Conquistati i biglietti, l'ho seguito verso un incredibile convoglio di carrozze azzurre col tetto di vetro. Superati gli impeccabili controllori in alta uniforme, siamo entrati nell'atmosfera ovattata del Vista Tren, che di ferroviario ha solo le ruote sui binari: salotti con tappeti e poltrone di velluto, bar fornitissimi, cristalli polarizzati, e scalette che portano al "piano superiore", dove il tetto a cupola trasparente permette la vista in ogni direzione. Sdraiati nelle poltroncine da prima visione, abbiamo salutato la partenza ordinando al cameriere tequila Cazadores e *botanas*, che in quel caso erano *papas adobadas*, cioè patate fritte arrossate da chissà quale salsa piccante, e noccioline rese più interessanti da teste d'aglio e peperoncino in polvere.

Bevendo moderatamente, ci siamo lasciati indietro le sterminate pianure del Sinaloa, e costeggiando il Río Fuerte sono cominciate a spuntare muraglie di roccia verdeggiante di muschio. E ho assistito alla progressiva metamorfosi del Teniente, che da filosofo del silenzio si è trasformato in una fonte inesauribile di notizie e aneddoti su ogni ponte, tunnel o lontano paesino avvistato.

Oltrepassando Cerocahui e Bahuichivo, la vegetazione ha preso ad avvicinarsi fino a dare l'impressione di ingoiare il treno. Torrenti che esplodono in cascate improvvise, precipizi da vuoto allo stomaco, e poi quella sensazione di venire scaraventati nel cielo passando su ponti sospesi tra due picchi, infastidendo ogni tanto qualche aquila che virava per scendere più in basso. Il letto del fiume a un certo punto sprofonda e scompare in un abisso, reso invisibile dall'assenza di luce che non riesce a spingersi fin laggiù. È stato il momento in cui tutti i viaggiatori hanno dimenticato i beveraggi e il sottofondo sferragliante veniva interrotto solo da gridolini e sospiri rochi, a seconda del tasso alcolico.

Verso l'una il treno ha iniziato a rallentare, mentre un bisbiglio crescente annunciava un qualche evento speciale. Don Rafael mi ha spiegato che stavamo per arrivare al Divisadero, dove avremmo fatto una sosta per ammirare meglio quello che c'era sotto i nostri piedi.

Guardandola dalle vetrate, non mi ero reso conto di quanto fosse vasta la Barranca. Tutti avvinghiati alla ringhiera con l'aria smarrita, a fluttuare con lo sguardo lungo i burroni dell'Urique, del Tararecua, del Sinforosa, e il Teniente che annuiva dicendo: "Per riempire questo ci vorrebbero cinque Canyon del Colorado". Poi gli è bastata una mezza frase e un cenno vago per convincermi a restare lì quella notte, e riprendere il viaggio l'indomani. Procurato l'alloggio nell'albergo vicino, l'ho seguito verso le grotte dei tarahumara disseminate sugli strapiombi attorno.

Alti, asciutti, hanno volti che nella memoria cinedevastata di noi europei evocano i tratti somatici degli apache, e il poco che indossano sono camicie a quadri o a fiori variopinti. Su certe perniciose guide turistiche i tarahumara sono conosciuti come "il popolo saltatore" o anche "piedi leggeri": questo perché, attraverso secoli di fughe, si sono dovuti abituare a usare le gambe non per camminare o cavalcare, ma per saltare da una sporgenza di roccia all'altra. Persino quando si spostano su sentieri piani il loro passo è sempre a balzi, a saltelli rallentati. Sono ottimi corridori sulle lunghe distanze, capaci di percorrere fino a duecento chilometri senza sosta, e lo dimostrano ancor oggi con certe gare a squadre dove i partecipanti attraversano pianure e vallate correndo per giorni e notti ininterrottamente.

Nella lingua tarahumara non esiste un termine che possa significare "Dio". Credono in qualcosa che è riconducibile all'insieme della natura, divinità maschio e femmina al tempo stesso. La fascia che portano sulla fronte è il loro emblema di razza, che ritengono discendere da una lunga selezione naturale e rappresenta l'unione tra le forze maschili e femminili del creato. Come tutte le etnie del Nord, praticano il rito del peyote. È tra queste montagne che, nel 1936, venne a "perdersi" il poeta e drammaturgo surrealista Antonin Artaud. All'apice di una sofferta ricerca della profondità esistenziale pura e primitiva, Artaud ruppe per molti mesi qualsiasi legame col mondo e si immerse nella vita quotidiana dei tarahumara. "Nel Nord del Messico, a quarantott'ore dalla capitale, vivono quarantamila indios di pura razza pellerossa," avrebbe scritto più tardi, "che rappresentano una vera sfida a questo mondo, nel quale si parla tanto di progresso solo perché si è smarrita ogni speranza di progredire. Questa razza resiste da almeno quattrocento anni a qualsiasi attacco: alla civilizzazione, alla mescolanza del sangue, alle guerre, a freddo, fiere e tempeste. Vivono seminudi anche in inverno, sulle loro montagne innevate, a dispetto di tutte le teorie mediche. La loro forma societaria è una sorta di comunismo che deriva dalla spontanea solidarietà reciproca. Sembrano non vedere la realtà odierna, e traggono forze magiche dal disprezzo che nutrono per la civilizzazione..."

Artaud venne accolto dai tarahumara con naturalezza istintiva, e fu ammesso persino tra gli officianti al rito del peyote. A conclusione di quella esperienza, scrisse tra l'altro: "I tarahumara sono pervasi dalla filosofia, al punto da raggiungere una specie di stregonismo psicologico. Per loro non esiste un solo gesto perduto, inutile. Non c'è gesto che non abbia un senso filosofico diretto. Diventano filosofi con la stessa naturalezza con cui un bambino diventa adulto. Sono filosofi per nascita".

Certo, il passaggio della ferrovia sulla Barranca del Cobre non ha lasciato del tutto indenne la nazione tarahumara. Sparuti gruppi hanno cominciato a esibirsi nelle danze tradizionali per rimediare qualche pesos. Anche quella notte, nel "salone" del nostro hotel, ne sono arrivati alcuni con tamburi chitarre e violini. Eppure, nonostante la rappresentazione ben poco spontanea, conservavano tutti uno sguardo verso noi bianchi che sembrava più di commiserazione che di invidia. Per i tarahumara l'uomo bianco non possiede lo spirito, e quindi appartiene a una non-razza. "Sono un popolo assolutamente innocente," mi ha detto don Rafael con un sorriso malinconico, "sono strani individui sopravvissuti al Paleolitico, che per sfuggire alla ferocia degli spagnoli e della loro Chiesa arrivarono fin su queste montagne. E qui sono rimasti in solitudine per secoli, finché altri bianchi attratti dai giacimenti, dai boschi di conifere e da nuove terre coltivabili, hanno ripreso la caccia e il saccheggio."

L'affitto delle stanze si è poi rivelato inutile, visto che nessuno dei due è stato sfiorato dall'idea di dormire. In quanto al cielo notturno e all'aria sul Divisadero, non provo neppure a descriverli. L'indomani, dopo un ultimo sguardo all'immensità della Barranca, siamo saliti su un altro treno di vetri e velluti: il Teniente di nuovo immerso nel suo silenzio contemplativo, e io progressivamente annebbiato dal sonno ma deciso a guardare oltre la cupola. Il verde intenso della Sierra si è lentamente diluito nei grigi e ocra del deserto, passando dal freddo tagliente al caldo spietato. Il Chihuahua è uno degli stati più vasti della confederazione messicana, montagnoso a ovest e desertico a est, con un paesaggio calcinato dal sole e punteggiato di arbusti e cactus e qualche albero di *mezquite* nodoso e ostinatamente vivo nella sabbia. Qui si rifugiarono le tribù più bellicose ai tempi della Conquista, resistendo poi ai meticci del Sud e ai bianchi del Nord. Pochi sono scampati alla dominazione: la maggior parte degli indios ha concluso la propria esistenza nelle miniere, schiavi fino al XIX secolo e con ben poche alternative nel successivo. Per l'estrazione dell'oro e dell'argento, gli spagnoli sono stati sostituiti dalle compagnie minerarie statunitensi, che hanno continuato a sfruttare questa mano d'opera semigratuita la cui vita media è scesa al punto da essere un insulto per la condizione umana. Poco importa se il confine geografico è molti chilometri più a nord: negli uffici delle miniere, ingegneri e funzionari parlano inglese tra loro, e il poco spagnolo appreso basta allo stretto indispensabile per impartire gli ordini.

Nella città di Chihuahua sono andato a visitare la Quinta Luz, la fattoria di Francisco Villa detto Pancho, oggi trasformata in museo. Dal giorno in cui aveva subito il primo e unico scacco militare sul proprio territorio, Washington seppe aspettare per lunghi anni la vendetta.

La sgangherata limousine di Villa è ancora lì, esposta in un cortile, con i fori di pallottola arrugginiti e la polvere sui vetri crivellati.

Utopia in Topolobampo

Nella seconda metà del XIX secolo fu decisa la costruzione di una ferrovia che da El Paso scendesse fino a Città del Messico, e i sopralluoghi per il tracciato vennero affidati a un singolare personaggio, Albert Kimsey Owen, ingegnere ed esploratore, nonché filosofo e inguaribile sognatore. Si calcola che, solo per questo progetto, avesse percorso almeno cinquemila miglia a cavallo. E compiuta la sua parte di lavoro, Owen sembrò essere rimasto affetto da moto perpetuo, continuando a viaggiare instancabilmente e a proporre nuove linee ferroviarie, mai realizzate e ben presto superate in funzionalità dallo sciame di famigerate corriere che, oggi, meriterebbero un posto sulla bandiera nazionale accanto all'aquila, al serpente e al *nopal.*

Amante del deserto, dopo aver attraversato tutto il Sonora Owen si spinse verso sud, costeggiando la Sierra Madre occidentale fino allo stato del Sinaloa, dove il Río Fuerte rende ricche di foreste le montagne e fertili le vallate verso il mare. Esperto anche in drenaggio e irrigazioni, qui si intestardì a studiare una miriade di possibili miglioramenti che, sebbene rimasti sulla carta, gli avrebbero fruttato in futuro le attenzioni di Porfirio Díaz. Infatti una decina di anni più tardi, a Owen sarà affidato il progetto per drenare la Valle di Messico, che si sarebbe concretizzato nel canale Texcoco-Huehuetoca. Nel frattempo, Owen aveva scoperto una clamorosa mancanza nelle mappe dell'epoca: qualche chilometro a sud di Los Mochis la costa di Sinaloa non si presentava come un abbozzo di penisola rotondeggiante, ma era spezzata da una profonda insenatura. Tornato a Philadelphia, Owen pubblicò nel 1882 una nuova carta geografica del Messico, aggiudicandosi presso i posteri la "scoperta" della baia di Topolobampo. Gli indios mayo, che vivevano lì da qualche secolo, non avevano mai sentito il bisogno di annunciare al mondo l'esistenza di tale baia. E comparire su atlanti e mappamondi, una volta tanto non si è tradotto nella scomparsa dei legittimi abitanti. I mayo, per quanto ridotti di numero da un secolo a oggi, continuano a vivere in questa zona dedicandosi alle stesse attività da cui traevano sostentamento i loro antenati: nel Sinaloa abbondano ancora cervi e cinghiali, che i mayo cacciano sostituendo gradualmente le carabine agli archi. Praticano anche la pesca, senza però spingersi in mare aperto, e il fatto di conoscere palmo a palmo la baia di Topolobampo ha rischiato di far estinguere una varietà di anatre pescatrici che nidificavano nelle isolette interne. I mayo riempivano intere canoe di uova per rivenderle nei mercati di Carricitos e Jipón, finché le povere anatre non hanno deciso di prendere adeguati provvedimenti: quasi si fossero messe d'accordo in massa, qualche decennio fa neppure una femmina è tornata nella baia per deporre, trasferendosi tutte nell'isola del Farallón, fuori dalla portata delle pagaie. Un altro curioso "incidente" fra i mayo e una specie animale è accaduto nel 1870. Il governo degli Stati Uniti aveva avuto una folgorazione appurando che nei deserti del Nord Africa i cammelli costituivano un mezzo di trasporto robusto e a bassissimo consumo. Così ne venne subito ordinato uno stock, da destinare in Arizona e New Mexico. Ma nel Sahara non ci sono cactus, e le povere bestie si azzoppavano per le spine e si ferivano il muso cercando di mordere quei carnosi serbatoi d'acqua. A Washington qualcuno dovette finalmente rendersi conto che la comune presenza di sabbia non è sufficiente a uniformare la fauna dei diversi deserti. La rimanenza di cammelli fu quindi inviata come dono in segno di amicizia al presidente del Messico. La carovana scese attraverso il Sonora e giunse nel Sinaloa, dove, guadando il Río Fuerte, venne notata dai mayo. Avvisato il cacicco capo delle varie tribù, questi convocò d'urgenza un consiglio degli anziani. Le numerose testimonianze raccolte sull'aspetto dei cammelli causarono una drastica delibera: animali tanto brutti non potevano che essere opera del demonio, per cui se ne ordinava l'immediata soppressione. Fortunatamente, il clima di agitazione che si era diffuso tra i mayo fece sì che qualcuno si informasse del motivo, e corresse quindi ad avvisare la carovana. I cammelli sfuggirono per un soffio alle frecce dei mayo, per finire i loro giorni in uno zoo di Città del Messico.

Ottenute le concessioni per realizzare una nuova ferrovia e una linea telegrafica fra il Texas e il Sinaloa, Owen riuscì anche ad aggiudicarsi il progetto per il porto di Topolobampo. A quel punto, aveva sufficienti prestigio e affidabilità da chiedere l'unica cosa che veramente voleva fin dall'inizio: il permesso del governo messicano per un insediamento di coloni nella valle del Río Fuerte, tra Los Mochis e Topolobampo. Il generale Manuel Gonzáles, che fu presidente prima di Porfirio, firmò le carte senza chiedersi cosa avesse in mente quel geniale e strampalato ingegnere. Perché Owen, al di là delle relazioni con governatori e funzionari statali, manteneva intatto il suo animo anarchico, e covava nel profondo del cuore il sogno di tutta una vita: l'edificazione di Ciudad Pacifico, una colonia di uomini e donne liberi fondata sul principio della cooperazione integrale.

I primi ventisette "pionieri libertari" si imbarcarono a San Francisco nell'ottobre del 1886, sul vapore *Newbern*, approdando a Topolobampo il 10 novembre. Nel giro di cinque anni, sarebbero diventati più di tremila. La promozione di questa "nuova società" era iniziata nel 1885, con la creazione di una finanziaria denominata Credit Foncier de Sinaloa, che pubblicava un giornale in inglese e spagnolo su cui venivano propagandati i principi di Ciudad Pacifico: eliminazione del capitale e di qualsiasi moneta, sostituendola con un semplice sistema di crediti basati sul lavoro di ciascuno, abitazioni che prevedevano l'unione familiare ma di proprietà comunitaria, e soprattutto l'affermazione di nuovi valori di vita e rispetto per i bisogni di ognuno. In pochi mesi, migliaia di sottoscrizioni presero a piovere nel minuscolo ufficio di Owen, che venne colto alla sprovvista da tante entusiastiche adesioni. Le cifre erano ovviamente piccole, inviate da persone di scarse risorse, ma ben presto la somma fu sufficiente a organizzare la prima spedizione e a comprare materiali da costruzione. Intanto, l'utopia di Owen si diffondeva dando vita a circoli che avrebbero assunto le proporzioni di un vero e proprio movimento, e c'era chi vendeva ogni avere, case, terre, negozi, bestiame, per aggiudicarsi il diritto alla libertà assoluta in Ciudad Pacifico. Il sogno dell'ingegnere appena quarantenne, non solo si trasformava in realtà, ma rischiava di travolgere tutti i limiti inizialmente previsti. La comunità traeva la maggior parte delle risorse dal lavoro agricolo, avvalendosi enormemente dell'esperienza di Owen sull'irrigazione, ma ben presto sorsero piccole industrie per la lavorazione della canna da zucchero e frantoi per l'estrazione dell'olio di cocco. Col passare degli anni, l'eccessiva laboriosità dei "coloni libertari" si sarebbe dimostrata paradossalmente una forza disgregatrice. La comunità cominciò a dividersi in due tendenze: quella degli irriducibili seguaci di Owen, soprannominati sarcasticamente *los santos* dagli avversari, che propugnava l'assoluta negazione di qualsiasi forma di proprietà privata, e quella capeggiata da Christian Hoffmann, *los rebeldes,* che sosteneva la necessità dell'incentivo individuale e una maggiore libertà d'azione imprenditoriale. Verso la metà del 1892, i contrasti erano divenuti ormai insanabili. Il successo economico di Ciudad Pacifico aveva favorito la crescita di fabbriche dove, a poco a poco, si sarebbe reinstaurato il vecchio sistema del lavoro salariato e la suddivisione gerarchica. Per di più, gli indios mayo fornivano mano d'opera a basso costo e ritmi di lavoro ben poco diversi da quelli delle imprese capitalistiche, contro i cui principi Ciudad Pacifico era nata. Nel maggio del 1893, Albert Kimsey Owen abbandonò la valle del Río Fuerte, rassegnandosi a tornare ai suoi progetti di ingegnere ferroviario stipendiato.

E forse fu anche per un bisogno di rivincita che pochi anni dopo si intestardì a costruire la più "utopica" ferrovia del mondo. All'inizio lo presero per pazzo, quando propose di far passare un treno sulla Barranca del Cobre, costruendo trentanove ponti nel vuoto e ottantasei tunnel nelle montagne di roccia. Nonché una serie di scambi sovrapposti per rallentare la corsa nei tratti più ripidi. Ma Owen riuscì a dimostrare che era possibile. Anche perché, non dimentichiamolo, si trovava nel paese dove le imprese surreali godono di appoggio incondizionato, mentre quelle normali e "ragionevoli" interessano a ben pochi. La prima rotaia fu posata nel 1898, ma Owen, purtroppo, non avrebbe visto la completa realizzazione della sua ferrovia iperbolica: l'ultimo tratto della linea Chihuahua-Los Mochis sarebbe stato inaugurato solo nel 1961, quando ormai ben pochi ricordavano il nome del suo ostinato progettista.

Hanno scelto un punto del terreno dove la terra è più soffice. Appoggiano il corpo del defunto su una stuoia, e gli uomini cominciano a scavare usando grandi conchiglie, perché l'eco dei colpi di una pala e di un piccone non permetterebbe all'amico di riposare in pace. Quando la fossa è profonda quanto basta a impedire agli animali del deserto di profanare il corpo, vi adagiano il defunto in posizione fetale e col viso rivolto a nord: così tornerà alla madre terra come lei lo ha partorito. Gli pongono accanto i suoi strumenti da lavoro, gli attrezzi per la pesca e un coltello, perché se la Grande Madre dovesse decidere di resuscitarlo non dovrà penare per guadagnarsi la nuova vita. Poi aggiungono una conchiglia colma di cibo e una brocca d'acqua, il dono più prezioso per le genti che vivono nel deserto. Le donne si chinano a rimboccargli il mantello di piume di pellicano, affinché non soffra il freddo durante il lungo viaggio. Gli uomini riprendono a spostare la terra con le conchiglie, e poi tutti aggiungono pietre sul tumulo, e infine vi piantano piccoli cactus che con la loro vita ricorderanno il defunto ai viandanti.

I kunkaak non piangono i loro morti. I parenti, dopo la sepoltura, si tagliano i capelli e si cospargono il capo di cenere, e se a morire è un bambino, si tingono il volto di nero, il colore del dolore profondo. Non versano lacrime, sui loro volti austeri, scolpiti dal vento e corrosi dalla salsedine. I kunkaak urlano contro la morte, gridano quando il sole diventa rosso nel tramonto, quando i suoi raggi non feriscono le divinità dei morti che possono così scendere tra i defunti. Non è un lamento. È un urlo di rabbia e rimpianto, che fa rabbrividire chi lo sente in lontananza, a molti chilometri, perché il deserto non pone ostacoli alla voce e l'eco attraversa sterminate pianure. A volte un coyote risponde dall'alto di una roccia, e la tristezza dei kunkaak pervade gli animali nella notte, passando di vallata in vallata.

Un giorno Issaack, la Luna, decise di bagnarsi nel mare. Ma le acque erano gelide, e così prese a vagare verso sud, finché non trovò un punto della costa dove poté immergersi tra le onde di un mare tiepido, e ne fu felice tanto da trasformarsi in un'isola, Té'ewj. Nelle terre che si stendevano davanti, Issaack diede vita alla sua razza prediletta, i kunkaak. Quando gli spagnoli si spinsero fino al deserto di Sonora, attirati da leggende di immense ricchezze, raggiunsero la costa e quindi la vicina isola Té'ewj, che ribattezzarono Isla Tiburón. Con i suoi oltre milleduecento chilometri quadrati, è la maggiore delle isole messicane, e oggi per approdarvi occorre chiedere un permesso, poiché il governo l'ha ceduta agli ultimi discendenti dei kunkaak.

Conosciuti attualmente col nome di seris, che in lingua opata significa "il popolo che vive nella sabbia", rappresentano la più antica etnia del Messico, forse addirittura dell'intero continente. E costituiscono ancora un mistero per antropologi e linguisti. L'ipotesi più attendibile è che appartengano a un ceppo asiatico che millenni addietro attraversò lo stretto di Bering durante le grandi migrazioni mongoliche. Ma i seris derivano da un gruppo molto più antico degli stessi mongoli, dai quali discenderebbero invece tutti gli indios delle Americhe. Il particolare sorprendente è comunque l'affinità tra la loro lingua e quella tibetana: molte parole sono addirittura identiche come pronuncia e significato, caso unico e anomalo nel panorama pur variegato delle razze indigene venute dopo i kunkaak. Inoltre, i tibetani sono più alti degli altri popoli del Sud-est asiatico. E l'altezza media dei seris è di un metro e ottantadue, fatto che li distingue da tutti i popoli vicini, yaqui, apache, yuma, opata, pima, mayo e papago. Dal Tibet avrebbero raggiunto l'Alaska migliaia di anni prima che la Cina venisse dominata dai ceppi mongolici, per iniziare una discesa verso sud lungo le coste del Pacifico, che li portò a occupare una vasta regione compresa tra il deserto di Sonora, i fiumi Colorado e Yaqui, la Sierra Madre occidentale e il mare. Popolo nomade di cacciatori, si convertirono alla pesca, che resta oggi la loro principale risorsa. Col trascorrere dei secoli, i kunkaak vennero decimati dalle popolazioni limitrofe, che li costrinsero a ritirarsi fino alle zone desertiche tra Hermosillo e Isla Tiburón. Gli spagnoli non riuscirono mai a sottometterli, né con la spada e tanto meno con la croce. Di massacro in massacro, i seris continuarono a ritirarsi senza piegarsi. E l'indipendenza del Messico si sarebbe tradotta per loro nel tentativo di deportarli e dividerli in piccoli gruppi affidati a famiglie di coloni. Il richiamo del sangue li riunì ogni volta, senza possibilità di integrazione alcuna. Il prezzo dell'identità e dell'autonomia fu la riduzione dai cinquemila che erano nel 1600 ai centosettanta del 1930. Oggi si calcola che non superino i trecento individui, e sono quindi l'etnia più esigua delle oltre sessanta che popolano il Messico.

La loro è una società unita da un indissolubile vincolo di sangue, e di tipo totalmente matriarcale. La donna non solo riveste il ruolo di capofamiglia, ma gestisce anche la giustizia all'interno della comunità. Non esistono leggi scritte, perché il kunkaak è una lingua solamente parlata, ma le tradizioni si tramandano oralmente da secoli. Quando un membro della comunità commette un reato, le donne anziane si riuniscono per il giudizio. Le pene da infliggere vengono discusse senza il minimo apporto degli uomini, e dipendono ovviamente dalla gravità del delitto. Ma occorre innanzi tutto distinguere tra reati che recano danno ad altri seris, e reati che riguardano gli *ikamatisslag*, come loro chiamano indifferentemente tutti i bianchi: il termine significa "coloro che mentono", e se un kunkaak ruba un cavallo a un bianco, le donne del consiglio non lo condannano di certo, visto che i "mentitori" si sono rubati tutto ciò che un tempo apparteneva ai "figli della Luna". La pena per chi commette un furto all'interno della comunità è la semplice restituzione dei beni sottratti: la vergogna è già da sola un castigo tremendo da sopportare, per l'indole orgogliosa del kunkaak. L'omicidio si ripara con la "compensazione": l'assassino deve cedere uno dei suoi figli alla famiglia della vittima, per far sì che la perdita non ne metta in pericolo la sopravvivenza. L'unico crimine imperdonabile è il tradimento verso la razza. L'uomo e la donna kunkaak devono unirsi in matrimonio ad altri kunkaak, perché bianchi, meticci o altre etnie indie non minaccino la loro integrità. Permettere i legami misti significherebbe la dissoluzione.

Il divorzio è contemplato, ma raro. E siccome sono le donne a dirimere le controversie coniugali, ancor più raro è che non sia il marito a venire considerato il responsabile della separazione.

Gli sforzi dei missionari non hanno sortito il benché minimo risultato, con i seris. Solo padre Kino riuscì a vivere qualche anno tra loro godendo di un certo rispetto. Quando questi fu richiamato, la Chiesa mandò un gesuita tedesco, padre Gilg, a continuare l'opera di evangelizzazione. L'indifferenza glaciale dei seris rischiò di fargli perdere la fede: sicuramente, perse la speranza di catechizzarli, visto che dopo anni di inutili tentativi scriveva: "Sono come animali, non credono in niente, neppure in divinità fasulle... Vivono senza Dio, senza fede, senza case, senza neppure il vizio...".

Lo scoramento di padre Gilg ottenebrava le sue capacità speculative. Perché non è vero che i kunkaak non avessero una loro religiosità. Credono in divinità della natura, prima fra tutte la Luna, e ne celebrano la bellezza con danze rituali. Una cerimonia di particolare spiritualità è la consacrazione della pubertà delle fanciulle seris. È una danza gioiosa, che esalta l'allegria per la fertilità donata alle ragazze divenute donne. Le giovani che hanno versato per la prima volta l'*aabt am Issaack,* il sangue della Luna, si preparano al rito digiunando sette giorni. Poi le donne le pettinano, le vestono con gli abiti migliori, le abbelliscono di collane e bracciali, e dipingono i loro volti con i colori azzurro, bianco, blu cobalto e rosso, formando disegni geometrici che richiamano i simboli degli ultimi tre clan che oggi compongono la comunità: il pellicano, il serpente e la tartaruga. I festeggiamenti durano quattro giorni e quattro notti, durante i quali si balla, si mangia in abbondanza, e si pratica il *komaíko,* un gioco d'azzardo. Infine, le fanciulle vengono lavate nell'acqua del mare, che per i seris è la fonte di vita.

Eppure, il Mar di Cortés è rimasto l'unico, implacabile nemico dei kunkaak. Le tempeste improvvise inghiottono facilmente le canoe di canne intrecciate che sono ancora più numerose delle costose lance a motore. *Agg*, il Mare, è un dio generoso che permette la loro sopravvivenza, ma sa essere crudele per capriccio. Pronunciare la frase “vado a pescare”, per un kunkaak, è l’equivalente di una speranza, di una preghiera rivolta agli dèi perché siano benevoli sulla via del ritorno.

Baja

Una nebbia calda, spessa come un liquido lattiginoso, che sale dalla terra arroventata appena il sole si spegne, e inghiotte le palme altissime e i pennoni delle barche. Lasciandomi alle spalle la periferia di San Diego, il fiume di fanali rossi diventa un occhieggiare sporadico, lo stesso a cui sono abituato nelle malinconiche pianure degli inverni padani. Ed è una sensazione strana ritrovarmi avvolto da questo biancore tiepido a pochi metri dal mare, dove le notti si ripetono invariabilmente estive in qualsiasi stagione.

Una trentina di chilometri più a sud, l'autostrada si intasa nell'eterno imbottigliamento del confine: venti milioni di transiti all'anno, oltre alla marea di clandestini che nessuno è in grado di quantificare, e contro i quali si progetta uno sterminato marciapiede di cemento liscio che permetta alla Border Patrol di attraversare la nebbia su piccole moto veloci. Ogni notte la caccia riprende, incessante e metodica, con un senso di inutilità che si legge sulle facce dei poliziotti insofferenti. E quando ne uccidono uno, cosa che accade di frequente, a parlarne sono solo i giornali messicani. Anche loro, però, con lo stesso senso di inutilità. Perché nessuno paga, quando viene ammazzato un *mojado,* un "bagnato", un poveraccio che guada a piedi il Río Bravo sognando un lavoro retribuito un quarto della tariffa sindacale.

Tijuana è una metropoli di frontiera, una perenne Saigon occupata, frenetica e indolente, che pompa invasori e fuggiaschi a ritmo continuo, a fiotti, a fiumane. Molti scendono dal Nord con quello stesso spirito che travolse la città negli anni del proibizionismo, quando agli americani bastava oltrepassare una fila di garitte polverose per potersi ubriacare senza nascondersi. Un mito trasformato in moda, che oggi si manifesta con la singolare presenza di fotografi improvvisati in ogni commissariato: tornare dall'altra parte con una polaroid che li immortali dietro le sbarre sembra essere un motivo di vanto per certi avventurieri del sabato sera. Ma l'ubriachezza molesta e la rissa da bar son poca cosa, in questo immenso duty free dove si concentra la stragrande maggioranza degli abitanti della Baja California. Vicino ai quartieri popolati da un esercito di specialisti in ogni sorta di espedienti, svettano i grattacieli vitrei degli alberghi a cinque stelle, esperti in feste oceaniche ed emozioni a buon mercato.

Fortunatamente, Tijuana è un innesto anomalo in una terra dove la natura ha sempre sconfitto l'uomo, difendendosi spietatamente da chiunque abbia tentato di "civilizzarla". È curioso pensare che fu proprio l'attrazione per il proibito a convincere i conquistadores che valesse la pena spingersi oltre il pericoloso golfo squassato da uragani e tempeste imprevedibili.

Quando Hernán Cortés raggiunse le coste del Pacifico, rimase ammaliato dalle leggende che si narravano su quella terra allora creduta un'immensa isola. Si diceva fosse abitata da amazzoni fedeli a una regina di nome Calafia, un popolo di guerriere la cui bellezza era pari solo alla ferocia, e che sul loro corpo non indossassero nient'altro che fili di perle.

Attratto più dalle perle che dalla tentazione di dominarne le amazzoni desnude, Cortés incaricò Diego de Becerra di esplorarla. Una spedizione maledetta. Becerra non sarebbe neppure approdato sulle coste della Baja: un suo oscuro pilota, Fortún Jiménez, lo assassinò e prese il comando della nave. Jiménez sognava di razziare quante più ricchezze possibili per poi ritirarsi in una regione lontana dal controllo degli spagnoli, forse illudendosi che tutte le popolazioni del Messico fossero ormai giunte alla decadenza militare degli aztechi di Moctezuma. Gli indios guayacura interpretarono in un solo modo le corazze lucenti e i vessilli: quegli invasori che venivano dal mare non sembravano affatto messaggeri degli dèi, quindi non persero tempo a interpretare le scritture e mandarono loro incontro una schiera dei più esperti guerrieri. Attaccarono immediatamente i mancati conquistatori, e li sterminarono quasi tutti. Fortún Jiménez rimase sul campo, trafitto da un nugolo di frecce prima che fosse riuscito a scorgere la benché minima traccia di oro e pietre preziose. I pochi superstiti raggiunsero la nave, e tornarono da Cortés ingigantendo a dismisura la leggenda dell'isola proibita.

Ma l'ormai cinquantenne conquistador era un uomo pragmatico, poco incline a lasciarsi impressionare dai racconti degli sconfitti e tanto meno a farsi influenzare dai poemi cavallereschi della Castiglia, dove si cantavano le gesta di amazzoni in un'isola paradisiaca. Cortés aveva saputo che una parte dell'oro in possesso degli aztechi veniva da nord, e inoltre la presenza delle perle in tutti i racconti non poteva essere un miraggio collettivo. Così, due anni dopo, sbarcò nello stesso punto in cui era approdato il pilota ribelle, ma forte di tre navi e un selezionato esercito di armigeri. Sulla baia, che offriva riparo dalle violente tempeste di quel mare che avrebbe preso il suo nome, fondò la prima città chiamandola La Paz. Di perle ne trovò abbastanza, perché aveva avuto la fortuna di capitare proprio nell'unico punto dove proliferavano, ma in quanto all'oro, sembrava decisamente scarso. Non sprecò energie a cercare le amazzoni, limitandosi a constatare che nessuno, tra gli indios sottomessi, ne aveva mai sentito parlare. In ogni caso, le ostriche perlifere furono sufficienti a scatenare una lunga serie di spedizioni, sempre più deludenti per il bottino rimediato e pericolosissime per il flagello dei *chubascos,* gli uragani tropicali che ancor oggi rendono insicura la navigazione nel Mar di Cortés persino alle navi di grosso tonnellaggio.

Quattro secoli più tardi, nel 1940, John Steinbeck intraprese la circumnavigazione di questa penisola che si estende per millequattrocento chilometri di longitudine, più lunga dell'Italia ma abitata da appena un milione e mezzo di persone. Su quella singolare spedizione in cerca di crostacei e piccoli molluschi, Steinbeck avrebbe scritto *The log from the Sea of Cortés*, il libro dedicato all'amico biologo Ed Ricketts che ne fu il promotore. Ed morì pochi anni dopo, e il primo capitolo inizia proprio con la sua auto travolta dal Del Monte Express in un passaggio a livello non molto distante da Vicolo Cannery. Più avanti, nella descrizione dei miraggi che le coste del golfo causano ai naviganti, Steinbeck dà una spiegazione al perché di tante leggende tramandate dai conquistadores: “Mentre si sta superando un promontorio, questo si stacca all’improvviso e diventa un’isola, con l’acqua che sembra protendersi verso l’interno per ridurlo poi a una roccia dalla forma di fungo, e quindi lo libera completamente dalla terra, tanto che alla fine risulta un’isola sospesa sul mare. Perfino da una distanza molto ravvicinata, non si riesce a concepire la reale forma della terraferma. Isole, che secondo la carta sono lontanissime, risultano perfettamente visibili. Altre che dovrebbero essere vicine, non le vedi finché non erompono di colpo dal miraggio. Tutta la terraferma è chimerica e mutevole”.

Non meno suggestivo è penetrare nella Baja attraverso i millesettecento chilometri della México 1, il nastro di asfalto sabbioso e rattoppato che la percorre da Tijuana fino alla punta dell’estremo Sud.

Il tragitto per raggiungere Ensenada serve solo ad aumentare l’attesa: un litorale spoglio, disseminato di villette e cantieri per un’edilizia vacanziera, traffico di barchette su rimorchi e tavole da surf su portapacchi. La monotonia è interrotta ogni tanto dallo squarcio di una scogliera, a ricordarmi che sto viaggiando a pochi metri da uno strapiombo spettacolare. Superata la baia di Todos Santos, c’è la sosta obbligata alla Bufadora, un’insenatura che sembra la copia ridotta della Quebrada di Acapulco. Qui l’attrazione è il gioco delle onde, che entrano con violenza in una cavità sotterranea e sparano colonne di acqua compressa che poi ricade in schiuma sulle teste dei turisti. Il getto verticale e l’effetto nevicata continuano a far sì che molti lo confondano con un geyser.

Ensenada the dead seal... ghosts of the dead car sun. Stop the car. Rain. Night. Feel...

Risalendo in macchina, mi chiedo se Jim Morrison venisse a bere alla *cantina* di Hussong, o se preferiva la Bodega de Santo Tomás. Non è bella, Ensenada, e non sembra fregargliene niente. Tutto quello che conta, a Ensenada, è la pesca allo *yellowtail.* E a Jim Morrison, sicuramente non fregava niente dello yellowtail, che dovrebbe essere ciò che noi chiamiamo “seriola”. Ma per i giovani della Ucla, passare un fine settimana a ubriacarsi nella bolgia fumosa dell’Hussong resta il motivo per cui Ensenada è così conosciuta. Gli altri, quelli atletici e disciplinati, ci vengono per il surf.

E inizia il deserto, ai piedi della Sierra San Pedro Martir. Finalmente, entro nella vera Baja: una terra senza mediazioni possibili, che non concede emozioni a metà. O cattura con una stretta allo stomaco, o respinge totalmente.

Il deserto è vivo, pulsante, percorso da fremiti impercettibili. Ma non ha suoni, né odori, né sapori. Tutto è apparentemente immobile, da millenni, sotto questo sole perpendicolare e calcinante. La vegetazione è ricca, ma nessuna pianta può offrire ombra. E fermandomi sul ciglio della strada, dopo aver spento il motore, comprendo cosa sia il silenzio assoluto. Anche gli animali, qui, sembrano aver scelto la solitudine: nessuno di loro lancia richiami. Falchi e avvoltoi scivolano lentissimi tra le correnti d'aria, milioni di insetti si muovono senza produrre il minimo fruscio, e gli altri, i coyote e i topi canguro, i puma e le linci, restano sulle montagne in paziente attesa della notte e della sua oscurità protettiva. Persino il serpente a sonagli, in Bassa California, ha subito una trasformazione genetica che lo rende l'unico della sua specie a non emettere il tintinnio di avvertimento. Una natura tanto sicura del proprio dominio, da essersi presa libertà inspiegabili, come l'esempio della lepre nera, una bizzarria che resta un mistero per gli studiosi, considerando che il suo colore è privo di senso in un paesaggio dove non può mimetizzarsi.

Eppure, quest'impressione che non accada nulla nasconde un'incessante ed eterna lotta per la sopravvivenza. Che, per essere vincente, ha dovuto ridurre al minimo immaginabile il ritmo vitale. La lentezza è l'unica legge, e i cactus ne sono il simbolo più esauriente.

È in Messico che la famiglia dei cactus ha fatto la sua comparsa decine di milioni di anni fa, per poi estendersi fino al Canada e alla Patagonia. Nella Baja è presente con più di cento varietà, delle quali una sessantina endemiche, cioè sconosciute in altre zone del pianeta compreso il vicino deserto di Sonora, sulla sponda opposta del golfo. Dal piccolo cactus barile al cereo alto fino a venti metri, queste strane creature vegetali crescono con una tale lentezza che la maggior parte supera il secolo di vita. Attraverso i millenni hanno trasformato le foglie in artigli, dove spesso gli uccelli in cerca di acqua restano arpionati a morte e, per resistere ai cinquanta gradi dell'esposizione diretta al sole, hanno ridotto al minimo la superficie esterna trasferendo la fotosintesi all'interno del fusto. Alcuni possono arrivare al peso di dieci tonnellate, vere cisterne d'acqua che contengono tremila litri. La pioggia arriva in media una sola volta ogni cinque anni, e i cactus non ne perdono una goccia. In pochi minuti, il deserto torna perfettamente asciutto. Le lunghe e ramificate radici assorbono tutta l'umidità, immagazzinandola nel tessuto spugnoso, e trattenendola grazie agli stomi nascosti nelle cavità sotto la superficie del fusto. Così possono respirare riducendo del quaranta per cento la perdita di vapore, mentre la sostanza impermeabile che li riveste evita la traspirazione. Ve ne sono altri, i più piccoli, che si limitano a vivere sotto la sabbia lasciando essiccare la parte esterna. E al primo spruzzo di pioggia, fosse anche a decenni di distanza, erompe un ciuffo di foglie minute o un fiore carnoso. La vita, qui, è una perenne attesa silenziosa.

E non mancano gli alberi, anche se hanno finito con l'assomigliare ai cactus. L'*idria columnaris* è un'altra specie endemica della Baja. Più conosciuta come *boojum* per colpa di un fantasioso botanico che amava *The hunting of the Snark* di Lewis Carroll, dove compaiono con questo nome degli strani abitanti del deserto, è in pratica un tronco con un ciuffo di peli verdi sulla punta, l'unica dimostrazione vitale in un corpo spoglio. Stessa logica per l'albero elefante, il *pachycormus discolor,* con un fusto del diametro di un metro e mezzo che si ricopre di piccolissime foglie solo dopo un acquazzone.

Lasciandomi alle spalle la Sierra e il maestoso Picacho del Diablo, che con i suoi 3095 metri è la più alta vetta della penisola, la strada entra nel cuore della Baja fino al pueblo di Cataviña, nelle cui vicinanze anni fa sono state scoperte alcune pitture rupestri in caverne. Non si è ancora stabilito a quale etnia vadano attribuite, e risalgono a non più di otto secoli fa. Comunque, la tribù di indios pittori che aveva sviluppato una notevole tecnica nell'uso dei colori su roccia è sicuramente estinta.

Proseguendo verso sud, il deserto diventa all'improvviso un erompere di colossali macigni, blocchi di pietra tondeggiante che formano gole e anfratti. L'impressione è che siano piovuti a manciate, risultato di un lontanissimo cataclisma inesplicabile. Il traffico è diventato così sporadico che possono trascorrere ore senza incrociare un altro veicolo. E ancor più inquietante è la presenza di tanti cimiteri d'auto disseminati in ogni radura, quasi che i simboli di un discutibile progresso si spingano fin quaggiù solo per venirci a morire. È più facile trovare una spianata di ferraglie che un centro abitato, rari i distributori di benzina e comunque tutti col loro cumulo di carcasse arrugginite accanto.

Una sensazione di fine, di lembo di terra estremo e ultimo a tutto, che viene senza dubbio confermata quando al Parador Punta Prieta lascio la México 1 e svolto a sinistra. Dopo circa ottanta chilometri, l'asfalto finisce nel nulla della Bahía de los Angeles: uno squarcio struggente, con l'isola dell'Angelo Custode a colmare l'orizzonte e una striscia di spiaggia bagnata da un mare piatto. Anche il governo, dopo un tentativo di progetto turistico, ha abbandonato la baia. Restano un pugno di pescatori e qualche straniero con l'evidente desiderio di scordare il mondo, nella tipica calma dei gesti di chi sembra aver decretato l'assoluta inutilità della fretta. I pellicani sonnecchiano cullandosi a pochi metri dal bagnasciuga, qualche gabbiano rompe la quiete con un litigio subito smorzato, il ronfare di una lancia che si allontana sottolinea la pace di questo luogo dimenticato.

Sul 28° parallelo, un indecifrabile monumento che dovrebbe rappresentare un'aquila d'acciaio segna il confine tra le due Californias: dal 1974 la Baja Sur è diventata il trentaduesimo stato della confederazione messicana, con tanto di fuso orario diverso. Guerrero Negro è il primo centro abitato di una certa consistenza che trovo dopo Ensenada. Il suo motivo d'esistere è dovuto unicamente alla presenza delle più vaste saline del mondo, che dall'aereo appaiono sorprendentemente rosate e con curiosi riquadri violacei e verde smeraldo. Un vecchio Dakota fa ogni giorno la spola con l'isola Cedros, indifferente al tempo che lo ha messo fuori produzione a fine guerra mondiale.

A mezz'ora da questa cittadina piatta e polverosa, c'è la laguna Ojo de Liebre: in gennaio le balene grigie vi si danno appuntamento dopo un viaggio di ottomila chilometri. Vengono dai mari freddi per accoppiarsi, e ci tornano le femmine per il parto e l'allattamento, restandoci fino ad aprile. "Ottomila chilometri per fare l'amore in un posto che ti piace... non è stupendo?" mi ha detto tempo fa a Città del

Messico un amico che da molti anni si appassiona alla vita di questi cetacei.

I neonati pesano mezza tonnellata e ingurgitano quasi duecento litri di latte al giorno. La *eschrichtius robustus* adulta misura una quindicina di metri per quarantamila chili, ed è la specie di balena che meglio si è adattata all'ambiente per aumentare il livello di sopravvivenza. Sceglie i fondali bassi della laguna Ojo de Liebre perché consentono ai piccoli di risalire più facilmente alla superficie e inspirare la prima boccata d'ossigeno. Ma nel secolo scorso fu proprio questo a minacciarne l'estinzione. Le baleniere trovavano qui la zona di caccia ideale, trasformando le insenature in mattatoi. I giganteschi mammiferi ingaggiavano disperate lotte lanciandosi a testa bassa contro gli scafi, e in alcuni casi riuscirono ad affondare persino dei brigantini. In meno di cinquant'anni le trentamila balene grigie del Pacifico si erano ridotte a poche centinaia. Dal 1946 il governo messicano le ha messe sotto tutela vietandone la caccia nelle proprie acque territoriali, decisione che ha creato non pochi problemi con le compagnie statunitensi che fino a quel giorno consideravano le coste della Baja come il proprio cortile di casa. Oggi si calcola che almeno cinquemila tornino ogni anno nel più favorevole habitat naturale che sia loro rimasto sul pianeta. Anche l'elefante marino deve a questi litorali straordinariamente incontaminati la sua sopravvivenza. Sgraziato, enorme, pesante e impacciato, cadeva sotto gli stessi arpioni delle baleniere per l'olio che si ricava dalle sue abbondanti riserve di grasso. Nel 1892 fu dichiarato estinto, finché nel 1912 una spedizione trovò centoventicinque esemplari nascosti in un'insenatura dell'isola Guadalupe, in mezzo all'oceano. Grazie al Messico, che dichiarò l'isola riserva faunistica, adesso l'elefante marino si è moltiplicato e ogni tanto si spinge addirittura negli Stati Uniti, sulle isole al largo di San Francisco.

Da Guerrero Negro la México 1 punta verso l'altra costa, attraverso il deserto di Vizcaíno. C'è un singolare mistero, da queste parti. Si dice che il governo abbia venduto un pezzo di pianura fino al litorale, dove non meglio identificati capitali stranieri vorrebbero costruire una mostruosa metropoli, destinata a prendere il posto del polo finanziario di Hong Kong quando questa verrà restituita alla Cina.

Qualcosa di vero dev'esserci, per aver scatenato una levata di scudi tra gli abitanti che ha costretto il governo a minimizzare e rassicurare. Risultato: un sospetto silenzio stampa dopo le denunce comparse anni addietro. Resta il fatto che qualche giornalista ha constatato di persona l'impossibilità di avvicinarsi all'area misteriosa, cintata e protetta da guardie armate.

Il versante sul Mar di Cortés, detto anche Mar Bermejo per il colore vermiglio al tramonto, si annuncia con la cittadina di Santa Rosalía, un tempo fiorente centro minerario. L'architettura delle case in legno a tetto spiovente ricorda la presenza dei francesi della compagnia estrattiva El Boleo, che da qui inviava in Europa i carichi di rame. Si deve a un suo ingegnere l'originale chiesa in ferro che vedo al centro della piazza principale. Come dice la targa in bronzo, la realizzò Eiffel per l'Esposizione Universale di Parigi del 1889. Smontata e imballata per essere spedita in Africa, rimase dimenticata in un magazzino di Bruxelles finché non la comprò un francese che allora lavorava a Santa Rosalía: doppiato Capo Horn, concluse il travagliato viaggio nel 1896, anno in cui venne montato l'ultimo bullone, e tutt'ora scandisce il tempo con i rintocchi delle sue campane parigine.

La strada si allontana dalla costa. Dopo una cinquantina di chilometri, sabbia e rocce si aprono all'improvviso sull'oasi di Mulegé, una vallata verdissima dove i missionari piantarono palme importate dal Sud della Spagna. Per quanto in Messico vi siano molte varietà di palme, queste rappresentano un caso raro: sono da dattero, cioè africane. E i loro frutti costituiscono l'unica risorsa di Mulegé e San Ignacio, l'altra oasi della Baja.

Inerpicandosi sulle colline brulle del Cerro Amarillo, è difficile associare l'immagine di pace sottostante con gli echi dei fantasmi, il crepitare delle fucilerie e le grida dei feriti. Il 2 ottobre 1847, a Mulegé fu combattuto uno dei più aspri scontri delle molte battaglie fra l'esercito messicano e quello statunitense. I marines, che nella guerra del 1846-48 avevano occupato tutti i porti della Baja, qui furono per la prima volta sconfitti. Ma sarebbe stata, per il Messico, soltanto la battaglia vinta di una guerra persa. Dopo le annessioni degli Stati a nord-est, la Bassa California restò per qualche anno “a disposizione” come bottino di guerra. Alla fine si decise di lasciarla virtualmente messicana, affidando alle compagnie private lo sfruttamento delle migliori risorse. Solo nel 1946 il governo ricomprò tutti i possedimenti stranieri. La situazione odierna sta rapidamente ripristinando i vecchi equilibri: per i vasti territori recuperati a nord, si mettono in vendita quelli dell'estremo sud, acquistati dalle grandi catene alberghiere statunitensi, europee e giapponesi.

Loreto si può considerare l'ultima tappa di una terra immobile nel tempo. Ci arrivo al tramonto, quando la città intera sembra un monumento al rimpianto, alla nostalgia per quegli anni in cui rappresentava uno dei centri d'interesse più attivi della penisola. Era la capitale delle due Californie, prima che un uragano la radesse al suolo nel 1828. Qui sorse la prima missione, fondata dai gesuiti venuti al seguito di padre Eusebio Francisco Kino, singolare personaggio di sacerdote geografo che si spinse a piedi sino alla foce del Colorado scoprendo che la Baja non era un'isola. Nel 1697 padre Juan María de Salvatierra portò a Loreto una schiera di artigiani e muratori dall'interno del Messico, dirigendoli nella costruzione della chiesa e del piccolo villaggio. Un'architettura in stile vagamente barocco che avrebbe però subito l'influenza dei suoi costruttori indigeni. La colonizzazione spirituale si estese dai guaycura della zona centrale ai pericure del Sud e ai cochimí del Nord, finché nel 1768 i gesuiti non vennero espulsi dal Messico come dal resto del continente. Subentrarono i francescani, e poi, nel 1773, i domenicani: era il trionfo degli Inquisitori, che nelle colonie miravano soprattutto a estirpare la pericolosa tendenza dei gesuiti a schierarsi con gli indios, contro la logica del genocidio attuata dai poteri centrali. E nessun papa di Roma poteva accettare che alcuni missionari avessero addirittura impugnato le armi per difenderli dai soldati spagnoli e portoghesi. In Bassa California non ci fu bisogno di spedizioni punitive. Sterminati dal vaiolo e dalla sifilide, dei cinquantamila indios presenti all'arrivo di padre Kino, nel 1842 se ne contavano appena tremilasettecento.

La città portuale di La Paz non ha l'aspetto di un centro turistico, e la pesca sportiva è il principale motivo d'attrazione per i nuovi colonizzatori che ne intasano lungomare e vie del centro. La sua anima messicana, nonostante tutto, sopravvive intatta nel grande mercato coperto, dove passo un paio d'ore a chiacchierare con chi capita, seduto al bancone di una *taquería*.

La storia della città sembra un tragico capriccio del destino verso il nome datole da Cortés. Perché di "pace", ne ha conosciuta ben poca. Rasa al suolo da uragani e ogni volta ricostruita, base di partenza per i massacri degli indios ribelli e semidistrutta dai loro contrattacchi, divenne anche l'avamposto dei pirati per gli arrembaggi ai galeoni che entravano nel golfo per i rifornimenti. Nel 1853 fu occupata da William Walker, il mercenario sfuggito al controllo della compagnia statunitense Vanderbilt, e che più tardi si sarebbe autoincoronato dittatore del Nicaragua. Prima di abbandonarla, come sua consuetudine, Walker saccheggiò La Paz lasciandosi alle spalle un cumulo di rovine. In quanto al motivo che aveva spinto Cortés a intraprendere l'ennesima spedizione, quelle grosse perle così facili da raccogliere nella baia sono scomparse nel 1940 a causa di una misteriosa epidemia. Infine, c'è il clima: fu probabilmente per il suo caldo torrido che all'intera penisola venne dato il nome di California. Secondo lo storiografo gesuita Clavijero, Cortés non perdeva occasione di sfoggiare la sua conoscenza del latino, e sbarcando a La Paz avrebbe definito questa terra una *callida fornax*. Diversa la tesi di un altro gesuita, José Campoi, secondo il quale California deriva dal termine spagnolo *cala,* cioè insenatura, e dal latino *fornix,* che significa arco. E questo perché sulla punta estrema, a Cabo San Lucas, c'è un arco di roccia a strapiombo su una piccola insenatura.

È ai piedi di quest'arco maestoso che si conclude il viaggio attraverso uno degli ultimi lembi di terra strappati all'uomo dalla natura. Una natura che si è dovuta arrendere oltrepassando il Tropico del Cancro, almeno nella trentina di chilometri fra San Lucas e San José. Per quanto lo si vernici di rosa salmone, il cemento erutta osceno su ogni promontorio. Alberghi a cinque stelle con tre o quattrocento stanze, campi da tennis e da golf, aeroporti privati, piscine multiple, porticcioli turistici abbastanza vasti da poter accogliere una portaerei con l'intera scorta. E tutti lanciati nella gara ad accaparrarsi il passaggio di una star hollywoodiana, con le immancabili foto appese nella hall e la dedica a futura memoria. Del Messico è scomparsa ogni traccia, in questa *finisterræ* dove il Pacifico si unisce al mare vermiglio. Parlare in spagnolo, quaggiù, è difficile quanto pagare in pesos. Del villaggio di pescatori che era Cabo San Lucas, non hanno lasciato in piedi una sola casa. Al loro posto, un'orgia di negozi metallici e discoteche viniliche, american bar e pizzerie a forma di galeone, ma soprattutto un'unica colata di grand hotel che da qualsiasi punto occupa l'intera vista. Buona parte della colpa, o del merito, deriva dalla straordinaria pescosità di un mare che regala impressionanti marlin e pesci vela anche al più dimesso dei turisti. È sufficiente affidarsi al barcaiolo e tenere la canna ben stretta: prima o poi qualcosa che pesa almeno mezzo quintale finisce sempre con l'attaccarsi. E la foto ricordo accanto al gigante degli abissi appeso per la coda risulta avventurosa quanto la polaroid scattata dietro le sbarre a Tijuana...

È difficile far convivere il ritmo sguaiato dell'iperturistica San Lucas con gli scenari del deserto vissuti fino a poche ore prima. Forse Jacques Cousteau, in una delle sue esplorazioni, è stato l'unico a prolungarne il fascino spingendosi pochi chilometri al largo, dove si apre un canyon sottomarino più vasto di quello del Colorado. E vi ha scoperto cascate spettacolari quanto quelle del Niagara: milioni di tonnellate di sabbia che scivolano dai costoni di roccia precipitando sul fondo della voragine. La faglia di San Andrés è una fenditura prodotta in lontani tempi geologici dal distacco di un pezzo di crosta terrestre, che ha cominciato un lento ma inesorabile divaricarsi. La Baja California era infatti una striscia di costa che ha preso ad andare alla deriva, fenomeno tutt'ora attivo. Questo significa che il Mar di Cortés, in un futuro probabilmente remoto, arriverà fino a Los Angeles. E la Baja diventerà davvero un'isola, come l'aveva immaginata l'ormai stanco conquistador che non credeva alle leggende.

Il pipistrello tequilero

"Noi di Jalisco siamo tutti *charreaderos, galleros,* e... *tequileros,"* dice orgoglioso Calisto, sporgendo il braccio fuori dalla camionetta come per offrirmi la vista delle colline ammantate di agavi. E aggiunge: "Insomma, gli unici veri messicani siamo rimasti soltanto noi".

La distesa di ciuffi aguzzi, di un verde azzurrino, dà la sensazione di attraversare un oceano di gigantesche onde immobili. Tutta la tequila del pianeta, quella *vera,* si produce in questa zona. E gli abitanti dello stato di Jalisco si vantano di essere gli ultimi depositari della vera "messicanità", quella che Calisto riassume nell'amalgama di rodei, galli e, ovviamente, tequila. Non credo abbia più di venticinque anni, ma da quando il padre si è incrinato due vertebre domando uno stallone brado, lui ha preso le redini dell'immenso *rancho* coltivato quasi interamente ad agave. L'ho conosciuto una settimana prima nelle distillerie della Sauza, che dovrebbe essere la più grande, considerando che controlla buona parte del mercato europeo e statunitense. Non si fanno pregare molto, per una visita guidata, ma il livello di industrializzazione raggiunto lascia ben poco spazio alle tradizioni. Se non fosse per l'odore pungente, di un dolciastro così acuto e violento da cancellare qualsiasi ricordo dell'uva, assomiglierebbe a tante altre distillerie europee. E infatti, quelli come Calisto non si sognano neppure di bere tequila Sauza. Le migliori sono tutte di produzione artigianale, e chiunque viva nel Jalisco ha i suoi fornitori personali. Però, alla Sauza, qualcosa di unico l'ho trovato: un incredibile affresco dal titolo *Le gioie della tequila*, scene di baccanali con giunoniche vestali dai glutei floridi che danzano sfrenate in mezzo a fiumi di tequila, uomini che brindano all'orgia imminente, galli protesi nel grido di guerra e sombreri che svolazzano. Il tutto con *La Perseveranza* sullo sfondo, cioè lo stabilimento della Sauza che qualcuno, nel 1873, ha così battezzato invocando una virtù indubbiamente necessaria per ubriacarsi come gli dèi comandano. Forse ci sono rimasto un po' troppo, davanti a quel *mural* che mescola il futurismo al rococò, e dovevo avere un'espressione quanto meno curiosa, perché Calisto ha squadrato più volte la parete e la mia faccia, per poi cominciare a scuotersi in questa sua maniera di ridere silenziosa, che lo fa sussultare lentamente dalla testa ai piedi ma senza emettere un suono. Era lì per trattare la vendita di qualche camionata di "pigne", che sarebbero i cuori delle agavi sfrondate dalle foglie, e mi ha offerto un passaggio nonostante non avessi ancora deciso dove andare. Lui arrivava a Guadalajara, cioè il posto da dove venivo e non pensavo di tornare. Ma tra la solita corriera squinternata e la sua nuovissima Dodge dalle sospensioni vellutate, stereo, bar e neppure lui sa cos'altro, non ho tentennato a lungo. Sulla rastrelliera da viaggio che avevo alle spalle, spiccavano un Winchester commemorativo con ceselli in probabile argento, e una specie di cannone a pompa che credo di aver visto solo in mano a Rutger Hauer in *The Hitcher.* Calisto ha notato il mio sguardo di ammirazione, e con un sorriso trionfante ha esclamato: "Tutto merito vostro, no?".

Mi sono sforzato di ripercorrere le innumerevoli scelleratezze commesse dall'Italia, ma non trovavo niente che riguardasse il Messico. "Ma sì, è un Franchi!" ha finalmente chiarito Calisto. Ho avvicinato il naso a quel bombardino brunito, e in effetti c'era scritto *Luigi Franchi S.p.A., made in Italy.* "Non hai idea di cosa riesca a combinare un branco di cinghiali in una sola notte," si è giustificato lui, battendo il palmo su una scatola di cartucce a pallettoni incatenati.

Guadalajara è diversa da come appare attraversandola con l'unica idea di arrivare fino alla baia di Puerto Vallarta. Se qualcuno ti fa da guida, questa metropoli frenetica e straricca rivela un'anima di malinconica nostalgia per un'Europa ormai svanita. La plaza de Armas, dove gli spagnoli mozzavano teste in pubblico per dare l'esempio, sembra rimpiangere la Parigi di un secolo fa. E la chiesa dell'Expiatorio, alle spalle dell'università, è una sorprendente copia della cattedrale di Orvieto...

Calisto, per essere un *ranchero*, ha dimostrato di conoscere più musei che cantine. E il Jalisco è la patria di José Clemente Orozco, che a Guadalajara ha dipinto i suoi migliori affreschi. Grazie forse alla lontananza da Città del Messico e dal governo centrale, qui Orozco non ha posto limiti alla sua carica di ferocia satirica, fustigando nel grottesco l'ingenuità dei popoli e la demagogia dei loro capi. Anche quando celebra i padri dell'indipendenza, non rinuncia a quell'amaro anarchismo che in vita esprimeva col silenzio e la solitudine.

Il giorno dopo, non mi sono certo potuto sottrarre all'invito di visitare il rancho, dove ho conosciuto anche Tapatío, lo stallone nero che è costato un busto di gesso a don Justino, il padre di Calisto. Tutto da queste parti è *tapatío,* dagli abitanti di Guadalajara al treno che ogni notte arriva qui dal Distrito Federal. È un'antica parola india che significa "tre volte degno", e il cavallo di don Justino sembrava essere ben cosciente del nome che porta. In presenza di suo padre, Calisto ha dichiarato più volte che nessun altro è mai riuscito a montarlo. Ma appena l'impettito patriarca si è allontanato, ha subito smentito dicendo che non solo cavalca Tapatío ogni pomeriggio durante la siesta dei genitori, ma il mese prossimo, quando don Justino si fermerà a Guadalajara per togliersi il busto, lui si giocherà cinque milioni di pesos contro il baio di un vicino, sparandosi una ripresa sul quarto di miglio. "Li sento già in tasca," ha concluso con l'abituale risatina sussultoria.

Adesso mi sta riaccompagnando a Tequila, dove forse riuscirò a proseguire in corriera per Vallarta. È una cittadina polverosa e variopinta di murales con tutte le marche di tequila più note, che sorge al centro della regione dove si è sviluppata la piccola agave azzurra. Un tempo, serviva a produrre il *pulque* che gli aztechi chiamavano *octli.* Poi sono arrivati gli spagnoli, e il miracolo della distillazione. Non restava che chiamarla tequila, dunque. Il nome deriva dal náhuatl *téquitl*, che significa lavoro, mestiere; e il nome *tequío* è ancora in uso come sinonimo delle fatiche quotidiane di un contadino.

"Vuoi vedere a chi dobbiamo tutto questo?" mi chiede a un certo punto, abbracciando con un gesto lo spazio davanti. Guardo la strada, le montagne, e annuisco vagamente. Lui fa una strana smorfia, ammicca con l'aria di annunciare chissà quale rivelazione. Dopo un paio di chilometri, sterza bruscamente in un viottolo sterrato. Per la Dodge e le sue ruote da trattore è una festa l'avventarsi su buche fangose e pietre levigate. Calisto guida concentrato, accelerando tutte le volte che io spingo istintivamente il piede contro il tappeto per frenare. Riusciamo anche a staccarci da terra, quando c'è qualche dosso che fa da trampolino. Dopo una decina di minuti scordo completamente l'apprensione incuriosita per la sorpresa imminente, e impiego tutte le forze per distogliere il pensiero dai *burritos* untissimi che abbiamo mangiato a colazione.

Il sentiero continua a restringersi, e aumenta il ritmo dei rami bassi che si schiantano sulle fiancate. A un certo punto la parvenza di pista battuta svanisce finalmente contro un costone di roccia: Calisto inchioda e pianta la camionetta in mezzo alla boscaglia. Afferra il machete sotto il sedile e una grossa torcia dal cassetto, e mi fa un cenno indicando il fucile. Rispondo con un gesto di cortese rifiuto, e lui dice: "Va bene, tanto siamo già arrivati". Lo seguo.

Avanza menando fendenti a cadenza costante, aprendosi un varco fino a sbucare in una radura. La attraversiamo, e dalla parte opposta il terreno è brullo, in discesa. Ci inerpichiamo sulle rocce che lo costeggiano, e quando sto quasi per decidermi a chiedergli che diavolo ha in mente, sparisce di colpo.

Lo ritrovo dietro uno spuntone, che nasconde alla vista l'apertura di una grotta. Passandoci davanti, esala un'aria fresca di umidità, e un odore di selvatico. "Ci siamo, fai piano e guarda bene dove posi i piedi," mormora con un atteggiamento di improvvisa cautela. Il fatto che abbassi così la voce mi inquieta. Penso a quale creatura possa essere quella che dovremmo evitare di svegliare col nostro rumore. Lui accende la torcia, e si infila dentro senza aspettare i miei dubbi.

Non è molto vasta, ma in certi punti arriva ad almeno quattro o cinque metri di altezza. "Ecco..." dice pianissimo Calisto illuminando la volta, "ti presento i tramandatori della tequila."

Seguo il fascio di luce, e sul principio vedo solo degli agglomerati di calcare scuro e opaco. Finché una di quelle concrezioni non prende a dimenarsi, e tutto intorno c'è come un fremito di allarme. Sono pipistrelli minuscoli, migliaia di occhietti che brillano confondendosi con i microscopici cristalli nella roccia. Qualche stridio infastidito, e sporadiche folate di ali che ci sfiorano. Calisto estrae dalla tasca i suoi guanti da lavoro, se li infila, e incurante della mia smorfia schifata va a prenderne delicatamente uno più in basso degli altri. La bestiola è insonnolita, si muove con la lentezza impacciata di un disgraziato costretto a svegliarsi nel cuore della notte. Morde ogni tanto il dito guantato, ma sembra farlo con poca convinzione. "*Leptonycteris curasoæ*, il *murciélago narigudo*," declama Calisto accarezzandolo con la punta dell'indice. Che sia un pipistrello *nasuto* si nota facilmente. Guardandolo molto da vicino, ha un curioso muso allungato, da cane in miniatura, e il naso sporgente, carnoso. Quando lo riappende al suo posto, l'animaletto si stira e sbadiglia, mostrando una lingua ricurva e lunghissima. Calisto mi fa segno di andare, usciamo in silenzio verso la bocca di luce accecante.

Tornando alla camionetta, mi spiega perché il Messico deve essere tanto grato a questo animaletto che non arriva a pesare più di trenta grammi. Il murciélago narigudo si ciba esclusivamente di nettare, e predilige i fiori dell'agave tequilera. Pianta e pipistrello hanno seguito attraverso i millenni un'evoluzione in simbiosi, e non esiste in natura la presenza dell'una in assenza dell'altro. Calisto, che rivela di essersi laureato in agraria proprio con una tesi sull'agave azzurra, ammette che oggi le colture si basano sulla gemmazione e non sui semi, però la pianta da cui si estrae la tequila non sarebbe sopravvissuta in Jalisco senza il suo pipistrello. Secoli addietro cresceva anche nell'Arizona e nel Texas, ma lo scempio ecologico ha prima estinto il murciélago narigudo, e quindi l'agave angustifolia. La conseguente scarica di imprecazioni contro i gringos si conclude con una sconsolata constatazione: "La tequila è diventata una delle principali risorse per l'esportazione messicana... nel senso che se la beve tutta il debito estero".

Arrivati nella Central Camionera di Tequila, ci salutiamo scolandoci quel poco di Cazadores rimasta nella minicantina di bordo. Prima di scendere, gli faccio gli auguri per il quarto di miglio con Tapatío.

L'acqua di miele

Prima di guadagnarsi l'immortalità, nonché l'eterna riconoscenza delle genti messicane, Mayahuel era un'india olmeca di Tamoanchan. Per essere accolta fra gli dèi, ha compiuto un gesto all'apparenza semplice: intagliare in profondità un'*agave maguey* fino a raggiungere il cuore della pianta, per poi estrarne il liquido zuccheroso da allora chiamato *aguamiel,* l'acqua di miele. Grazie al successivo intervento del suo sposo Patécatl, si scoprì con grande meraviglia che facendola fermentare pochi giorni l'aguamiel si trasformava in una bevanda capace di concedere uno "stato paradisiaco". Era nato così il *pulque,* uno degli alcolici più antichi a memoria d'uomo.

Immortalata Mayahuel in dipinti che la rappresentavano come una giovane donna che emerge da un maguey, l'uso del pulque venne ben presto "regolamentato" come culto, con tanto di sacerdoti dispensatori. Berlo era considerato un tramite per mettersi in contatto con le forze della Luna, che gli olmechi già sapevano quanto influisse sui cicli della vegetazione e sulle maree, e ancor oggi il maguey si incide solo in fase di luna crescente. Ma si erano anche premuniti contro l'uso smodato, fissando a quattro coppe il limite "popolare": dalla quinta in su, era una concessione riservata ai sacerdoti anziani. A tale proposito, si narra di un bizzarro incidente diplomatico risalente a qualche millennio fa: per consacrare il dono divino del pulque, si indissero grandi festeggiamenti ai piedi del vulcano Popocatépetl. Un capo di nome Cuestécatl venne preso da amore fulmineo per quella strana acqua tonica, al punto da dimenticare i dettami che si imponevano all'ospite superando la fatidica soglia delle quattro coppe. Entusiasmo e allegria travalicarono ben presto i limiti della decenza osservati in quell'epoca: e finì col togliersi il *maxtlatl,* cioè la veste delle grandi occasioni, che peraltro non prevedeva alcun indumento intimo. Nudo e sghignazzante, si espose al pubblico ludibrio. Passata la sbronza, provò una tale vergogna da emigrare con tutta la sua schiatta huaxteca fino alla regione del fiume Pánuco, dove rimasero per i secoli a venire. Le sue genti furono da quel giorno chiamate *cuetztecas,* con valenza vagamente dispregiativa. Da cui deriverebbe il termine *cuete,* molto in voga nel gergo messicano odierno, e che è sinonimo di *borrachera,* ubriacatura, ma viene usato con un senso tutt'altro che negativo.

Un'altra usanza che si è tramandata fino ai nostri giorni è quella di gettare un po' di pulque in terra prima di bere, anche se ormai appare più come un semplice gesto scaramantico. Per i totonaca era addirittura un sacrilegio iniziare una bevuta senza aver spruzzato la prima boccata sulla madre terra, in segno di ringraziamento per aver creato il maguey. Certo quest'agave americana aveva più di un motivo per rendersi adorabile: in grado di sopravvivere sia tra le nevi sia nella siccità dei deserti, con le sue foglie carnose offriva un alimento nutriente per il bestiame e un'ottima fibra tessile, ancor oggi usata per tappeti e cordame. Ed è accertato che tra gli svariati impieghi ci fosse anche quello di filo interdentale, un'invenzione che spetta di diritto agli aztechi. Solo nel 1977 si è scoperto che un codice del XVI secolo, custodito nella Biblioteca di antropologia e storia della capitale, non era di pergamena bensì di tela di maguey.

Tornando alla polpa, durante la stagione delle piogge vi prolifera una larva rossiccia, il *chiniquil,* che costituisce ancora un piatto prelibato della cucina messicana: in genere viene tostata e macinata con aggiunta di sale e peperoncino, ma serve anche a dare sapore al mezcal, il distillato di agave ad altissima gradazione alcolica il cui certificato di garanzia è costituito proprio da un chiniquil posato sul fondo di ogni bottiglia. È accaduto che ditte fraudolente abbiano immesso una certa quantità di imitazioni di larve in plastica, per quel mezcal destinato al buon turista che non è avvezzo a mangiarsi il chiniquil una volta arrivato all'ultimo bicchiere. Il fatto ha causato le ire di malcapitati consumatori messicani, prontamente denunciato ai giornali con toni di sdegno vibrante.

Ma torniamo al pulque. Quando il maguey è giunto in età matura, cioè tra gli otto e i dodici anni, si attende la giusta fase lunare e quindi si asportano alcune foglie scegliendo il lato secondo l'orientamento indicato dalla tradizione, fino a scoprire il cuore della pianta. L'operazione è eseguita dal *tlachiquero,* professionista che gode di grande rispetto nella comunità. La tecnica resta invariata dai tempi degli aztechi: il tlachiquero si avvale di un unico strumento, l'*acocote*, che è una sorta di zucca oblunga, alla cui estremità più stretta è fissato un corno di toro con la punta forata. Introdotto l'acocote nel maguey, il tlachiquero succhia da una fessura praticata nell'altro capo e lo riempie di aguamiel. La forma stessa, bombata verso la parte alta, impedisce che la saliva contamini il liquido estratto, e questo non certo per antico igienismo quanto per scongiurare una fermentazione anomala del pulque. Per circa sei mesi la pianta continua a dare tre o quattro litri al giorno. La "ferita" va richiusa accuratamente con una pietra dopo ogni "mungitura", perché tutti i roditori, dal coniglio più raffinato al topo di fogna, vanno assolutamente pazzi per l'aguamiel. Che, messa a fermentare in vasi di terracotta o in otri di pelle, in pochi giorni diventa pulque. Praticamente impossibile il trasporto a grandi distanze: chiunque voglia quindi mettersi in contatto con le "forze della Luna" deve recarsi nelle zone di produzione.

Il pulque si presenta bianco e denso, di sapore agrodolce e meno alcolico del vino. Contiene inoltre tante proteine e zuccheri da far sì che le donne indie abituino i figli a succhiarne un po' dal dito fin dai mesi dell'allattamento. Unica nota stonata, l'odore: purtroppo sa di marcio, vagamente simile a qualcosa di organico in putrefazione. Credo sia una difesa della natura locale per tenere lontani dalle *pulquerias*, e dai suoi genuini clienti, ogni sorta di turisti dal tipico gridolino di meraviglia e i viaggiatori del tutto compreso e relativi animatori sbraitanti. Poche realtà, infatti, sono rimaste intatte nel tempo quanto l'ambiente della pulqueria.

Gli spagnoli ci provarono con tutti i mezzi, arrivando a proibire severamente il commercio del pulque e del mezcal. Le motivazioni filantropiche apparivano alquanto dubbie: più che proteggere la salute dei sudditi, volevano impedire qualsiasi concorrenza all'esportazione delle loro acquaviti. Fra l'odore repellente e le persecuzioni a suon di frustate, il pulque è rimasto relegato a bevanda dei poveri e degli indios. La Chiesa ruppe gli indugi nel 1664, quando venne emessa bolla di scomunica a tutti i consumatori: anche perché sembra che le sbornie da pulque si trasformassero automaticamente in disordini antispagnoli... Da qui, lo spargimento nella pubblica via del fermentato di maguey trovato in case o botteghe. Pio V inviò precisi ordini a vescovi e missionari, per "evitare l'ubriachezza a cui si dedica l'oziosa generalità degli indios", pur dovendo ammettere più tardi: "Ma nonostante l'Ecclesiastica e Reale proibizione, non si è conseguito il raggiungimento dei misericordiosi fini...".

Evidentemente, la dea Mayahuel ha saputo proteggere il pulque anche contro gli anatemi del papa di Roma.

Parte terza

HACIA EL SUR

Sulle tracce di Zapata

Quando Hernán Cortés si spinse a sud della capitale Tenochtitlán, apprezzò subito il clima mite e la natura benigna che circondava la prima città incontrata, Cuauhnáhuac, "luogo sul limitare della foresta". Meno accogliente fu la reazione degli abitanti, i guerrieri tlahuica, che combatterono fieramente contro i conquistadores bloccandone l'avanzata. Del resto, alla loro stirpe apparteneva la madre di Moctezuma I, unificatore dell'immenso impero azteco. Finì come al solito: Cortés fece radere al suolo la città per ricostruirla utilizzando i migliori architetti del barocco coloniale e riciclando le pietre di templi e palazzi. Nel frattempo, la pronuncia originaria del nome veniva storpiata dagli spagnoli in qualcosa che assomigliava alle "corna di vacca": così, "la città dell'eterna primavera" si chiamò Cuernavaca, e Cortés vi si stabilì per il resto del suo soggiorno nella Nuova Spagna. Sarebbero passati secoli prima che un lontano discendente di quelle genti indomite e orgogliose riscatenasse la rivolta mai del tutto sopita.

In un piccolo villaggio poco distante, Anenecuilco, nome profetico che significa "luogo delle acque agitate", l'8 agosto 1879 nacque Emiliano Zapata, destinato a diventare – al pari di Pancho Villa – il venerato protagonista della rivoluzione degli umili. Poi, sul finire del millennio lo zapatismo si è nuovamente imposto all'attenzione del mondo, riprendendo vita dal lontano e dimenticato Chiapas. Intanto il Morelos, lo stato con capitale Cuernavaca, era diventato uno dei luoghi più ricchi della confederazione, grazie anche al turismo che qui trova servizi di alto livello e un clima perennemente gradevole, a soltanto un'ora di autostrada dalla megalopoli. E se a buona parte dei frequentatori abituali interessa ben poco della sorte degli indios campesinos, è pur vero che la figura del Caudillo del Sur gode ancora di un rispetto popolare e persino istituzionale che ha mantenuto immutata l'aura di *mexicanidad auténtica* attorno alla sua figura leggendaria. Così, una delle compagnie di trasporti di prima classe, Pullman de Morelos, ha pensato di sfruttare l'ondata di rinnovata notorietà proponendo ai passeggeri la Ruta de Zapata, sorta di tour fra la nostalgia e il godimento dei sensi che percorre i paesi e le vallate dove il condottiero rivoluzionario ha lasciato un'impronta indelebile. Si comincia da Anenecuilco, con i resti della casa natale costruita in *adobe*, i mattoni di paglia e fango, oggi conservata come museo con un grande affresco murale che illustra vita, imprese e morte di Zapata.

Cuautla, a una decina di chilometri, si estende parallelamente al fiume che le dà il nome e offre il fascino discreto delle cittadine messicane strette attorno alla piazza principale, con portici su cui si affacciano piccoli ristoranti e caffetterie, e un'aria di serenità immobile nel tempo. La maggiore attrattiva per i turisti del fine settimana sono i suoi *balnearios*, fonti termali di cui la più nota è Agua Hedionda. La traduzione letterale sarebbe "acqua puzzolente", e si riferisce alle sorgenti sulfuree che alimentano le vaste piscine. Il suo primo estimatore fu Moctezuma, che affrontava spesso il viaggio da Tenochtitlán per immergersi nelle acque tiepide e rigeneranti. Una passeggiata fino all'antica stazione ferroviaria offre un altro genere di immersione, cioè nell'atmosfera della Revolución che si respira ancora grazie al divieto municipale di costruire nuovi insediamenti abitativi. Una vetusta locomotiva a vapore si rimette in moto nei giorni festivi per un breve percorso sul filo dei ricordi: il 13 maggio 1911 Emiliano Zapata cinse d'assedio la città, difesa dal 5° Reggimento, il famigerato "Quinto de Oro", corpo d'élite dell'esercito federale. In capo a otto giorni di sanguinosa battaglia, i rivoluzionari travolsero le linee governative, lasciando sul terreno cumuli di morti. Nell'agosto successivo, il presidente costituzionalista Madero arrivò a Cuautla in treno per rendere omaggio a Zapata e tentare di convincerlo a deporre le armi. Il combattente dallo sguardo malinconico e l'espressione impenetrabile gli diede il benvenuto su questi binari, lo accompagnò all'Hotel Mora e qui si limitò a scuotere la testa, rifiutando quella che sarebbe risultata un'improvvida resa.

A Cuautla riposano i resti di Zapata, dal 1932, nella plaza de la Revolución del Sur, inumati nel piedistallo di un monumento in bronzo e circondati da un giardino pubblico. Nel 1971 il governo centrale decise di trasferirli da Cuautla al Museo de la Revolución, nel centro di Città del Messico, assieme a quelli di Pancho Villa che lì si trovano attualmente, ma i veterani zapatisti e i figli del "Martire dell'Agrarismo" si opposero arrivando a montare la guardia armata alla sua tomba. Dopo giorni e notti di inutili pressioni, la spuntarono quelli di Cuautla, disposti persino a sparare qualche fucilata di avvertimento. Cose che succedono da queste parti...

Proseguendo verso sud, a una quarantina di chilometri c'è Tlaltizapán, divenuta quartier generale dell'Ejercito Libertador nel 1914. Nel vecchio mulino, Zapata si riuniva con lo stato maggiore e pianificava attacchi, manovre difensive, e soprattutto la ripartizione delle terre, primo scopo della rivoluzione. Trasformato in museo, nelle grandi sale sono esposti oggetti personali d'ogni genere, armi, fotografie, documenti originali dell'epoca, e il vestito che Zapata indossava il giorno in cui fu ucciso: l'impressionante serie di fori e squarci testimonia quanto ci tenessero a non farlo uscire vivo dall'agguato. La conservazione dell'arredamento permette di immaginare anche come Zapata trascorresse la quotidiana esistenza con moglie e figli. Nel vicino convento di San Miguel, a trecento metri dal mulino, fece costruire il proprio mausoleo quando era soltanto trentacinquenne, forse conscio del fatto che gli eroi del Messico sono tutti morti ammazzati nel fiore degli anni. Lui sarebbe finito a riposare altrove, ma qui sono comunque tumulati alcuni dei suoi generali caduti in combattimento.

Il tour della memoria non può che concludersi a Chinameca, diciannove chilometri verso est. Il 10 aprile 1919 Emiliano Zapata venne attirato nella grande *hacienda* del XVIII secolo dal colonnello Jesús Guajardo che lo convinse a intavolare trattative di pace. Il Caudillo del Sur sapeva di non poter continuare la resistenza all'infinito, i suoi uomini migliori erano morti e gli altri manifestavano una crescente, inesorabile stanchezza: bisognava tentare di salvare il salvabile, cioè la dignità e la sopravvivenza dei contadini, attraverso un sia pur parziale rispetto della riforma agraria. Ben mille soldati federali lo attendevano appostati intorno al patio. I fori delle scariche di fucileria sono rimasti sui muri settecenteschi, a rievocare il fragore che squassò quella calda giornata primaverile, sotto il sole splendente del verde Morelos. Cadde nel portico dell'ingresso, dove oggi sorge la sua statua equestre, mentre il cognome Guajardo è rimasto un simbolo di infamia eterna, al punto che in Parlamento capita ancora di sentirlo urlare come il peggiore degli insulti, tra politici che si accusano di tradire i valori patriottici.

Poco prima di andare incontro al diluvio di pallottole, Zapata scrisse: "Sacrifichiamoci, se sarà necessario, e la Patria lascerà cadere sulle nostre tombe un pugno di rose".

Il lago delle lacrime

La chiamano Mil Cumbres, la strada dalle mille vette, questa *carretera federal* che da Città del Messico porta nel cuore del Michoacán. È lo stato in cui nacque Lázaro Cárdenas, e immagino sia merito suo l'inconsueta larghezza della carreggiata. L'autista della corriera ne apprezza gioiosamente ogni centimetro, zigzagando con disinvoltura fra un sorpasso e l'altro senza sconfinare quasi mai nella corsia opposta. Usciti da Toluca, montagne tormentate e precipizi hanno cominciato a rendere più ardui i funambolismi del nostro minuto pilota, che per sterzare sui tornanti stretti si alza dal sedile e abbraccia il volante con tutto se stesso, facendolo vorticare come il timone di un galeone nel mezzo della battaglia. Il paesaggio è suo alleato nel distrarre l'ansia dei passeggeri: foreste di conifere fittissime, improvvise lame d'acqua che da squarci nella roccia piombano sul fondo di una gola, immagini che durano un attimo e scompaiono dietro la curva seguente, in un'altalena di salite e discese ripide nel verde cupo delle pinete. L'interno del Michoacán si rivela come un frammento di Québec assurdamente incastonato tra la giungla tropicale e il deserto, dove gli abeti secolari si stemperano nelle piantagioni di caffè e le montagne scendono verso una costa che offre alcune delle più suggestive baie di tutto il Pacifico.

Ci fermiamo per una mezz'ora di sosta, e l'unica presenza irrequieta sembra essere il nostro scatenato nocchiero, che schizza via dal volante per gettarsi bramosamente su bibite e sacchetti di frittume vario.

Nella settantina di chilometri che ci separano dal lago di Pátzcuaro, il panorama è costellato di *trojes,* le baite di legno che sono ormai diventate un prodotto tipico della zona: molti vengono a comprarle senza il terreno sotto, cioè per smontarle e ricostruirle identiche in un quartiere del Distrito Federal o di Guadalajara, o addirittura caricandosele intere su un autosnodato con tanto di scorta motociclistica per trasporti eccezionali.

Finalmente, con l'ultima sgasata di orgoglio per l'impresa portata a termine, il motore si spegne nella stazione di Pátzcuaro, la cittadina che dà il nome al lago. Scendiamo tutti un po' intontiti, con la consueta litania di ringraziamenti all'intrepido autista, il quale risponde a ognuno augurando che il giorno gli sia propizio.

C'è un'atmosfera di tempo immobile, in questa cittadina dai tetti di legno e i muri ravvivati da calce fresca. Non dà solo la sensazione di tornare in un'epoca lontana, ma piuttosto di essere scivolati *altrove.* In una dimensione diversa. Cammino per le stradine lastricate di pietre lucide e scivolose per l'umidità, cercando di orientarmi verso un qualche centro, e mi ritrovo spesso ad attraversare piazze e giardini che ero convinto di aver lasciato alle spalle. Finché non capito nel cuore del mercato, il primo punto di riferimento sicuro. Gli uomini sono rari, dietro ai banchi o ai cumuli di sacchi pieni di sementi e frutta secca per me sconosciuti. Le donne hanno volti di indie dai tratti solari, che emanano un'allegria innata, resa con un acceso chiacchiericcio di voci fitte e risate acute. Parlano tra loro una lingua musicale, un dialetto derivato dal tarasco, e sembrano divertite dalle presenze straniere: scambiano incomprensibili battute tra loro, e ridono, in modo così naturale che nessuno può risentirsi per non aver compreso cosa abbia di tanto buffo il proprio aspetto. Mi offrono di comprare manciate di cose senz'altro commestibili, usando uno spagnolo arrotondato che perde per strada la fine di ogni parola. Assaggio vari sacchetti di chissà che, alcuni con la scorza e altri già pronti per essere masticati, e alla fine riconosco solo i semi del cacao, mentre il resto lo ingoio fidandomi di loro. Hanno provato a dare un nome a ciascuna cosa che indicavo, ma suonano più o meno come frammenti di canzoni e me li scordo un attimo dopo.

Cercando un albergo nei vicoli più estranei a qualsiasi parvenza turistica, ho conosciuto una signora troppo simpatica per rifiutare l'offerta di affittare una stanza nella sua casa labirintica densissima di piante e nipotini. Ha cinque figli, che a loro volta ne hanno prodotti, per ora, altri diciannove. Mi fermo anche a pranzo, e visto che oggi non sembra voler piovere, la tavolata in stile festa di matrimonio la imbandiscono nel patio, dove il vociare di bambini è costellato dal furibondo intreccio vocale di una dozzina di pappagalli di varie misure e colori.

Nel pomeriggio, quando la famiglia si disperde fra impegni e siesta, doña María Rosario rimanda di qualche ora la mole di lavori domestici e, con atteggiamento di complice segretezza, fa comparire dal suo nascondiglio in camera una bottiglia di mezcal. "Ho dei figli che avrebbero fatto carriera sotto Torquemada," mi confida strizzando l'occhio, mentre riempie i due bicchierini. "Neanche fossi una *borrachona*... Un paio di sorsi dopo mangiato, invece, aiutano la digestione e lubrificano il sangue!" Brindiamo, con un gesto furtivo e lanciando occhiate attorno. "Certo, sono felice che nessuno di loro frequenti le cantine. E questo dipende dal mio povero marito, che Iddio possa avere la pazienza di tenerselo accanto... Luisito si è giocato il fegato con l'alcol e buona parte degli stipendi al domino, così loro sono cresciuti nel sacrosanto timore per la bottiglia che io stessa ho inculcato... ma adesso esagerano, *caray*," e scuote la testa ridacchiando, mentre io annuisco solenne e mi verso un secondo bicchiere.

Prima che decidesse di far scomparire il mezcal nella cripta dietro un quadro di san Antonio de Padua, doña María Rosario mi ha raccontato la quantità di leggende sul lago di Pátzcuaro, rivelando un'insospettabile dimestichezza con la mitologia e un'incredibile memoria per nomi di persone e luoghi, aiutandomi a trascriverli ogni volta che non riuscivo a pronunciarli.

Il punto più profondo del bacino è chiamato *huecorencha*, il luogo della caduta, perché sembra che la sua genesi risalga a un cataclisma causato da una "palla di fuoco" venuta dal cielo, quindi un meteorite, il cui impatto avrebbe anche perforato la crosta rocciosa di una falda acquifera. L'evento si è tramandato di generazione in generazione, fino all'epoca dell'ultimo re Tangaxoan II. Sua figlia Mintzita aveva sposato Itzihuáppa, valoroso condottiero dei guerrieri purépecha, che ingaggiò battaglia con gli spagnoli ma fu fermato dal vecchio re, ormai rassegnato alla sconfitta e contrario a un inutile sacrificio del suo popolo. Mintzita cercò di salvare la vita del padre riscattandolo in cambio dell'immenso tesoro purépecha, custodito dal padre di Itzihuáppa, Taré, monarca della vicina Janitzio. Ma Taré, con grande sconforto, le disse che il tesoro era stato gettato nel lago quando le prime notizie sullo sbarco dei conquistadores erano giunte nel Michoacán. I guardiani delle ricchezze del regno avevano affondato le barche al centro del lago, immolandosi per rimanere accanto ad esse per l'eternità. Mintzita, per amore del padre, scongiurò il suo sposo di riportare alla luce quei forzieri colmi di gemme e oro. Ma quando Itzihuáppa si immerse nel lago, fu afferrato dagli spiriti dei guardiani che lo trascinarono sul fondo. Re Tangaxoan II venne torturato a morte dai conquistadores, e Mintzita, resa pazza dal dolore per la morte dello sposo e del padre, vagò a lungo sui monti finché non rimase uccisa dalla freccia di un cacciatore che l'aveva scambiata per una cerbiatta. La leggenda vuole che ogni anno, al rintocco delle campane nel giorno dei morti, l'ombra di Itzihuáppa attraversi la superficie del lago seguita dal corteo dei guardiani, e molti giurano di sentire ancor oggi il lamento del guerriero che piange la sua amata. Per questo gli abitanti allestiscono altari sulla riva, offrendo corone di fiori e pregando perché trovi pace al suo dolore.

Sulla sponda opposta a dove sorge Janitzio, c'è un paesino il cui nome non può che evocare un antico regno di fiabe: Tzintzúntzan. Molti anni prima che giungessero i semidei dal mare, qui governava un re giusto e illuminato, Zizipándacuare. La più bella delle sue figlie, Zirahuén, si innamorò di un capo guerriero di Pátzcuaro in maniera pressoché fulminea, al vederlo incedere con portamento fiero verso il palazzo di Tzintzúntzan dove era giunto alla testa di un corteo di canoe. Il guerriero, che secondo la leggenda appariva di una bellezza tenebrosa e irresistibile, era venuto a chiederla in sposa. Sbocciata la passione a prima vista, sembrava proprio che nulla potesse inficiare tanta imminente felicità. Infatti re Zizipándacuare concesse la mano della figlia senza indugio alcuno. Ma la situazione lo costrinse a chiedere in cambio un irrinunciabile favore: Axayácatl, re dei mexica, minacciava i territori dei purépecha avanzando con le sue schiere verso il Michoacán. Il futuro sposo, godendo di tale fama mortifera, come poteva non mettersi alla testa della controffensiva? E di lì a pochi giorni, l'intera vallata era ricoperta dai cadaveri dei guerrieri mexica, sterminati in una delle più cruente battaglie mai combattute fra i due popoli da sempre nemici. Ma il condottiero di Pátzcuaro, correndo a ricongiungersi con Zirahuén, non si avvide di un mexica ferito che, confuso fra i cadaveri, gli scoccò una freccia in petto. Da quel giorno, la bellissima Zirahuén parve cadere in catalessi, un corpo che viveva senza vita. Gli dèi, commossi per quell'evidente ingiustizia del fato, condussero il suo spirito al centro della profonda vallata, in modo che il suo amato potesse meglio vederla dall'alto del suo trono, essendo nel frattempo stato eletto dio della guerra per il grande coraggio dimostrato in combattimento. Poi fecero scaturire una sorgente di acqua purissima sotto i piedi di Zirahuén, che formò il lago del quale lei è ovviamente dea protettrice. Sbagliano perciò quegli abitanti di Tzintzúntzan che, sentendo in certe notti il lago respirare, pensano a un mostro anfibio: sono semplicemente i sospiri d'amore di Zirahuén...

Doña María Rosario si duole per aver dimenticato il nome del guerriero di Pátzcuaro, e non bada al mio sguardo vagamente stordito per la quantità di particolari che invece ricorda. "L'ho scritto da qualche parte, ma nei quaderni dove ho annotato alcune delle tante leggende sul lago, non c'è... Uno di questi giorni, devo decidermi a fare un po' di ordine nelle casse di cartacce che ho accumulato." A questo punto, mi decido a chiederle spiegazioni: e doña María Rosario rivela di aver lavorato per trent'anni all'università di Morelia, dove teneva seminari sulle antiche popolazioni del Michoacán e la loro storia prima della Conquista. "È una delle università più antiche del continente," sottolinea con orgoglio, e torna a riempire i bicchierini, il suo per la terza volta e il mio probabilmente per la sesta. "E a Morelia abbiamo avuto anche la prima scuola di musica delle Americhe," aggiunge con un lampo negli occhi nerissimi, "quando i nostri vicini *rockeroleros* del Nord erano ancora sparpagliati per mezza Europa, e a malapena sapevano pestare una mazza su un tamburo..."

Neppure doña María Rosario sembra immune all'onnipresente rancore verso *los malos vecinos* dell'altra sponda del Río Bravo. Ma si ricompone subito, allontanando l'accenno di invettiva con una risata sonora. Poi sospira, guardando il sole che ha preso a scendere verso il lago. "L'ora si fa pericolosa," dice alzandosi, e prende la bottiglia per tornare a riporla nella sua cripta. Beviamo l'ultimo mezcal in fretta, con le orecchie tese verso un lontano ciabattare che proviene dalla camera al primo piano. Doña María Rosario sorride e scrolla le spalle, poi sguscia oltre una porticina con passi leggeri.

Quando ricompare, mi consiglia di raggiungere il lago prima che tramonti il sole, per vedere i pescatori al lavoro con le loro reti a farfalla. "Di pesce ce n'è sempre meno, ma noi michoacanos siamo gente che non vuole mai arrendersi all'evidenza..."

E accompagnandomi sulla strada, riesce a raccontarmi un ultimo ritaglio di leggenda, secondo la quale i purépecha non avrebbero ceduto queste terre agli spagnoli senza combattere. Ma dopo giorni di resistenza accanita, giunse un messaggero da re Tangaxoan II annunciando la sconfitta. La corte propose di guidare l'intera popolazione verso il lago, affogandosi in massa per non divenire schiavi degli invasori. Il re tentò invece di valutare le possibilità di abbandonare la città, cercando scampo in territori lontani. Mentre la confusione e lo sconforto si diffondevano fra la gente riunita nella grande piazza, la principessa Eréndira, cugina di Tangaxoan II, impugnò una lancia e si mise ad arringare la folla, incitando gli ultimi purépecha all'estrema difesa. Poi prese a correre da una montagna all'altra, per radunare i guerrieri dispersi. Ma quando era riuscita a mettere assieme un piccolo esercito, le giunse la notizia che il re si era consegnato agli spagnoli. Eréndira, sopraffatta dalla disperazione, si sedette su una roccia e cominciò a piangere. Fu così lungo e inarrestabile il suo pianto che di lì a pochi giorni le lacrime presero a scorrere in rivoli dalle montagne, che confluirono verso il fondo della valle formando un lago. Pátzcuaro, nella lingua dei purépecha, significa infatti "torrente di lacrime"...

El alma de México

Le leggende affascinano anche per questo: si diffondono, si accavallano, si confondono tra loro, e alla fine ognuno le racconta come gli pare, perché la principale qualità delle leggende è permettere a chi le tramanda di aggiungere qualcosa in base alla propria fantasia, alla partecipazione con cui le narra, all'amore per la propria terra. E se Pátzcuaro voleva inizialmente dire "torrente di lacrime", per gli stessi purépecha aveva acquisito con il tempo tutt'altro significato: "la porta del cielo". O almeno questa è la traduzione che mi fornisce Rogelio Villaseñor, giovane funzionario della Secretaria de Turismo di Morelia, che mi mostra orgoglioso sia la capitale – sua attuale residenza – sia Pátzcuaro dove è nato e di cui conserva amabili ricordi d'infanzia. La suggestiva città a due passi dal lago veniva definita La Porta del Cielo perché era non solo la residenza dei sovrani purépecha, ma anche il loro centro cerimoniale. Leggende a parte, la storia della Conquista lascia ben poco spazio alla fantasia, e i suoi crimini restano scolpiti nella memoria collettiva.

I purépecha, poi detti taraschi dagli spagnoli, furono l'unico popolo che gli aztechi non riuscirono a sottomettere, e dopo tante batoste prese dai suoi guerrieri "aquila", l'esercito imperiale lasciò il posto ai mercanti, che stipularono proficui trattati commerciali e il reciproco rispetto in materia di culto e tradizioni. Anche di fronte ai conquistadores, i purépecha ebbero un atteggiamento saggio: l'allora *casontzin* (monarca) Tzimzincha Tangaxoan II si rese subito conto che tentare di respingere gli spagnoli avrebbe scatenato un bagno di sangue, e decise di salvare il suo popolo tentando di scendere a patti con gli invasori. Grazie alla successiva conversione al cattolicesimo, i francescani presero a considerarlo con sincero rispetto, ma ciò non servì a frenare il più sanguinario e ottuso dei conquistadores, quel Nuño Beltrán de Guzmán che per loro sventura guidò gli armigeri proprio sui territori dei purépecha: Nuño voleva tesori che non esistevano e, con la crudeltà che lo contraddistingueva, martoriò Tangaxoan fino a ucciderlo di torture. Il clero della zona insorse, nei limiti del possibile, spedendo accorate missive alla corona di Spagna, e ottenne un risultato che avrebbe cambiato la storia della conquista nel Michoacán: nel 1533 Nuño de Guzmán venne destituito dall'incarico di presidente della Primera Audiencia e al suo posto arrivò un grande umanista, Vasco de Quiroga, che per l'occasione prese i voti – lasciando la toga da magistrato per l'abito talare, una vicenda simile a quella di sant'Ambrogio – e divenne vescovo e reggente della regione nel 1536, scegliendo Pátzcuaro come capitale.

Don Vasco de Quiroga era un appassionato lettore di Thomas More, e nella Nueva España sognava di realizzare i sogni sociali della sua *Utopia*: impresa impossibile, che però lo ha fatto passare alla storia come strenuo "difensore" degli indios, al pari di Bartolomé de las Casas in Chiapas; e in effetti nelle terre da lui amministrate sorsero i famosi *hospitales*, a partire da quello di Santa Fe de la Laguna, che erano anche case di cura per poveri, ma soprattutto centri di accoglienza dove gli indios potevano imparare un mestiere, godere di protezione ed evitare i soprusi dei potenti di turno. Un'ardua missione, quella di Tata Vasco, come lo chiamavano gli indigeni, che aveva contro non solo gli avidi *encomenderos*, da lui privati della mano d'opera schiavizzata, ma anche le alte gerarchie del clero. Non tutti gli indios potevano trovare rifugio negli hospitales, e non tutti aspiravano a farlo: è ancor vivo da queste parti il ricordo della leggendaria figura dell'amazzone Eréndira che guidò a lungo la guerriglia contro gli spagnoli, immortalata in un affresco murale di Juan O'Gorman nella biblioteca civica di Pátzcuaro.

O'Gorman, che fu amico di Frida Kahlo e Diego Rivera, realizzò quest'opera monumentale tra il 1941 e il 1942, in omaggio alla città e allo stato del Michoacán che tanto stimava, e per un singolare caso di "censura preventiva" poté permettersi di offrire un anno di lavoro gratuito:

O'Gorman aveva ricevuto in precedenza un'offerta per dipingere un grande affresco negli Stati Uniti, ma così come era accaduto a Diego Rivera, anche per lui era arrivato il veto delle autorità statunitensi, preoccupate di dover ospitare in qualche luogo pubblico opere pittoriche giudicate "comuniste". Non avevano torto, dal loro punto di vista: sia Rivera sia O'Gorman erano coerenti con i propri ideali rivoluzionari e negli affreschi non si limitavano a immortalare i crimini della Conquista, ma anche quelli del contemporaneo capitalismo, con il corollario di guerre coloniali e sfruttamento dell'uomo sull'uomo. Ma i capitalisti gringos, a volte, rispettano persino le regole che impongono agli altri, e così, nel caso di Juan O'Gorman, pur impedendogli all'ultimo momento di realizzare un affresco da tempo commissionato, decisero di pagare la cifra pattuita come anticipo sui lavori. E il grande muralista messicano la usò per pagare gli assistenti, i colori, i materiali per l'intonacatura, e mantenersi un anno a Pátzcuaro, cioè il tempo necessario per affrescare la parete sul fondo della Biblioteca Pública Federal "Gertrudis Bocanegra". L'opera realizzata è uno straordinario esempio dell'arte muralista messicana, cioè epica, divulgativa, "popolare" nella migliore accezione del termine, dove O'Gorman narra la storia del Michoacán, dagli albori alla Conquista, dando un certo spazio anche alla lotta per l'indipendenza, con l'eroico Morelos, e la stessa Gertrudis Bocanegra a cui è intitolata la biblioteca, fucilata dagli spagnoli nella piazza principale di Pátzcuaro. Ovviamente, non manca Emiliano Zapata, che l'artista ritrae di fianco a Morelos, ma uno spazio ancor più importante lo dedica a don Vasco de Quiroga, sovrastato da un angelo "ispiratore" con accanto la parola-insegna "Utopia", e attorniato da umili indios, mentre alle sue spalle si accalcano ambigui figuri dal ricco vestiario e i volti infidi, a simboleggiare la nuova borghesia ispanomessicana che fingeva di pregare e rispettare il vescovo ma intanto premeva su di lui come per schiacciarlo.

Don Vasco de Quiroga fu senza dubbio un personaggio fuori del comune, che riuscì a imprimere una svolta nella Conquista basata sul saccheggio – almeno nel Michoacán – per avvalorare il concetto di Nueva España intesa come parte integrante della nazione iberica: da ex magistrato e neovescovo, non era certo un "rivoluzionario", ma si sforzò di mettere in pratica l'umanesimo collettivista degli ideali propugnati da More in *Utopia*, e se il Messico si differenzia in modo così profondo dal resto delle Americhe, fu anche grazie all'affermazione di tale concezione: parte integrante della Spagna e non territorio da depredare lasciando terra bruciata, i cui abitanti diventavano sì sudditi, ma non schiavi da sfruttare fino allo sterminio. Tata Vasco nutriva una vera passione per la musica, tanto che viene considerato il "padre dei *mariachi*": secondo i patzcuarensi, è stato lui a creare e diffondere i gruppi di musici da cui sarebbero poi derivati gli odierni mariachi. Acerrimo rivale delle gerarchie ecclesiastiche castigliane, osteggiò sempre la scelta di Morelia capitale – opzione cara alla nuova borghesia dell'epoca – e volle che Pátzcuaro fosse edificata nel rispetto degli indigeni: ecco perché rimane l'unica città del paese – e delle Americhe cattoliche – a non avere una sola chiesa né un campanile nella piazza principale. La cattedrale fu costruita altrove, e nel progetto – inconcluso – avrebbe dovuto rappresentare la cultura fondante di Pátzcuaro, basata sulla convivenza pluriculturale, con cinque navate a simboleggiare le razze entrate in contatto – spesso loro malgrado – in seguito alla Conquista o derivate da essa: gli europei, i neri afroantillani, gli indigeni americani, i mulatti e i creoli. Fu anche il primo a creare ciò che oggi definiremmo "assistenza sociale", nonché precursore del Concilio di Trento in quanto alla facoltà di ordinare sacerdoti tra le genti indigene; visse in povertà e si deve a questa sua scelta irremovibile il fatto che a Pátzcuaro, a differenza di tante altre città messicane, non sono sorti palazzi sontuosi o monumenti inutilmente dispendiosi, e anche le *mansiones* di famiglie benestanti, oggi trasformate nella maggior parte dei casi in alberghi, non vanno oltre il primo piano e non ostentano lussi particolari. Allora, tutto questo rese don Vasco de Quiroga inviso ai nuovi ricchi, ma è forse il principale motivo per cui Pátzcuaro offre oggi al viandante un'immagine complessiva di struggente bellezza, caso unico nelle Americhe di architettura urbana armoniosamente umile.

E intanto, le leggende hanno continuato a fiorire. L'orologio della piazza, per esempio, che campeggia sulla facciata del municipio, si dice sia arrivato qui dalla Spagna perché "stregato". Un ribelle doveva essere fucilato, e la sentenza stabiliva una certa ora del mattino: allo scoccare dei rintocchi, il plotone avrebbe aperto il fuoco. Ma l'attesa fu vana, perché l'orologio rimase muto. Non si sa bene se il condannato venne egualmente giustiziato, comunque l'orologio continuò per mesi a suonare tutte le ore tranne quella dell'esecuzione. Così, le autorità decisero di spedirlo in Messico, e finì a Pátzcuaro, dove ha curiosamente ripreso a funzionare battendo anche l'ora maledetta...

Don Vasco de Quiroga si portò dalla Spagna cinque germogli di ulivo, che piantò a Santa Fe de la Laguna: sono ancora lì, alberi contorti e possenti vecchi di cinque secoli, quasi un simbolo della sua opera tenace, sofferta; e ancor più profonde radici hanno messo i laboratori avviati negli hospitales, dando origine all'artigianato del Michoacán, tra i più variegati e fiorenti del Messico, a partire dal legno intagliato – esportato nel resto della Repubblica e in tante ville di ricchi gringos, come le rinomate colonne lignee comparse in varie location di film hollywoodiani – arrivando sino alla finissima lavorazione del rame e all'oreficeria in argento. Tutti i paesi intorno al lago sembrano aver ingaggiato da tempi immemorabili una gara nella produzione di maschere – altra specialità della zona –, sombreros da fare concorrenza ai Panama – che in realtà sono dell'Ecuador –, vasellame, sculture in legno d'ogni forma e dimensione – i donchisciotte di qui oscurano quelli della Mancha –, cornici intagliate e mobilio dipinto, ma... è semplicemente inimmaginabile ciò che riescono a realizzare con il rame.

Santa Clara del Cobre si può considerare il "centro mondiale" dell'artigianato in rame, tanto che ogni anno si tiene qui un concorso internazionale puntualmente vinto da un artigiano locale, perché, come dicono orgogliosi, "il nostro bando è aperto a chiunque, ma nessuno può lontanamente eguagliarci". Il segreto sta tutto in un dettaglio: qualsiasi oggetto vedrete in giro, dai negozi nella strada principale fino al Museo del rame, è ricavato da un solo pezzo, cioè da una prima fusione che poi, in giorni, settimane o mesi – anche un anno intero, se la meta è il premio finale – viene martellato milioni di volte fino a raggiungere la forma definitiva. E, in certi casi, si stenta a crederci: a parte le anfore con tanto di manici e colli strettissimi (ma come faranno a martellarle all'interno?), si resta stupefatti di fronte a complesse figure che a volte compongono addirittura dei *conjuntos* fantasiosi, dopo aver saputo che tutto questo è stato ricavato da un blocco di metallo senza ricorrere mai a una saldatura... Assistere alle varie fasi della lavorazione è uno spettacolo che ha qualcosa di ancestrale, e confesso di aver provato una sensazione molto prossima alla commozione vedendo tante persone unire la propria sapienza tramandata da innumerevoli generazioni: le fucine sono ancora quelle di chissà quanti secoli addietro, con padri e figli e nipoti che azionano i mantici da cui scaturiscono fiammate che fondono il blocco di rame, e a un ordine del capomastro, che solitamente tiene il pezzo con una lunga pinza, gli altri si precipitano a martellarlo, perché l'incandescenza dura pochissimi minuti e, appena il rame perde il colore rosso fuoco, va nuovamente arroventato. Per ottenere il massimo in un lasso di tempo così ristretto, gli artigiani di Santa Clara del Cobre hanno affinato una tecnica sbalorditiva: eseguono la martellatura in dieci o persino dodici uomini, che significa prendere il ritmo in due, poi in tre, poi in quattro, in cinque, in sei, e così via, entrando ognuno in sintonia con il vicino, fino a raggiungere una raffica di colpi di mazza tenuta a due mani che, se per disgrazia uno solo sbagliasse di una frazione di secondo, tutti finirebbero per sfracellare il braccio del compagno accanto. Occorrono molti anni di pratica, prima di arrivare a un simile risultato: a Santa Clara del Cobre, infatti, sorgono scuole di artigianato dove si impara la martellatura "sincronizzata" fin da bambini, e questa è solo la prima fase della lavorazione, che prevede la progressiva rifinitura – ricorrendo a martelli sempre più piccoli, ovviamente – fino a una cesellatura degna di un orafo, eseguita con l'ancestrale pazienza e cura dei particolari che solo le genti indigene sembrano possedere ancora.

Insomma, gli artigiani di Santa Clara del Cobre, ignoti al mondo ma le cui opere circolano persino in Giappone e in Nuova Zelanda, mi sono parsi come dei lillipuziani che, insieme, con il lavoro comunitario, sfidano da vincenti l'omogeneizzazione neoliberista, rifiutando marchingegni che sicuramente renderebbero meno dura la giornata, ma condannerebbero quest'arte all'estinzione. Nessuna macchina potrebbe fare ciò che le loro mani sapienti sanno creare, e questo, se a qualcuno sembrerà poca cosa, per me resta il simbolo di una rivincita di cui lo stesso Tata Vasco andrebbe fiero. Una sensazione, la mia, che si avvale di una constatazione: girando per le strade di Santa Clara del Cobre, nelle sue fucine, nei negozi, ho sempre visto un decoroso benessere, e se il lavoro della martellatura è faticoso, se ottenere un pezzo degno di concorrere al premio annuale significa affrontare notevoli sacrifici in termini di tempo e impegno assiduo, l'orgoglio con cui ciascuno mi ha mostrato ciò che è capace di fare credo sia un risultato degno di essere conseguito. E a parte i premi, la grande quantità di manufatti che ogni giorno vengono esportati all'estero o distribuiti nel resto del Messico, conferma che l'arte di Santa Clara del Cobre ha ancora una lunga vita, a dispetto di un mondo dove le macchine hanno il sopravvento.

Ancor più antica è la tradizione delle statue in *pasta de caña*, arte quasi esclusivamente sacra: i crocifissi a grandezza naturale presenti nelle chiese della zona sono fatti di questo materiale la cui preparazione si tramanda addirittura da millenni. Le origini di questa tecnica unica al mondo si perdono nella notte dei tempi; si sa per certo che i purépecha portavano i propri idoli in battaglia, convinti che la loro presenza li avrebbe resi vittoriosi. Si chiamavano *tininiecha* i guerrieri sacerdoti a cui veniva affidato il gravoso compito di caricarsi sulla schiena un idolo che, essendo di pietra, finiva spesso per decretare la fine del malcapitato portatore, impossibilitato a correre e a difendersi, nonché la perdita degli idoli sul campo di battaglia. Di male in peggio, dunque: le divinità capitate nelle mani dei nemici rivolgevano le loro ire sui purépecha, e la sconfitta era ineluttabile. Finché gli ingegnosi artigiani dell'epoca non misero a punto la pasta de caña, un composto a base di canne di mais – solo il cuore, leggerissimo – amalgamato con estratti di vari fiori, principalmente orchidee silvestri. Per i tininiecha fu la salvezza, visto che ora portavano sulle spalle idoli dal peso irrisorio, mentre i guerrieri, non più assillati dalle reazioni punitive delle divinità, non solo combattevano con rinnovato slancio, ma potevano anche difendere con maggior facilità i portatori, non più affannati e claudicanti. Per avere un'idea concreta della differenza, basti pensare che il Señor de la Tercera Orden, il Cristo a grandezza naturale che campeggia sull'altare maggiore della chiesa di San Francisco, a Pátzcuaro, pesa soltanto cinque chili. Fu realizzato nel XVI secolo; e oggi la stessa tecnica e la lunga preparazione si possono ammirare nella Casa de los Once Patios, un complesso di undici edifici coloniali settecenteschi dove, fra i tanti artigiani al lavoro, c'è anche Mario Agustín Gaspar, depositario di un procedimento che, oltre alla canna di mais, impiega olio di semi di salvia, cocciniglia, fuliggine, polline di fiori e altri ingredienti in parte segreti.

Se per i purépecha era un dono degli dèi, la pasta de caña sembra aver prodotto miracoli anche con l'evangelizzazione: nella cittadina di Tzintzúntzan – nome fiabesco che significa "luogo dei colibrì" – è oggetto di culto popolare El Señor del Santo Entierro, un Cristo deposto di cui si nota subito la "prolunga" aggiunta alla teca di cristallo dove riposa: si è resa necessaria da quando le gambe hanno cominciato a "crescere". Per molti si tratta di un prodigio della fede e, comunque sia, prova che la pasta de caña, con il trascorrere dei secoli, subisce modificazioni inspiegabili, senza produrre crepe né screpolature sullo strato di lacca, anch'essa a base di prodotti naturali.

Tra le innumerevoli croci in legno o in pietra che sorgono ovunque, lungo le sponde del lago, sicuramente quella davanti alla chiesa di Erongarícuaro si distingue, e non solo perché è l'unica in ferro, ma per la singolare forma stilizzata e la serie di simboli che la compongono, tra i quali non mancano *tatahuriata* e *nanacutzi*, il sole e la luna venerati dai purépecha precolombiani, presenti su tutte le facciate delle chiese come segno di rispetto voluto da don Vasco de Quiroga, che non proibì mai l'uso di certa simbologia indigena considerandola, come tanti altri vescovi, espressione di paganesimo. La croce in ferro battuto di Erongarícuaro è niente meno che di André Breton, il quale da massimo esponente del surrealismo ha infuso nella sua opera "sacra" qualche vago elemento fuori dai canoni; ma ciò che sorprende, una volta conosciuto il nome dell'autore, è semmai il profondo rispetto che il manufatto esprime, ben lontano dalla tempra e dalle abitudini del focoso francese. È come se avesse voluto rendere omaggio alle tradizioni di una terra che lo affascinò e gli diede sensazioni memorabili, evitando qualsiasi dissacrazione.

Breton giunse in Messico nel 1938, per salutare Lev

Trockij, esule nell'unico paese che accettò di accoglierlo senza imporgli condizioni umilianti, e per qualche tempo furono entrambi ospiti di Frida Kahlo e Diego Rivera nella loro grande casa di Coyoacán. Poi, Breton capitò sulle sponde del lago di Pátzcuaro, e rimase intrigato da Erongarícuaro. Perché? Mistero. Sappiamo che ebbe una sorta di folgorante innamoramento per il Messico nel suo insieme, da lui definito "l'unico paese genuinamente surrealista", ma se la capitale federale poteva offrirgli ispirazioni e stimoli a non finire, vien da chiedersi in questo paesino sul lago, specie allora, che diamine ci trovò, per decidere di fermarvisi almeno un anno affittando una grande ma modesta casa in una viuzza del centro. La risposta me la dà Angel Alfonso Romero, fotografo di Erongarícuaro – battesimi, matrimoni e funerali, praticamente la memoria storica del villaggio –, depositario di mille aneddoti, nonché fustigatore delle abitudini a suo avviso perniciose che sembrano più diffuse qui che in una metropoli: "Erongarícuaro è un posto dove puoi fare di tutto: ubriacarti, drogarti, schiamazzare, di tutto! Non so perché diavolo si sia creata questa abitudine, ma fin dai tempi di Breton era famoso come luogo di artisti eccentrici, giramondo, gente i cui comportamenti sarebbero stati duramente fustigati altrove, mentre qui tutti hanno sempre potuto fare quello che volevano, ogni eccesso immaginabile o inimmaginabile". Angel Alfonso non è tenero con i "tardo-hippies" che ancora girano per il paese, ma rispetto ai bei tempi andati, non può fare a meno di elencare nomi come Lawrence, Neruda, María Félix, Octavio Paz, García Márquez, tutti prima o poi sono capitati a Erongarícuaro, forse attratti dalla fama creata da Frida e Diego, ai tempi che venivano a *emborracharse* con Breton. Eppure, guardandomi intorno, continuo a chiedermi cosa ci facessero qui, conoscendo quanto può offrire il resto della regione e soprattutto il resto del paese.

Tra gli innumerevoli aneddoti, emergono quelli passati alla storia: fu infatti proprio a Erongarícuaro che Breton ordinò il famoso tavolo poi da lui stesso eletto a simbolo del "surrealismo istintivo e innato dei messicani". Un giorno si recò da un falegname per farsi costruire un tavolo da cucina, e gli fece uno schizzo sommario, ovviamente in prospettiva. Ebbene, qualche giorno dopo si vide portare a casa un tavolo esattamente identico al disegno, cioè con un lato più largo dell'altro, il piano a forma di rombo anziché rettangolare, con tre zampe – due uguali e la terza cortissima – insomma, era stato costruito "in prospettiva". E pare siano iniziate da allora le esclamazioni di Breton divenute un tormentone: "Questo è vero surrealismo!". Lo disse anche una sera, mangiando come suo solito nel ristorantino di doña Mari, in compagnia di Frida e Diego, quando a un certo punto un maiale entrò dalla porta principale, attraversò la sala, passò sotto la loro tavola, e uscì dal retro. Be', quest'ultimo aneddoto dimostra come a certi stranieri tante cose qui sembrano "surreali" o addirittura "magiche", mentre per i messicani sono ordinaria amministrazione, scene abituali che non stupiscono nessuno. Tavolo "in prospettiva" compreso.

Oggi la casa che fu di Breton e ospitò inenarrabili nottate di discussioni e baldorie è diventata un *antro*, secondo il dispregiativo termine usato dal fotografo Romero, "un postaccio camuffato da sala biliardi che in realtà è un bordello dove si incontrano ceffi poco raccomandabili". Chissà se, tornando in qualità di fantasma, Breton, nel vedere che fine ha fatto la sua casa, non esclamerebbe per l'ennesima volta: "Questo è surrealismo!".

Michoacán, nella lingua dei purépecha, significa "terra di pescatori". Si riferivano ai tanti laghi e fiumi che rendono così verde e boscoso lo stato, e pescatori lo sono ancor oggi, gli indigeni, soprattutto sul lago di Pátzcuaro, dove la natura si è tolta uno dei tanti capricci di cui il Messico è ricco: il cosiddetto *pescado blanco* è una varietà che esiste soltanto in questo lago e in nessun altro posto al mondo. Non si è ancora estinto, e pare goda di buona salute, malgrado i quintali che ne finiscono sulle tavole di tutti i ristoranti della zona. Al centro del lago sorgono varie isole, delle quali la più grande, Janitzio, è famosa per la suggestiva cerimonia della Noche de Muertos, quando nel piccolo cimitero si accendono migliaia di candele e i parenti dei defunti portano offerte e cenano sulle tombe imbandite. Janitzio deve il nome al termine con cui i purépecha indicavano i "capelli" della pannocchia di mais, quei filamenti simili a una chioma bruna o bionda che discendono dalla punta dell'*elote*, come la chiamano in Messico. L'isola è formata da un monte alle cui falde si abbarbica l'abitato, in un saliscendi di vicoli intasati di negozietti e perennemente avvolti in una nube di olio fritto – pescado blanco nella sua varietà più piccola, il *boquerón* – e sulla sommità sorge la ciclopica statua di José María Morelos. Il colosso si nota a vari chilometri di distanza, ben oltre i limiti del lago, e in realtà è il "contenitore" del museo dedicato all'eroe: una rampa interna a spirale sulle cui pareti il pittore muralista Ramón Alva de la Canal ha dipinto le scene più significative della vita di Morelos, dalla nascita alle tante battaglie vinte, fino all'agguato tesogli con l'inganno dagli spagnoli e la conseguente fucilazione. In cima, affacciandosi dal "braccio" della statua levato in alto, sfiderei chiunque a non provare un vuoto allo stomaco... ma la vista da lassù è inenarrabile.

I pescatori di Janitzio usano le ormai celebri reti "a farfalla", immortalate in innumerevoli foto – tanto che oggi sono disposti a posare in gruppi di canoe aspettando i turisti che sbarcano dai vaporetti. Se la dicitura si riferisce alla forma delle reti, risalente a secoli e millenni addietro, la farfalla è anche uno dei simboli del Michoacán, perché nella zona boscosa a est della capitale Morelia, tra la Sierra Chincua e il Cerro del Campanario, ogni anno, da novembre a marzo, si ripete uno spettacolo stupefacente con regia di Madre Natura.

"No te preocupes," continua a rassicurarmi Santiago, "oggi arriveranno, ne sono certo." Già, ma l'ha detto anche ieri e l'altroieri. Che prima o poi arrivino, nessuno ha dubbi: lo fanno puntualmente da almeno duecentocinquantamila anni, e fino a cinque secoli fa costituivano il principale motivo di meraviglia degli aztechi nei confronti della natura. Comunque, l'attesa è alquanto gradevole. Il paesino dove pernottiamo, Angangueo, conserva tutto il fascino immutabile del vecchio Messico: ex centro minerario, un paio di chiese coloniali, stradine lastricate, aria pungente al mattino presto per i 2980 metri di altitudine e sole tiepido durante la giornata.

Santiago scruta il cielo. Il suo profilo nahua, zigomi alti e naso aquilino, con capelli nerissimi e lisci, ricorda certe stampe che raffigurano gli "uomini giaguaro", i capitani dell'esercito di Moctezuma.

"Mira..." dice in un sussurro. E io guardo verso il punto indicato dal suo dito. Vedo solo un pulviscolo all'oriz-

zonte. Una nube di polvere. Una tormenta dorata che gradualmente si trasforma in una valanga arancione... E mezz'ora dopo, milioni, decine di milioni di farfalle monarca oscurano il cielo, ricoprono gli alberi, tappezzano prati, strade, tetti di capanne, si posano su di noi, persino in faccia, e cerco di vincere l'istintivo fastidio per questo formicolio sulla pelle, le scosto almeno dagli occhi, allargo le braccia e me le ritrovo completamente colorate d'arancio screziato di nero. Santiago ride, dice: "*Van por el día como un tigre alado*," citando dottamente il poeta Aridjis. Qui, nel santuario della farfalla monarca, anche le guide hanno un animo lirico. Il problema, adesso, sarà muoversi senza calpestarne a centinaia.

È consolante pensare che le onnicomprensive scienze umane non siano ancora riuscite a risolvere alcuni misteri, lasciandoci almeno qualche residuo motivo di stupore. Per esempio, quello della "mariposa monarca": vive in Canada e nel Nord degli Stati Uniti, poi, con l'autunno, tutti gli esemplari intraprendono un volo migratorio alla velocità di crociera di sessanta chilometri all'ora percorrendone circa cinquemila, fino a raggiungere un fazzoletto di terra nel cuore del Messico in quello che da anni è diventato il "santuario della farfalla monarca", parco protetto e visitabile dai turisti con guide che cercano di preservare al massimo il delicato ecosistema e impediscono disturbo eccessivo ai lepidotteri.

Ma quanto pesa una farfalla? Niente, verrebbe da rispondere. Eppure, quando almeno un milione di esemplari si posa su un abete, in certi casi finiscono per schiantarne i rami, e questo dà una vaga idea di cosa significhi assistere all'arrivo delle monarca che ricoprono ogni cosa, persone comprese. A marzo, le figlie e i nipoti se ne torneranno al Nord, superando a caro prezzo i pesticidi del Texas e le anidridi solforose delle metropoli. Il loro "sistema di navigazione" risulta più complesso di qualsiasi radar, e le porta infallibilmente a "centrare" l'obiettivo variando di poco anche la data d'arrivo, mentre i biologi continuano a dannarsi sul perché sempre qui e soltanto qui.

Anche quella della farfalla monarca sembra una leggenda, e purtroppo rischia di diventarla nel giro di pochi anni. Per ora sono ancora decine di milioni gli esemplari che si riuniscono nel santuario del Michoacán, ma ultimamente la loro mortalità ha subito un incremento preoccupante. La causa è già stata accertata. Intorno alla riserva, le multinazionali della biogenetica hanno avviato colture intensive di mais transgenico del tipo Bt. Il polline trasportato dal vento va a posarsi sulle piante di *algodoncillo*, l'alimento preferito dalle larve della monarca, e il polline transgenico contiene un'endotossina che rende il mais immune agli attacchi degli insetti "dannosi", un batterio denominato *bacillus thuringiensis*. Le larve che sopravvivono si mutano in farfalle indebolite e dalla vita breve. La rivista "Nature" ha già pubblicato in proposito uno studio dell'Università di Cornell, N.Y., ma contro la logica del profitto non basterebbe neppure il coraggio del condottiero purépecha o le frecce dei mexica. Poi, qualcuno verserà lacrime di coccodrillo, ricordando lo stupefacente spettacolo delle farfalle monarca che oscuravano il sole e coloravano la vallata di un fiammante arancione screziato di nero... Ma contrariamente a quelle delle principesse innamorate, queste lacrime non formeranno nessun lago da favola: tutt'al più, irrigheranno campi di mais transgenico.

Anche i purépecha, al pari delle altre civiltà dell'odierno Messico, edificarono piramidi, ma con la singolare particolarità architettonica di un lato arrotondato, perfettamente semisferico, più simile a certe rocche medievali europee; e un maestoso complesso di costruzioni risalenti al periodo di massimo splendore, attorno al 1300 d.C., si può ammirare nel sito archeologico di Yácatas, nei pressi di Tzintzúntzan, importante centro cerimoniale lasciato quasi intatto dagli spagnoli – che solitamente usavano le pietre per costruire cattedrali – mentre quello di Tingambato, a quaranta chilometri da Pátzcuaro, è più antico (450-900 d.C.) e presenta un grande campo per il gioco della pelota. I purépecha la chiamavano *pasarutacua* e, a differenza degli aztechi e prima ancora dei maya, la palla non veniva colpita dai contendenti con parti precise del corpo, bensì con una mazza. Dunque, la disputa in campo assomigliava straordinariamente all'odierno hockey, ma con una particolarità altamente spettacolare: una partita poteva durare vari giorni, come prova di resistenza, e la notte la palla veniva imbevuta di resina e incendiata. Nell'arena di Tingambato, la notte di Capodanno, si svolge una cerimonia suggestiva, detta *Fuego Nuevo*, che vede due squadre giocare al buio inseguendo una sfera di fuoco che viene colpita con i bastoni nel tentativo di superare la meta in fondo al campo avversario.

A Pátzcuaro ho conosciuto Román Rojas e sua moglie Almadelia Barosio, che da diversi anni si prodigano a riscattare le tradizioni purépecha, addestrando squadre di giovani al gioco della pasarutacua, fino a organizzare un torneo tra varie località indigene. Una notte ho assistito a una partita nel pueblo di Huecorio, nei pressi del lago: partecipano anche le ragazze, sebbene, a prima vista, sembrerebbe un gioco alquanto duro, con quei bastoni pesanti che cozzano tra loro e la palla infuocata che spesso colpisce i contendenti sprigionando fiammate inquietanti. "Anche se la *pelota encendida* ha una simbologia guerriera," mi spiega Román, "la sfida è innanzi tutto con se stessi: il bastone va tenuto sempre basso, non si deve mai colpire un avversario, altrimenti si perdono vari punti, e il senso del gioco sta nell'abilità e nella resistenza, non certo nella forza fisica."

Prima dell'inizio si svolge un breve rituale, con il "maestro di cerimonia" – in questo caso lo stesso Román – che raduna i *chanaris*, i giocatori, e rivolge un saluto alle forze celesti impugnando il bastone del comando, una grossa mazza in legno di *tecojote* istoriata di simboli ancestrali che non verrà usata nella contesa; poi si procede all'accensione della palla e quindi c'è il *huarukukuachanacua*, lo "scontro tra i bastoni", battuti tre volte fra i due capisquadra; al quarto si scatena la disputa: nell'oscurità, la fiammata che attraversa il campo illumina sporadicamente una danza di fantasmi in tenuta bianca; ogni mischia è una sequenza di bagliori, tra schioccare di legni e respiri affannosi, corse precipitose interrotte dal grido perentorio del "sacerdote arbitro" che segnala punti o falli. L'entusiasmo con cui Román e Almadelia diffondono la cultura dei propri antenati è contagioso, e si nota dall'affetto che li circonda. "La pelota non era soltanto un gioco, ma rappresentava valori e credenze, era un rito, una cerimonia, importantissima perché sostituiva le battaglie e lo spargimento di sangue: una disputa a pasarutacua risolveva contese territoriali, lavava offese e sanava dissidi, basti pensare che alla fine, dopo giorni, notti e addirittura settimane, i chanaris, stremati, banchettavano insieme, vincitori e vinti, accettando di comune accordo l'esito della partita, o meglio, della cavalleresca prova di resistenza."

"El alma de México" è la frase scelta dal Michoacán come orgoglioso segno di distinzione che compare in dépliant e pubblicità turistiche. E ci sarebbe da augurarsi che fosse davvero "l'anima" dell'intero Messico, perché lo stato del Michoacán vanta una lunga tradizione di amministrazioni locali efficienti tale da far invidia alle altre entità governative della sterminata confederazione. La sua capitale, Morelia, va comprensibilmente fiera di un altro record nazionale: è la città con il minor numero di reati, la più "sicura" del Messico – e quindi delle Americhe, visti i dati del resto del continente – e dove il benessere si nota fin dal primo momento; e l'ordine e la pulizia che regnano nelle sue ariose avenidas e nelle strade lastricate del centro storico appaiono persino "eccessivi", se paragonati a una certa immagine del Messico prediletta dai turisti, che spesso scambiano per "pittoresco" ciò che in realtà è penuria e bisogno di sbarcare il lunario accalcandosi in strada e vendendo ogni sorta di mercanzie ovunque. A Morelia, poi, l'amministrazione municipale si è spinta oltre. Ho notato, girando in auto per il centro, che nelle code agli incroci non regolati da semafori gli automobilisti *si alternano*, in una sorta di "facciamo un po' per uno" che, miracolo, funziona. Mi hanno spiegato che questo è il risultato di un'assidua campagna tipo "pubblicità progresso" per *ingentilire* il traffico, invitando gli abitanti alla guida a cedere il passo e a non ostruire gli incroci. Non so quanto durerà, ma per ora si assiste a qualcosa di sbalorditivo, conoscendo l'intasamento di tante altre metropoli latinoamericane. E l'iniziativa sembra fare il paio con la campagna "Adotta un'opera d'arte", che sprona i cittadini a elargire finanziamenti per restauri, mantenimento di musei e monumenti, acquisto di opere finite all'estero e messe all'asta. Anche in questo caso, l'idea sta dando ottimi risultati.

Se Città del Messico ha l'università più grande, Morelia è sede di quella più antica, la prima delle Americhe, e lo stesso vale per il suo celebre conservatorio, detto *"de las Rosas"* per il più romantico dei motivi: sulla sua loggia in barocco *tablerado* erano solite sostare le ragazze in età da marito, le "rose di Morelia", e sotto sfilavano i cavalieri che intonavano romanze accompagnandosi con gli strumenti musicali in uso nel conservatorio, dando sfoggio del livello di apprendimento conseguito. Fondata nel 1541 con il nome di Valladolid, nel 1991, grazie ai suoi 1113 monumenti ben conservati, è stata dichiarata dall'Unesco Patrimonio culturale dell'umanità, ed è ancora in vigore una legge del XVI secolo che impedisce di costruire edifici più alti dei due campanili della cattedrale: ne consegue che, sebbene in periferia, il "grattacielo" in acciaio e cristalli di una grande banca multinazionale conta ben... quattro piani.

Indubbiamente ricca, un po' aristocratica nell'aspetto ma pervasa da una mentalità aperta, segnata dalla severa presenza della Compagnia di Gesù che qui ha lasciato una delle chiese più austere e imponenti del Messico, l'antica Valladolid venne influenzata per lunghi anni dagli insegnamenti filosofici di Francisco Javier Clavijero, che leggeva Voltaire e ammirava l'Illuminismo, finché l'Inquisizione cacciò lui – finito a Bologna dove morì – e tutti i gesuiti dalle Americhe, perché troppo vicini agli indios che si ribellavano al dominio europeo. Poi, conquistata l'indipendenza, cambiò nome in omaggio al suo eroe, Morelos, immortalato in tante statue equestri, con la zampa sinistra del cavallo sollevata, secondo una legge non scritta degli scultori di condottieri: se il cavallo ha entrambe le zampe anteriori appoggiate sul piedistallo, il cavaliere è morto nel suo letto, la zampa destra sollevata indica invece che è caduto in battaglia, e quella sinistra – come nel caso di Morelos – significa che è stato fucilato o comunque ucciso in seguito a un tradimento.

A Morelia c'è uno dei locali più singolari del pur variegatissimo mondo notturno messicano, il San Miguelito, ottimo ristorante suddiviso in almeno quattro ambienti: la *cantina*, cioè il bar, a forma di arena da corrida in omaggio alla dinastia dei toreri Silveti, con musica *en vivo* di gruppi tra i migliori del panorama canoro latinoamericano; la Sala delle Cospirazioni, riservata a cene di lavoro o di festeggiamenti privati, chiamata così perché l'arredo rievoca le riunioni segrete degli indipendentisti ottocenteschi; l'Altare delle Conversazioni, spazio conviviale che riproduce l'interno del tempio di Santa Prisca a Taxco; e infine, la vera sorpresa del San Miguelito, El Rincón de las Solteronas, che sarebbe l'angolo delle zitelle. L'angusto *rincón* in penombra è intasato da migliaia di sant'Antonio (da Padova, *ovviamente*), non solo santini e quadretti ma anche statue e statuette, a testa in giù, appesi per i piedi, rovesciati, immancabilmente "puniti" in attesa di riabilitazione. Si tratta di una vecchia credenza popolare messicana: sant'Antonio, chissà perché, avrebbe il compito di trovare marito, e finché non si presenta all'orizzonte uno scapolo appetibile, il povero santo resta appeso per i piedi. La faccenda viene presa sul serio da molte donne, a giudicare dal librone aperto al centro della saletta: una miriade di richieste e una cospicua serie di ringraziamenti con tanto di foto delle nozze avvenute testimoniano che, dopo una cena della speranza al San Miguelito, c'è chi ha trovato lo spasimante giusto. Ma *estámos en México*, dove si può credere a tutto senza prendere sul serio niente, o quasi. A quanto pare, qui è più facile scherzare con i "santi" che con i "fanti", perché in fin dei conti nessuno oserebbe mettere a testa in giù Morelos o irridere Zapata o uno qualsiasi dei condottieri indigeni che combatterono contro i conquistatori. Resta sempre Don Chisciotte, che troviamo ovunque – e Cervantes ha persino una statua in piazza, a Morelia – come simbolo acquisito dell'eterna lotta contro i mulini a vento così cara alla *mexicanidad*.

L'altra grande città del Michoacán è Uruapan, "luogo perennemente in fiore" nella lingua purépecha, che ben poco ha da invidiare a Morelia quanto a bellezze architettoniche e patrimonio artistico, con in più una caratteristica unica in Messico e sicuramente rara al mondo: nel cuore dell'abitato, praticamente nel centro storico, nasce uno dei grandi fiumi della regione, il Río Cupatitzio, che nello spazio di poche centinaia di metri si trasforma da pozza cristallina in tumultuoso torrente, il cui corso è progressivamente ingrossato da decine di sorgenti che sgorgano dalle rocce intorno; e questo scenario nel folto di una foresta fa una strana impressione, se si pensa che poco più in là pulsa Uruapan, con il traffico e i vicoli e le piazze e i mercati, mentre qui si salvaguarda tanta magnificenza con un parco dove le acque formano innumerevoli spettacoli, tra fontane, cascate, canali e ponti di legno, e persino vivai di trote pregiate. Tutto nasce dalla Rodilla del Diablo, una roccia basaltica lucida e levigata che, secondo l'ennesima leggenda, vide il diavolo inginocchiarsi sconfitto davanti alla Vergine e lasciare la sua impronta in quella che sembra una colata lavica.

Nella vegetazione di qui, ho notato diversi *floripondio*, gli enormi fiori gialli a campana pendula il cui polline è un potente narcotico, che nella credenza popolare viene definito "riacchiappamariti": si narra che le mogli stanche delle intemperanze dei coniugi lo usino per calmare i bollenti spiriti dei malcapitati che, stando a diverse testimonianze raccolte in villaggi di campagna, in alcuni casi hanno ridotto allo stato vegetativo uomini rimasti semiaddormentati per settimane intere. L'oppio, al confronto, è roba da ridere, e ogni tanto qualche arrischiato neofricchettone si lascia sedurre dalla fama del floripondio e vive esperienze da incubo.

La zona agricola di Uruapan ha il primato mondiale per la produzione di *aguacate*, o avocado, che esporta in buona parte negli Stati Uniti. Ma, secondo i canoni di un "libero mercato" a senso unico, gli Usa per concedere la licenza di importazione hanno preteso in cambio che il Messico compri da loro uno speciale "liquido detergente" per lavare gli avocado prima di spedirli, con la scusa di norme contro la diffusione di eventuali parassiti; e così, considerando il prezzo del detergente, finisce spesso che la bilancia dei pagamenti fa *pari e patta*... Miserie del liberismo alla maniera del Padrino: proposte che non si possono rifiutare.

A una trentina di chilometri da Uruapan, nella Meseta Purépecha, Madre Natura ha concesso all'uomo un privilegio unico nella storia fin qui conosciuta: assistere alla nascita di un vulcano. L'uomo si chiamava Dionisio Pulido, contadino indio, che il 20 febbraio 1943 stava lavorando nella sua *milpa*, il campo di mais comunitario, quando vide la terra contrarsi, sussultare, fumare, emettere rumori sordi e quindi un boato seguito da gorgoglii e schizzi di lapilli. Nel giro di pochi minuti, cominciò a sorgere al centro della pianura un'escrescenza di terra scura, che saliva verso il cielo tirandosi dietro la milpa e tutto il mais faticosamente coltivato. L'attonito Dionisio, superato lo stupore, si mise a correre a perdifiato, raggiunse il villaggio dove viveva – che si faceva prima ad attraversare che a nominare, San Juan Parangaricutiro – e lanciò l'allarme, convincendo gli scettici compaesani che stava accadendo qualcosa di incredibile. Dionisio era un uomo stimato, non beveva, aveva fama di persona assennata, di lui si fidavano: ma non fu facile credere a uno che diceva di aver visto la terra vomitare in preda alle convulsioni e, alla fine, partorire una montagna. Lo seguirono, per fortuna. Presero il loro santo patrono dalla chiesa barocca, El Señor de los Milagros – almeno quella volta il miracolo ci fu – e lo portarono via senza troppo sforzo, essendo fatto di pasta de caña, in un esodo di corsa che salvò le loro vite per una manciata di ore. Poi, la lava sommerse tutto, il vulcano raggiunse la quota di 410 metri e venne battezzato Paricutín, e oggi, nella spianata nera che si estende per venti chilometri quadrati alle falde del neonato, spunta solitario, spettrale, affascinante, il campanile di San Juan Parangaricutiro, punto di riferimento per viandanti e pellegrini, a eterno ricordo del buon Dionisio che seppe far credere l'incredibile ai compaesani.

Michoacán, "terra dei pescatori". Ma i purépecha non si riferivano alla costa, dove invece attualmente ci sono più pescatori che sulle acque dolci: il loro dominio non arrivava ai litorali sul Pacifico, e furono popolazioni di ceppo azteco che parlavano la lingua náhuatl a insediarsi tra quelle aspre scogliere a strapiombo sul mare, in quelle baie flagellate dall'oceano "che non trova pace" a dispetto del suo nome.

E siamo arrivati finalmente sulla costa del Michoacán, uno degli ultimi paradisi terrestri incontaminati e immuni alle catene alberghiere, meta di "turismo consapevole" e direi addirittura sensibile e rispettoso, praticamente sconosciuta alle guide stampate in Usa ed Europa, e miracolosamente intatta, specie se si pensa che poco più a sud ci sono Ixtapa e Zihuatanejo, nel confinante Guerrero, irte di ville e hotel faraonici, e Acapulco, ancora più a sud, mentre a nord, nel Jalisco, c'è il divertimentificio di Puerto Vallarta, frequentato dalle star hollywoodiane fin dai tempi di John Huston e Liz Taylor.

L'unica città sul litorale è Lázaro Cárdenas – oltre a darle il nome e a guadagnarsi l'imperitura riconoscenza degli abitanti espressa in statue bronzee, il presidente qui ha voluto una grande acciaieria, nel tentativo di affrancare il Messico dalla dipendenza straniera – dove il locale ufficio turistico è diretto da Blanca Gutiérrez Soto, preziosa dispensatrice di consigli per qualunque viandante che intenda percorrere la costa.

Ma che succede, o meglio, perché non è ancora successo il peggio, sulla costa michoacana? Una serie di baie di struggente bellezza, con spiagge dorate tra una scogliera e l'altra, circondate di palmeti, ognuna delle quali potrebbe rendere fantastiliardi di dollari in speculazioni edilizie, e invece non si vede in giro neanche una colata di cemento, neppure uno scempio sporadico; e alle spalle di ogni insenatura e caletta, le montagne della Sierra sono ancora verdi di foreste, una ricchezza inestimabile in *caoba* (mogano), cedri, *coral* (resistentissimo sia alla salsedine sia ai tarli), e poi i maestosi *parota*, altro legno pregiato, e i colossali *tabachín*, con quella chioma che quando fiorisce sembra una fiammata rossa, inquietante per noi abituati a vedere tanti alberi senza fiori ma che bruciano in fiammate altrettanto rosse...

Succede che la costa del Michoacán è abitata dagli indios nahua, quelli che parlano ancor oggi il náhuatl degli aztechi, e per una lunga serie di cause congenite, concomitanti, storiche, o chissà cos'altro, hanno mantenuta viva una coscienza ecologica per noi impensabile, un amore per la propria terra a prova di qualsiasi "condono" (qua i pochi casi di abusivismo a opera di stranieri *mal informati* sono stati demoliti nel giro di una notte, e si rischierebbero delle fucilate a voler perseverare) e una fierezza innata che ha finora rispedito al mittente ogni offerta da parte di catene alberghiere, multinazionali o singoli depredatori.

Il primo indio nahua che conosco è Ezequiel, consigliere comunale nel municipio che comprende quasi tutta la costa, quello di Aquíla. Mi accoglie al bivio della *carretera costera* con l'accesso alla baia di pescatori di Pichilinguillo. Da queste parti alcune tradizioni resistono, e altre no: le comunità indigene non conservano "abiti tipici" né si contraddistinguono in alcun modo, come in altre zone del Messico; Ezequiel parla perfettamente lo spagnolo, ma ci tiene a ritradurre ogni frase in nahua, la sua vera lingua. Per esempio, mi spiega che Maruata, il posto più frequentato dai turisti (messicani, per lo più, e spesso giovani del Distrito Federal, ma con un costante incremento di stranieri), deve il suo nome a una storpiatura della frase nahua *matián-palamar*, "andiamo verso il mare", di quando le comunità vivevano sulle montagne qui intorno e scendevano sulla costa sporadicamente.

Maruata è, assieme a Colola, uno dei principali centri della Repubblica per la protezione delle tartarughe: vengono a depositare le uova tre specie in particolare, la golfina, la negra e la laúd. Blanca Gutiérrez, a Lázaro Cárdenas, mi spiegava: "Se becchiamo qualche raccoglitore di uova, be', ci sarebbe addirittura il carcere, secondo la legge, ma preferiamo perseguire una, diciamo così, politica di *contenimento* del problema senza rovinare nessun padre di famiglia: in pratica, gli compriamo le uova e le consegniamo al *vivero*, dove nascono le piccole tartarughe che poi vengono liberate in mare una volta raggiunta un'età adeguata per la sopravvivenza. Così, si è innescato un meccanismo per cui i pochi raccoglitori clandestini vengono a venderle direttamente a noi... ci guadagnano di più che a metterle nel tegame per la famiglia. Però la stragrande maggioranza delle persone che vivono sulla costa ha capito che la difesa dell'ambiente, e quindi anche delle tartarughe, è un investimento per il futuro, per i loro stessi figli, e comunque da quelle parti hanno una coscienza ecologista molto più sviluppata di noi che viviamo in città".

A Maruata conosco Juan García Cervantes, segretario personale del sindaco di Aquíla. Juan milita nel Partido del Trabajo, nel Michoacán alleatosi con il Prd: hanno vinto, come sempre qui da quando esiste il Prd, fondato da Cuauhtémoc Cárdenas, figlio di Lázaro e padre del nuovo Lázaro. (A proposito del giovane governatore Lázaro junior: la destra lo attacca per le sue assidue frequentazioni di Cuba; certo Fidel è un ammiratore di suo nonno, ma il giovane è soprattutto un ottimo musicista ed è a Cuba che ha imparato a suonare come si deve.)

Maruata è un villaggio di pescatori recentemente convertitosi al "turismo sostenibile", ma la prima cosa che attira la mia attenzione è una curiosa spianata di pietrisco nero proprio all'inizio dell'abitato: non c'è dubbio, questo è, o era, un campo di atterraggio.

"C'era l'aeroporto, a Maruata?" La domanda è vergognosamente fintamente ingenua: lo so anch'io che sulla Sierra ci sono coltivazioni della migliore marijuana... Juan non è il tipo che elude le domande, e l'immediata simpatia reciproca aiuta: "Aeroporto? Sì, dei trafficanti. Hanno costruito la pista e per anni da qui sono partite tonnellate di *mota*. Ma non ne potevamo più: non è per la mota in sé, ma quelli sono delinquenti organizzati, gentaglia che ammazza per un niente, imponevano un clima di violenza costante, e la gente di qui si è organizzata... Abbiamo cominciato a mettere pietroni in mezzo alla pista. Loro li toglievano, e minacciavano stragi. Noi li rimettevamo. E così via. Non osavano arrivare allo scontro aperto, sai com'è... qui sappiamo difenderci. Però la questione andava risolta con un'azione governativa, che spezzasse la spirale di tensioni e mobilitazioni. Insomma, alla fine siamo riusciti a far intervenire l'esercito, da Morelia. E finché i soldati sono rimasti qui, abbiamo praticamente lottizzato la pista. Vedi? Sta diventando l'avenida principale di Maruata".

In effetti, in mezzo alla pista ci sono già diverse casette, e altre stanno per essere costruite.

"Adesso il traffico continua, ma devono farlo via mare. Sai com'è, i contadini che la coltivano devono pur mangiare... l'essenziale è che i mafiosi di merda se ne stiano fuori dai piedi."

Juan ha idee chiare e le esprime con poche essenziali parole. Ha lavorato dieci anni negli Usa, spaccandosi la schiena come bracciante e poi come addetto alle trebbiatrici, e in quei dieci anni non ha mai avuto il benché minimo dubbio: messi da parte i risparmi sufficienti, sarebbe tornato a farsi una casa e una famiglia nel suo amato Michoacán, lo stato che ha il record nazionale di migranti negli Usa. "Non solo perché c'è povertà, quella dilaga ovunque: è perché noi michoacani lavoriamo duro e impariamo in fretta. Ma non vogliamo restare lassù, tra i gringos: il sogno di tutti è tornare a casa, comunque e a qualunque costo."

Juan ha comprato dei terreni e un po' di bestiame, ma è soprattutto un appassionato conoscitore di alberi, e in buona parte della sua terra ha piantato caoba, coral, cueramo, sangualica e parota: "Il modo migliore per frenare il taglio clandestino è promuoverne la coltivazione. Un albero di legno pregiato ha un valore enorme, e quelli che li abbattono e li portano via non sono di qui, sono gente che viene da fuori, pagata dalle imprese straniere o messicane, ma comunque imprese di saccheggiatori... Io sono fra quanti hanno scelto la pazienza: un appezzamento di caoba o di coral, ci vogliono dieci anni perché ti dia i primi guadagni. Poi, per ogni albero che tagli, ne pianti un altro, e il bosco continua a vivere, scaglionando gli abbattimenti. È un investimento più per i miei figli, che per me". E Juan di figli ne ha quattro, tutti studenti, tutti convinti di fare l'università. "Perché loro no, non li voglio vedere a sudare e sputare sangue per un padrone gringo, loro devono studiare e lavorare qui, nella nostra terra, qualunque mestiere decidano poi di fare."

Con Juan giro per le stupende baie della costa: Barra de Nexpa, paradiso per surfisti quanto la più rustica La Ticla, e Faro de Bucerías, e Colola, e Ixtapilla, e... La Manzanillera: da qui farò davvero fatica a riprendere il viaggio, perché in vent'anni di vagabondaggi per il Messico, questo è uno dei posti sul Pacifico dove sono stato meglio, tra gente gradevole e schietta, in scenari paradisiaci. "Qui tutto è di tutti e niente è di nessuno." No, non è un altro slogan elettorale, ma la realtà della costa michoacana. Ogni baia ha un piccolo gruppo di *cabañas*, praticamente bungalow confortevoli, spaziosi, comodissimi, con bagni e docce in ogni abitazione degni di grandi alberghi, e un ristorantino che serve aragoste e gamberi e succulenti *huachinango* rosati: li pescano qui davanti, il menù dipende dal carico delle lance che tornano a tarda mattinata.

"Ci provano di continuo," dice Juan, "arrivano con la mano sul portafogli e chiedono quanto vogliamo per vendergli una baia intera. Niente da fare: non siamo in vendita. Tutto quello che vedi è stato costruito dalle comunità: ognuna decide chi deve gestire il complesso di cabañas e il ristorante, tutti ci lavorano, e gli incarichi vengono distribuiti assemblearmente. Non esiste proprietà privata. I proventi si dividono, e lo stato ci aiuta con il costo dei materiali, prestiti a fondo perduto."

Nessun indio nahua, o mestizo della costa, ha mai seguito corsi accelerati di "rispetto dell'ambiente". Sono secoli e millenni che vivono in armonia con una natura spesso matrigna, ma superba e maestosa. E non sono chiusi ai "consigli" esterni, come mi spiega il gerente – eletto dalla comunità – di un nuovo complesso di cabañas a Maruata: "Un caro amico canadese, che viene qui da tanti anni, è un bravo ingegnere specializzato in sistemi fognari non inquinanti: gli abbiamo chiesto di farci il progetto. E adesso, abbiamo un sistema che non solo non scarica in mare, ma non contamina il sottosuolo".

E tutto questo senza cedere agli speculatori. "C'è di peggio," aggiunge Juan, "oltre alla bellezza della natura, sotto questa terra c'è l'oro. E neanche tanto *sotto*: in alcuni punti, qui, nell'immediato entroterra, l'oro lo puoi estrarre senza bisogno di scavare gallerie. Una volta c'è stato un gringo, uno che si credeva molto furbo, che ha cominciato a elargire dollari a destra e a manca. C'era bisogno di asfaltare una strada? Ecco i soldi per farlo. L'allacciamento alla rete elettrica? Subito, ci penso io. E intanto, *comprava* anche appezzamenti di terreno, guarda caso dove sotto c'era l'oro... Certo, con la scusa di costruirci sopra cabañas per tutti. E quando ha preteso di mettersi a scavare, la gente della comunità gli ha detto: eh no, questo non lo puoi fare. Ma come, il terreno è mio, ha protestato il furbone. No, non è tuo: qui tutto è di tutti e niente di nessuno. Alla fine se n'è andato, furioso come un diavolo. Ma è inutile: le leggi stanno dalla nostra, nel Michoacán, e non c'è razziatore che possa comprare un solo fazzoletto di terra. La comunità decide, e decide pensando ai figli e ai figli dei figli. Non ci importa di riempire le tasche per qualche giorno o anno: qui, il futuro ha ancora un senso. Piuttosto, la gente sputa sangue a fare il bracciante in Texas, ma quando torna, vuole che questa terra sia ancora la sua terra."

Maruata, e la costa michoacana, la conoscono in pochi, all'estero, e pochissimi in Italia: sicuramente, tra loro c'è chi mi manderà degli accidenti per averne parlato ovunque ne abbia avuto l'occasione. Si sa, "amor vuol dir gelosia"... Ma state tranquilli: le genti delle comunità nahua sulla costa dimostrano di avere le spalle solide, hanno sopportato secoli di angherie e umiliazioni senza mai chinare la testa, con lo sguardo nel presente e nel futuro, sguardo limpido e schietto. Ora cercano di guadagnarsi da vivere con quel turismo fatto di persone rispettose delle diversità e vogliose di rapporti genuini con gli altri, un tipo di turismo che non andrebbe mai a Cancún o ad Acapulco, ma verrebbe volentieri qui, dove incontrare altre persone rispettose. Ecco perché è giusto promuoverlo, questo tipo di turismo. Più brave persone andranno a La Manzanillera, a Ixtapilla, a La Ticla, a Barra de Nexpa, a Faro de Bucerías, a Maruata, e meno argomenti "allettanti" avranno quelli che arrivano con la mano sul portafogli e lo sguardo pieno di cemento e spazzatura.

“Avevo cinque anni quando il mio *patriarca* mi ha portato sulla roccia più bassa della Quebrada. Non ha aperto bocca. Ha guardato il mare, poi mi ha fissato a lungo, e quando stava per ingrossarsi l'onda giusta, senza togliere i suoi occhi dai miei ha fatto un cenno con la mano, indicando la risacca. Mi sono tuffato. Vedendolo adesso, da qui, quello scoglio fa ridere, per quanto è vicino all'acqua. Ma quella sera, vent'anni fa, avevo il cuore che mi schizzava dalle costole... Arrampicandomi su, con le gambe che mi tremavano e le mani che non volevano far presa sulla roccia, non riuscivo ad alzare la testa per affrontare il suo sguardo. E non era stata la paura. Di paura, sapevo che non ne avrei avuta neppure se mi avesse portato sul picco più alto... Era l'emozione, il tremendo imbarazzo per essere stato preso sul serio dal patriarca, lo stesso che aveva guidato mio fratello e prima di lui mio padre. Non avevo il minimo dubbio che tutto fosse finito lì, al primo tuffo. Ero certo di aver fatto la figura di un ranocchio che casca in uno stagno a gambe larghe, altro che un *clavadista*... Ma quando mi aspettavo che si voltasse di spalle per tornarsene da solo al *barrio*, *lui* mi ha preso i capelli sulla fronte e li ha tirati scuotendomi un po' la testa, un gesto affettuoso, capisci? Mica per farmi male... E ha detto solo, a bassa voce come parlava lui, che poi non parlava più di tre o quattro volte in un intero giorno, insomma, a me, che avevo cinque anni e vendevo *chicles* sulla spiaggia, ha detto: ‘Oggi hai un mucchio di sciocchezze in testa, ma domani farai meglio’...”

Felipe si batte le mani sulle cosce, e mi guarda per rendersi conto se ho davvero capito quello che era successo. Poi dà un sorso lungo al succo di papaya-carota-alfalfa, si asciuga i baffetti radi, e riprende con gli occhi che brillano per il ricordo di quel primo indimenticabile *clavado*.

"Da allora, tutti i giorni alla mattina presto don Ignacio mi ha condotto su quello scoglio basso, e ho scoperto che parlava poco col resto del mondo solo perché aveva moltissimo da dire ai suoi discepoli. Ogni dettaglio, anche il più insignificante, almeno insignificante per me a quei tempi, era per lui motivo di ore e ore di spiegazioni. E sempre con un filo di voce, come se qualcuno potesse carpirgli i segreti di una vita. Per un anno intero dalla stessa altezza, e l'anno dopo dallo scoglio un po' più alto, e così via, per sette anni, fino al picco di venti metri. Ne avevo dodici, quando ha deciso che potevo entrare nel clan. E tuffarmi davanti alla stessa folla che applaudiva mio fratello. Prima di compierne diciotto, sono salito a quarantacinque metri, e l'anno dopo facevo anche il primo clavado nella notte, con una torcia accesa in ogni mano..."

Felipe si volta a guardare le rocce della Quebrada, annuisce e ride tra sé, come per non dare importanza alla bestia che ha affrontato neppure lui sa più quante volte, e ognuna sembra sempre la prima e può essere l'ultima.

"Non so cosa sente un matador quando si trova davanti agli occhi neri e alle corna aguzze del suo nuovo toro... Forse è la stessa cosa che si prova guardando la risacca da quarantacinque metri... In questo mestiere è l'abitudine, il pericolo vero. Se dopo mille tuffi ti dimentichi per un attimo quello che hai pensato e fatto la prima volta..."

Sibila tra i denti, e sorride di sbieco.

"Il mio migliore amico si è spezzato tutte e due le braccia, per aver sbagliato a giudicare un'onda che credeva abbastanza gonfia d'acqua. Poteva farcela lo stesso, ma appena si è accorto di essersi buttato troppo presto, ha perso la concentrazione, e così... È stato fortunato, perché in casi come quello, se non ci resti ne esci quasi sempre con la schiena spezzata. Il suo patriarca ha deciso che non poteva più fare il clavadista. Adesso lavora da cameriere in un grand hotel sulla Costera... e dice che guadagna più di prima, e fa finta di non avere rimpianti. Ma ogni tanto, qualche sera rara, ci beviamo insieme un paio di *copitas* alla *cantina* del barrio, e allora gli viene fuori la tristezza, e capisci quanto gli manchi la Quebrada..."

Per un attimo Felipe si perde nell'arancione verdastro

del suo succo energetico, e forse pensa che preferirebbe l'Herradura Blanco che sto bevendo io, per brindare alla sfortuna dell'amico cameriere sulla Costera. Poi, quasi per un bisogno di ridicolizzare la malinconia, qualcosa che un clavadista non può permettersi almeno quanto l'alcol, leva le braccia in alto stirandosi e canticchia: "*Llegaste tarde en el ocaso de mi vida triste...*" scoppiando poi a ridere forte. Devo aver fatto una faccia strana, perché subito mi chiede: "Come, non conosci questa canzone di Wello Rivas? Ah, ne sai davvero poco, della nostra Acapulco...".

Gli dico che, con quello che mi ha raccontato lui, ho cominciato a vederla in un altro modo.

"Sì, ma ti manca ancora il *sabor,* l'anima di quella che era e che ancora non è del tutto morta. Certo, non sarà più la stessa della canzone di Rosa Ocampo, che diceva: 'Acapulco è un sogno, paradiso tropicale, dove cantan le sirene, nel loro dolce madrigale'..." e fa una curiosa smorfia di scuse indicando il panorama che si stende davanti alla vetrata. "E tutte quelle grassone gringas con la faccia arrostita e le mani sudate, che mi circondano quando risalgo dopo un tuffo, probabilmente hanno contribuito almeno quanto i *millonarios* dei quartieri alti, a ridurmela all'immondezzaio di cemento bianco che vedi adesso tu..."

Alza le spalle, tracanna quel che è rimasto nel bicchierone da mezzo litro, e si alza improvvisamente frettoloso. È mezzogiorno, e lui è tra quelli del tuffo delle dodici e trenta. Fa un cenno per dire che ci si rivedrà più tardi, e corre via.

È strano doverlo pensare come un mestiere con tanto di orari, quello del clavadista di Acapulco. Oggi i tuffatori sono riuniti in cooperativa e hanno persino un sindacato proprio, come un ramo qualsiasi dello spettacolo. Del resto, è pur sempre di questo che si tratta: una rappresentazione di temerarietà a pagamento per turisti, pari al lavoro di un trapezista o di un equilibrista. Quello che non potrà cambiare mai è il rischio di sfracellarsi sulle rocce per aver calcolato male la risacca, rimasto identico al pericolo che correvano trent'anni fa. Anche il ruolo del patriarca, a dispetto della "serializzazione" dei tuffi, non ha subito grossi cambiamenti. Il decano di ogni clan resta il depositario di tutti i segreti del mestiere, e sarebbe impensabile diventare clavadista di professione senza seguire le *en-*

señanzas di un patriarca. Il vecchio tuffatore ne segue la crescita, li osserva, li studia, nota gli errori e ne corregge i gesti istintivi, li incoraggia e li sprona, li castiga se si illudono di poter accorciare i tempi della lunga scuola. E protegge con estrema gelosia lo spirito di gruppo, di tribù, al punto che ogni clavadista farebbe qualunque cosa per aiutare un membro del proprio clan ma non si sognerebbe mai di confidare una sola esperienza al collega di un'altra famiglia.

Felipe ha raggiunto lo sperone di roccia a quarantacinque metri dal mare. Lascia scivolare il mantello rosso dalle spalle, via di mezzo tra un accappatoio e una *muleta* da torero, si segna e tiene le mani giunte per qualche secondo. Poi sale con la punta dei piedi sull'estremità del picco, inspira profondamente e fissa il mare. Felipe è un pupazzetto chiaro sullo sfondo di pietra rossiccia, lontano e altissimo, e immagino che lassù, nonostante i trenta gradi perenni di Acapulco, debba esserci un'aria diversa, forse persino fredda, che la tensione rende quasi gelida. Adesso anche il centinaio di americani chiassosi e mezzi ubriachi abbassa il volume, qualcuno dà di gomito al vicino, e gli schiamazzi cessano all'improvviso. Giusto il tempo di vedere Felipe che vola a braccia aperte nel vuoto, verso il mare che un attimo prima è profondo venti metri e quello dopo neppure due. Appena scompare nella schiuma, conficcandosi nella massa di acqua ribollente come una freccia di balestra, esplodono gli urlacci e le risate, senza neanche aspettare di vedere se è uscito o se è rimasto sotto. Gli incidenti, in effetti, sono rari. E i turisti la considerano un'abitudine, una nota di folclore come tante altre. In fondo, il motivo principale per cui sono qui attorno è l'aperitivo. E i tuffatori, per loro, svolgono un compito analogo a quello dei complessini che alternano *Cielito lindo* a *Stranger in the night*. Un'altra consuetudine è "toccare" il clavadista, perché ogni volta che ne riemerge uno, c'è sempre un gruppo di *gringas gordas* che lo circonda e lo tasta da tutte le parti. Felipe distribuisce sorrisi, con una faccia ben diversa da quella che aveva dieci minuti fa: stira le labbra meccanicamente e gonfia i muscoli, lasciandosi palpare bicipiti e pettorali tra gridolini e squittii golosi, prestandosi ad abbracciare una bionda sulla quarantina e prossima al quintale per la foto ricordo che una solerte amica è pronta a scattare, la foto di

Felipe che scompare sotto uno svolazzo di camicioni rosa fucsia e chili di bigiotteria sferragliante.

Acapulco es un ensueño, paraíso tropical...

Il complessino alle mie spalle, forse colto da un rigurgito di amor patrio, attacca una canzone che dice: "*Acapulqueña, linda acapulqueña, cuando en la playa luces tu silueta*" e io pago i tre tequila e mi avvio verso il mio *hotelucho* della città vecchia, dove le *cucarachas* si sostituiscono all'asfalto, ma la ragazza che tiene le chiavi delle stanze e custodisce i passaporti agli stranieri ha la pelle scura e parla con un tono dolce come se avesse un immenso rispetto del silenzio. Magari non è neppure di Acapulco, però ha un sorriso malinconico che la rende più *linda* di tutte le attricette di telenovelas che affollano le ville sulla Costera.

Verso i monti di Lucio Cabañas

Chissà in quante lingue di innumerevoli testi sarà stato ripetuto che il Messico è il paese dei paradossi. Acapulco, in quanto a contrasti, non ha bisogno dell'esclusiva messicana: povertà lancinante e ricchezza oscena si affrontano e convivono come in qualsiasi altra grande città del continente americano. Tutt'al più, Acapulco esagera negli accostamenti stridenti, visto che la fatiscenza della bidonville di El Varadero si abbarbica su una collina che è esattamente di fronte a quella più esclusiva, dove architetti in preda al delirio da illimitata libertà progettuale non avevano previsto che, da certe terrazze protese sulla baia, si vedesse soprattutto la distesa di lamiere ondulate e quel brulichio di bambini in perenne ricerca di cibo, così inopportuni per la loro vicinanza in linea d'aria. Ville avveniristiche, sontuose, strambe, sfacciate. In alcuni casi ardite per la sfida alle leggi della gravità, e altre semplicemente simboli di uno strapotere che non sempre si coniuga al buon gusto. E non tutte sono state costruite per godersi quel che resta della vita, ma spesso per divenire l'ultima dimora di uomini a cui il successo aveva donato tutto tranne la capacità di fermare il tempo. Che, al contrario, li ha spinti a bruciarlo più in fretta, per ritrovarsi immensamente vecchi e soli, al punto da venirsi a nascondere qui per non essere scorti da un mondo che non vuole immaginarli diversi da come apparivano su uno schermo luminoso.

Lassù c'era anche il rifugio di Johnny Weissmuller, *el Tarzan de verdad,* quello "vero", come dicono qui. Chilometri di pellicola, milioni di fotogrammi in cui i muscoli lucenti di Johnny volano di liana in liana, Johnny dal torace possente su cui batteva i pugni lanciando il grido che faceva tremare leoni ed elefanti. Uno dei primi film lo girò proprio ad Acapulco, che allora forniva tutta la jungla necessaria, e ad Acapulco era tornato per scomparire nel silenzio, accudito dall'ultima Jane delle tante mogli avute, e nessuno sapeva a cosa pensasse nelle interminabili giornate sulla sua sedia a rotelle, immobile davanti alla vetrata come se stesse rivedendo vecchi film senza sonoro. La gente che ancora lo ricorda, qui, lo chiama don Johnny, e preferisce credere che la totale sordità dei suoi ultimi anni fosse dovuta ai troppi ruggiti di pantere e grida di babbuini sentiti in gioventù.

Anche Howard Hughes trascorse una buona parte delle sue notti insonni scrutando le luci del porto, rinchiuso nella *penthouse* di una di quelle costruzioni, perché in qualunque luogo vivesse, lui sentiva l'incontrollabile necessità di asserragliarsi nella zona più vicina al tetto. Vi sono alberghi altissimi, ad Acapulco, e tenevano riservato sempre l'attico per quell'uomo che fu il più ricco del pianeta e a cui il destino fece smarrire il senso della realtà di pari passo all'estendersi dei suoi possedimenti. Ossessionato dal terrore dei microbi, viveva isolato negli ultimi piani dei grattacieli, finendo con lo sprofondare nella sporcizia che tanto temeva. Cosa avrà mai percepito, Howard Hughes, di questa città che allora Hemingway definiva "un'eterna festa"?

Adesso ci sono dei "cordoni sanitari", per far sì che gli epigoni sbracati di Howard Hughes continuino a spendere qui i loro spiccioli. Le guardie dei grandi alberghi hanno walkie-talkie per segnalare i venditori ambulanti che oltrepassano i confini delle spiagge riservate, e fischietti per inchiodare l'intruso senza avvicinarlo. All'alba, battaglioni di ripulitori armati di scope e badili setacciano il proprio pezzetto di litorale per renderlo immacolato alla vista dei clienti, magari gettando tutto nella spiaggia accanto, in un eterno rimbalzare di rifiuti senza requie. Certo si è fatto molto, negli ultimi anni, per contenere la marea di liquami che stava trasformando la baia in un pozzo nero. Depuratori, controlli, leggi severe, qualche batosta ai *sinvergüenza* più recidivi, ampliamenti di strade per evitare gli ingorghi... Ma la lenta decadenza di Acapulco è inarrestabile. Una decadenza che comunque riguarda solo l'immagine costruita da tanti film e avvalorata dai rotocalchi, quella di un Elvis Presley che canta *You can't say no in Acapulco,* perché l'Acapulco *"de verdad"*, quella che appartiene ancora al Messico, non è mai stata così viva e genuina come adesso. I Kissinger e i Frank Sinatra, un tempo assidui frequentatori, si vedono sempre meno da queste parti. Guardandola dalla strada che mi riporta nel cuore della Sierra, penso che certe perdite siano un buon segno per il futuro.

Ad Atoyac ho riempito il serbatoio e la tanica nel baule, perché sulla cartina non compaiono altri segnali di rifornimento salendo verso la Sierra Madre del Sur. Poi c'è sempre un villaggio dove qualcuno vende benzina pompandola a mano dai bidoni, ma così mi evito di guidare con l'assillo della lancetta che scende verso la riserva.

Il traffico diminuisce fino a scomparire del tutto, e gli incontri sporadici sulle curve sempre più strette mi convincono a suonare il clacson di continuo, per non dover inchiodare davanti al muso di uno dei rari *trailers* che scendono senza rallentare minimamente. Quando trovo uno spiazzo a lato di un breve rettilineo mi fermo, ed esco a muovere qualche passo. La vista si perde nel vuoto, un'immensità di montagne tormentate da canaloni e fenditure, colline e altopiani che sfumano all'orizzonte confondendosi con grumi di nubi dal biancore abbagliante.

Guardando questo scenario che sembra un inno alla pace assoluta, al silenzio millenario, mi chiedo cosa sperassi di trovare quassù, quali segni o tracce possano ancora esserci del dramma che si è consumato tanti anni fa tra questi monti indifferenti e ripetuti all'infinito.

Riprendo il cammino, e qualche ora dopo mi fermo a mangiare in un villaggio, dove trovo una minuscola *loncheria* affollata di contadini che depositano ogni sorta di mercanzia accanto all'entrata, in un ammucchiarsi di galline, maialetti, sacchi di erbe e ortaggi, persino fiori e vasellame. Dev'essere giorno di mercato, in qualche paese vicino. Mi accolgono nell'unico angolo libero di un tavolo a cui siedono tre uomini di età indefinibile, i volti austeri e chiusi, gli sguardi penetranti ma privi di curiosità. Tra un passaggio e l'altro di salse e cestini di *tortillas* calde, un minimo di rapporto si crea per forza, e così, finito il pranzo, uno di loro tira fuori una bottiglia di *mezcal* e me ne offre come agli altri. Dopo le chiacchiere vaghe, mi decido a raccontare il perché di questo mio girovagare in una zona che di stranieri deve vederne assai pochi. Temevo di non suscitare alcuna risposta, di ricevere al massimo un annuire privo di interesse. Ma mi sbagliavo. Qui, il ricordo di Lucio Cabañas è vivissimo, e non solo i tre uomini ne parlano volentieri, ma addirittura si voltano anche dal tavolo vicino, e una donna india, con i capelli bianchissimi stretti in due trecce lunghe fino al petto, serra le labbra e rivolge lo sguardo al cielo, come per scacciare una visione di sofferenza.

"I soldati non ci hanno dato tregua notte e giorno," dice la donna con una voce triste, "arrivavano col buio, prima dell'alba, sbucando dalla nebbia come spettri, e se non aprivi subito buttavan giù le porte, e non rispettavano niente, neppure i vecchi... Sventravano i materassi con le baionette, come se i *muchachos* di Lucio potessero nascondersi dentro un letto..."

"Eppure qui nessuno lo ha tradito, Lucio," dice l'uomo che ho di fronte. "Non potevamo portare neanche un'oncia di maiz senza che la truppa ci perquisisse, e quante notti fermi sulle strade ad aspettare il permesso di tornare a casa, coi sergenti che sbraitavano e offendevano le nostre donne, e noi niente, zitti, perché qualcuno che lo aveva visto c'era sempre, ma nessuno ha mai parlato."

La leggenda di Lucio Cabañas e del suo sparuto esercito di guerriglieri sopravvive soltanto fra queste montagne nei dintorni di Atoyac, dove si è consumata l'ultima utopia zapatista, l'assurda speranza che il Messico si levasse in armi contro la "dittatura democratica" del presidente Díaz Ordaz, quello della strage di Tlatelolco. Lucio Cabañas non era un Che Guevara, e come statura politica non è riuscito a lasciare traccia nella storia del paese, ma l'accanimento con cui l'esercito gli ha dato la caccia lo rende un personaggio che merita di figurare nella schiera degli eroi perdenti messicani, gli sconfitti votati al sacrificio che si sono battuti contro la logica dei tempi, privi della benché minima possibilità di sopravvivenza.

Il '68, qui, si è chiuso con un massacro le cui cifre restano ancora incerte. Forse mille morti in una sola notte, e c'è chi sostiene che furono addirittura duemila, i caduti nella piazza di Tlatelolco dove i *granaderos* aprirono il fuoco con fucili e mitragliatrici su una pacifica manifestazione di studenti e lavoratori. Una strage pianificata, voluta dai settori del governo e dell'esercito ostili a qualsiasi dialogo, una mattanza che per la crudeltà del destino avvenne nello stesso luogo in cui gli aztechi furono sterminati nell'ultima battaglia contro i conquistadores. Octavio Paz, a quei tempi, era ambasciatore del Messico in India, e manifestò il suo sdegno rinunciando da allora a ogni incarico governativo o di rappresentanza. Tra gli innumerevoli feriti ci fu anche una giornalista italiana reduce dal Vietnam che, dopo aver vissuto come inviata al fronte gli orrori di una guerra di sterminio, mai avrebbe pensato di risentire le urla dei feriti e le raffiche di armi automatiche in un paese in festa per l'inizio delle Olimpiadi. Inutilmente Oriana Fallaci chiese all'Italia di ritirare per protesta la delegazione dai giochi olimpici. Dopo l'esecrazione internazionale d'obbligo, in pochi giorni il mondo dimenticò Tlatelolco e si immerse nel tripudio delle Olimpiadi di Città del Messico.

Lucio Cabañas era tra gli scampati, e assieme a pochi compagni decise di prendere la strada senza ritorno della clandestinità. Vagheggiando il sogno di trasformare in vietcong gli oppressi della sua terra, lasciò la metropoli e scelse la guerriglia sui monti, fedele a un mito latinoamericano che poco aveva da spartire col Messico delle rivoluzioni di massa. E ancor meno col Messico del 1968. Più che la speranza, a muovere quelli come Lucio Cabañas, fu la disperazione, la mancanza di vie d'uscita di fronte alla repressione cieca e spietata.

"I soldati erano dappertutto, e poi vennero anche coi carri armati e gli elicotteri. Tutta la Sierra era diventata zona di guerra. Quei ragazzi erano messicani, erano il nostro esercito... ma si comportavano come se avessero occupato un altro paese, ci hanno invaso e trattato come nemici, quasi che non fossero anche loro figli nostri," dice la donna con un'espressione di stupore ferito. "Io Lucio non l'ho mai conosciuto, ma conosco persone che lo hanno nascosto e nutrito. Era un uomo dolce, un professore delle scuole alte... Non credo che odiasse nessuno, ma sparava per difendersi, combatteva perché lo hanno costretto a farlo. Se non avessero ucciso i suoi amici, e tutta quella gente lassù, nella capitale, Lucio non avrebbe mai preso un fucile in mano."

Finì come lo stesso Lucio Cabañas forse aveva sempre immaginato, fin dall'inizio. Dopo i molti tentativi a vuoto, un giorno l'esercito riuscì a localizzarlo. C'è chi dice che il professor Cabañas non abbia sparato un solo colpo, che si fosse già arreso. Altri ne ravvivano la leggenda raccontando che si difese come una tigre, fino all'ultima cartuccia. Neppure uno dei ragazzi che erano saliti sulle montagne del Guerrero con lui ne è uscito vivo. Uno dopo l'altro, anche a distanza di anni, li hanno uccisi tutti.

Sono passati più di trent'anni, però ogni tanto capita di scorgere il volto di Lucio Cabañas mescolato ad altri su manifestini sbiaditi, affissi nel giorno di qualche anniversario, e stringe il cuore vedere quanto siano simili a quelli che trovi per le strade di Buenos Aires, di Santiago, di Città del Guatemala o San Salvador. Facce chiuse in rettangolini, col nome sotto e una data. Visi a volte sorridenti di persone scomparse nel nulla, *desaparecidos* o assassinati per la strada, eppure il Messico non merita questa macchia, perché la sua gente nulla ha da spartire con l'orrore dei Videla, dei Pinochet, degli Stroessner, dei Somoza. Il Messico terra d'asilo per tutti gli scampati a quello stesso orrore, paese tollerante come pochi altri in questo continente insanguinato, permise a qualcuno l'atroce follia di quella notte maledetta del 2 ottobre 1968. Qualcuno che fu preso dal panico al rendersi conto che Città del Messico aveva partorito un movimento di opposizione capace di radunare anche un milione di persone in un solo corteo.

Quando saluto i pochi rimasti nella loncheria, il pomeriggio sta sfumando verso il tramonto. Dalla strada che costeggia burroni e scarpate profonde, le montagne di Atoyac appaiono di una nitidezza folgorante, non più confuse nella bruma calda del pieno mattino, ma perfettamente disegnate e distinte l'una dalle altre, in un susseguirsi di ondulazioni e vette fino al congiungimento col cielo rosso fuoco.

La laguna di Chacahua

La prima onda sommerge la prua e trascina via gli uomini aggrappati all'albero maestro. La seconda solleva il vecchio brigantino e lo scaraventa indietro sbilanciandolo di tre quarti, col fasciame che scricchiola e geme agonizzando, gli schianti secchi delle gomene che spazzano il ponte come gigantesche fruste impazzite. Il timoniere sa che in quel punto del Pacifico, troppo vicino alla costa, le onde si susseguono in sequenze di tre, e solo riuscendo ad affrontare di prua anche la terza può sperare di raggiungere le secche.

Gli occhi dei prigionieri brillano nell'oscurità, scrutano il cielo nero dal fondo della stiva invasa dall'acqua. La maggior parte degli schiavi è annegata, i superstiti si aggrappano alle grate con le mani sanguinanti, resistono alle valanghe d'acqua che li flagellano da ore. Ma a ogni ondata che si ritira, diminuisce il numero delle dita avvinghiate alle sbarre arrugginite.

Il timoniere urla, implora il suo Dio che prima aveva maledetto, stringe i denti e appoggia la fronte sul legno nello sforzo di ruotare la barra e rimettere la prua contro l'ultima onda. Di colpo la ruota si libera dal giogo e compie un intero giro, scaraventando l'uomo fuoribordo: il timone ha ceduto, e la nave offre la fiancata alla muraglia d'acqua.

Col sorgere del sole la tempesta si placa. Del brigantino, sono rimasti solo brandelli di vela tra gli scogli e qualche barile che rotola sul bagnasciuga.

Uomini e donne dalla pelle nera, alcuni con ancora i ceppi alle caviglie, si trascinano sulla sabbia e cercano rifugio nella fitta vegetazione, lo sguardo da animale braccato, attento a scorgere la presenza del cacciatore bianco.

Così ebbe inizio, secondo la leggenda, la travagliata avventura dell'unica comunità di africani liberi in terra messicana, da un punto imprecisato della Costa Chica tra Acapulco e Puerto Angel. Al principio dell'Ottocento, un gruppo di schiavi scampati a un naufragio si inoltrò nella selva e intraprese una lunga fuga, inseguito dalle milizie assoldate dai negrieri che sterminavano i *cimarrón* per evitare che l'esempio contagiasse altri schiavi. Cimarrón è un termine spregiativo che un tempo si usava per i maiali selvatici, esteso agli uomini che non si sottomettevano al lavoro forzato. Oggi cimarrón è il discendente dei neri ribelli, degli schiavi d'Africa che fuggivano dalle piantagioni e puntavano sempre a sud, verso le zone inesplorate del Messico nella speranza che gli inseguitori si arrendessero alle sabbie mobili e alla malaria delle paludi. E fu proprio attorno alla laguna di Chacahua, nello stato di Oaxaca, che trovarono un clima tanto malsano e invivibile per i bianchi da poter fondare una comunità di neri liberi e in armi. Il tamtam del mito di Chacahua dovette estendersi fino alle piantagioni degli Stati Uniti, perché altri cimarrón raggiunsero quelle paludi e ingrossarono le fila di un piccolo esercito agguerrito, che mise in fuga gli indios della regione e respinse più volte gli assalti dei bianchi. Si narra che, prima di intraprendere la fuga, gli uomini cercassero un'arma da portare a Chacahua, mentre le donne affondavano il capo nei sacchi di sementi per trattenerne una manciata fra i capelli crespi. Le poche superstiti che raggiungevano stremate la laguna per prima cosa sceglievano un pezzo di terra vergine e vi scuotevano i capelli lasciando cadere i semi.

Oggi Chacahua è un parco naturale, su decreto di Lázaro Cárdenas. La laguna resta un luogo ignorato dal turismo e conosciuto quasi esclusivamente dai surfisti californiani e neozelandesi, che considerano la spiaggia di Zapotalito tra le migliori del Pacifico per la lunghezza delle onde. E questo nonostante la vicinanza con Huatulco e il relativo Club Mediterranée, che è forse l'unico centro turistico del paese dove capiti di vedere miliardarie messicane scendere dall'aereo col visone sulle spalle. In gennaio, il periodo più freddo, non è raro che vi siano 35 gradi all'ombra.

Huatulco a parte, lo stato di Oaxaca è ancora una regione incontaminata, dove meno è penetrata la civiltà occidentale e resistono ancora ampie zone inesplorate. Solo da pochi anni è stata ultimata la costruzione della strada che da Acapulco scende fino in Guatemala, mentre prima per arrivare a Chacahua dal Distrito Federal occorreva attraversare lo stato di Veracruz e quindi il Chiapas. Qui la Sierra Madre del Sur offre contrasti così violenti che in pochi chilometri si può passare dal freddo intenso dei valichi sui quattromila metri alla vegetazione tropicale di una piccola vallata improvvisamente afosa. C'è chi sostiene che su queste montagne vi siano specie animali non ancora classificate. In ogni caso, vale la pena spingersi fino al mercato di Pinotepa, che dista un paio d'ore da Chacahua, per scoprire una tale varietà di plantigradi, roditori, rettili e rapaci da mettere assieme il più bizzarro degli zoo.

La laguna è raggiungibile tutt'altro che comodamente attraverso un paio di strade sterrate. La prima volta che ci sono andato, la stagione delle piogge era appena finita, e le jeep cominciavano ad avventurarsi sui sentieri che una settimana addietro erano letti di torrenti. Fino a novembre, cioè all'arrivo della siccità che ricompatta la terra battuta, gli unici mezzi di trasporto sicuri sono i muli e i cavalli. Più agevole, e veloce, è sbarcare direttamente a Zapotalito noleggiando una lancia a Puerto Escondido o a Puerto Angel. A Chacahua i pescatori hanno persino fondato una cooperativa per condurre gli scarsi visitatori nel cuore dell'intrico di vegetazione lacustre e raggiungere i numerosi isolotti dove nidificano migliaia di aironi, ma la pesca rimane la principale risorsa dei cimarrón e degli indios che da tempo convivono con loro. L'acqua salmastra offre una specie rara di granchi giganti e gamberi rossi, oltre al pesce pregiato che però comincia a scarseggiare da quando lo sbarramento di sabbia, che in estate veniva sommerso e lasciava entrare le onde del Pacifico, si è consolidato e sta costringendo una ruspa a lavorare incessantemente per tenere aperto lo sbocco nell'oceano. E per un accordo preso assemblearmente dalle comunità della laguna, da molti anni nessuno usa più reti a strascico. Quelli che possono permettersi una lancia escono in mare aperto, e una mattina ho assistito alla processione di neri che portavano in spalla motori da 75 cavalli apparentemente senza il minimo sforzo, seguiti dalle rispettive famiglie. Tutti insieme, aiutano a turno i pescatori a prendere il largo dopo aver atteso il momento propizio nella sequenza di tre, o a volte sette, onde alte quanto la fiancata di una superpetroliera. Solo negli intervalli possono aprire il gas e allontanarsi, altrimenti si ritrovano al punto di partenza col pericolo di infrangersi sugli scogli affioranti.

Un'altra risorsa è l'allevamento di coccodrilli, che proliferano in una delle isole interne. Ma scarpe e borsette non c'entrano: in questa zona un tempo erano diffusi come in tante altre del Messico, e l'allevamento serve proprio per vendere coccodrilli a quegli stati che stanno ripopolando fiumi e paludi dei parchi naturali.

A un certo punto il barcaiolo mi ha indicato, senza aprir bocca, un isolotto sovrastato da una sorta di eruzione bianchissima, come se la vegetazione fosse fiorita con una densità mai vista. Avvicinandoci, il rumore ha provocato l'alzarsi in volo degli aironi che hanno formato una nube candida sulla cresta degli alberi. La protesta per averli disturbati ha creato un frastuono assordante.

Molti degli isolotti sono abitati, ma in nessuno arriva la luce elettrica. Eppure, passandoci davanti, sentivo uscire da ogni capanna la musica di radio e mangianastri a tutto volume, alimentati con batterie d'auto. Per i cimarrón, la musica è un genere di prima necessità, senza dubbio. E nonostante il Caribe sia sul versante opposto, con in mezzo una catena montuosa che si estende all'infinito, anche a Chacahua il reggae prevale su salsa e cumbia...

Yucatán

Il vento ha un profumo strano, quando tira dalla terraferma. Sembrano fiori d'arancio, eppure si vedono solo palme, oltre la laguna. La sabbia è dorata, finissima, quasi borotalco. E l'oceano ha una gradazione di turchese che vira al verde smeraldo allontanandosi verso il largo, dove ciuffi di spuma contrastano con la placidità della risacca sul bagnasciuga, quasi che il sole togliesse forza persino al mare. Cancún è il condensato dell'immaginario collettivo su come dovrebbero essere i Caraibi, solo che, vedendoselo davanti, la prima sensazione è di sorpresa: dunque, esiste davvero.

"Un miracolo di verde, come una distesa di giada... e questo mare, dalla purezza di lacrima cristallina, col suo fondale di arena dorata e alghe di velluto, quest'acqua accarezzata da una brezza che profuma di spezie e zagara..."

Così scriveva mezzo secolo fa il giornalista Aldo Baroni, nel tentativo di rendere con l'inchiostro le prime sensazioni del suo arrivo nello Yucatán a bordo di un traballante biplano. Innamoratosi del Messico al punto da dimenticare l'Italia, Baroni fu amico di Emiliano Zapata e Francisco Madero, divenne redattore di "El Diario", e quando Lázaro Cárdenas assunse la presidenza, ricevette l'invito a percorrere l'intera penisola yucateca per scriverne un libro in cui colori, suoni e odori prenderanno il sopravvento su qualsiasi descrizione geografica. Lo Yucatán è un paese a sé, lontano in tutti i sensi dal resto della Repubblica messicana, strenuo difensore di una diversità che gli è valsa una delle storie più travagliate dell'intero continente. Duecentomila chilometri quadrati di pianura calcarea, dove i fiumi sono rari e l'acqua scorre sotto terra, abitata dai pochi discendenti superstiti dei maya e pervasa dal silenzio, dai muti segreti di una civiltà che ancor oggi costituisce un mistero indecifrabile.

Per buona parte del turismo statunitense ed europeo, lo Yucatán si riduce alla sola Cancún: baie dalle abbacinanti spiagge caribiche sognate nei lunghi inverni e palme da cocco sotto cui dimenticare frastuoni, ritmi concitati, anidridi solforose, e ogni forma di fretta. Fino a pochi anni fa, qui non c'era altro che una lingua di terra deserta con alle spalle una laguna blu cobalto e davanti l'oceano, in tutte le sue sfumature dal turchese al verde smeraldo. Sabbia fine e bianchissima, fenicotteri rosa che arrivano a nugoli, fondali corallini frequentati da paciose tartarughe giganti. I computer della Banca del Messico, opportunamente interpellati, decretarono che quell'isola lunga diciannove chilometri poteva facilmente essere collegata alla terraferma con agevoli strade sopraelevate. E così, nel giro di un lustro, avveniristici alberghi e fantasiose piscine si alternavano a campi da tennis e da golf, mentre l'attonito villaggio limitrofo, il cui nome in maya significa "vaso d'oro", si trasformava in un contenitore di merci e vettovaglie: le retrovie del nuovo polo turistico destinato a soppiantare l'affaticata Acapulco. La vera Cancún sarebbe originariamente questa, poco al di sotto dell'estrema punta orientale della penisola e appartenente al nuovo stato del Quintana Roo, ma è alla *zona hotelera* che si riferiscono agenzie e compagnie aeree illustrandone gli ineguagliabili pregi. Secondo le leggi messicane, però, le spiagge non sono privatizzabili, e molti dei frequentatori occasionali non figurano quindi tra gli ospiti paganti. È difficile distinguere i primi dai secondi quando tutte le differenze sono affidate al solo costume da bagno. Mi è capitato più volte ad Acapulco, per cui ci ho senz'altro riprovato a Cancún. Ho scelto una sdraio vicina al bordo di una piscina, dalla forma sinuosa e il solito bar semisommerso, col barista chiuso nella sua postazione a tenuta stagna e gli avventori seduti sugli sgabelli a pelo dell'acqua. Gli asciugamani blasonati e l'accappatoio mi sono arrivati cinque minuti dopo, seguiti da un cameriere a cui ho ordinato un daiquiri, bevanda abbastanza turistica da non destare sospetti. Una precauzione inutile, perché il tipo è rimasto a pensarci un attimo e poi mi ha chiesto se non preferissi *un tequila derecho*, cioè liscio. Ho annuito con un senso di liberazione, e lui ha approvato ridacchiando. Credo di essere stato tradito dalla borsa: tirando fuori un libro, deve aver visto i jeans e la maglietta insaccati dentro. Quando è tornato col bicchierino di Siete Leguas più sale e limone, ha mormorato con aria distratta: "Il numero dell'abitazione...". Ho risposto "123", al che è parso riflettere, per poi consigliarmi: "Io metterei 2407. Ci stanno due gringos che ingurgitano qualsiasi liquido che odori di alcol, tequila più tequila meno... Dia retta a me". Gli ho confermato subito la 2407. Mezz'ora dopo mi ha portato anche una birra e il conto, che ho firmato con uno scarabocchio indecifrabile. Ovviamente ho aggiunto una buona mancia, sempre sul conto della 2407.

Cancún, a parte gli innesti di calcestruzzo, resta un frammento di paradiso terrestre capace di far ammutolire persino le frotte variopinte che i voli da Miami depositano qui a getto continuo. La maggior parte di loro non si spinge verso l'interno, dove le già frequentatissime rovine maya faticano a conservarsi integre sotto l'afflusso di visitatori non sempre rispettosi. E c'è stato persino qualcuno che ha spinto la propria "ammirazione" ben oltre: basti l'esempio di tre distinti signori statunitensi che un giorno hanno affittato un elicottero, si sono librati su una zona di recenti scavi archeologici, e hanno imbragato un idolo di pietra che adesso starà conferendo grande prestigio al giardino di qualche villa della Florida o della California.

Nonostante simili casi, che fortunatamente restano sporadici, il cuore della penisola yucateca è vigile custode dell'impenetrabile cultura maya, conservando le vestigia di città che erano morte da tempo quando i primi conquistadores le scoprirono. I siti archeologici di Chichén Itzá e di Uxmal sono ancor oggi motivo di disputa fra archeologi e studiosi della lingua maya, solo in parte decifrata. Raffinati e poco inclini alla guerra di conquista, i maya svilupparono le attività artistiche e l'architettura raggiungendo un livello enormemente superiore alle altre civiltà del continente americano, ma furono anche astronomi e matematici straordinari, al punto che solo nel XX secolo gli scienziati moderni hanno superato in esattezza i loro calcoli. Estremamente precisi nel registrare lo scorrere del tempo in giorni, stagioni e cicli solari e lunari, stabilirono il punto zero dal 13 agosto del 3113 a.C. Resta ora da verificare se avessero ragione nel decretare la fine dell'universo al 24 dicembre del

2011... Le maestose città da loro edificate emanano un fascino che deriva non solo dall'armonia delle forme, ma soprattutto dall'aurea di mistero che vi si respira. Qualcuno ha preteso di ravvisarvi inspiegabili influenze egizie ed ebraiche, mentre in tempi più recenti c'è stato chi si è spinto a interpretare certi bassorilievi come omaggi ad astronauti extraterrestri, che spiegherebbero in un sol colpo di spugna perché i maya fossero così progrediti. Teoria che ai messicani suona sottilmente razzista: non volendo ammettere che civiltà "sconosciute" fossero più evolute nel campo delle scienze, si sono inventati uno sbarco di marziani...

Davanti alla sontuosa facciata del "Palazzo del Governatore", a Uxmal, o alla ciclopica "Piramide dell'Indovino", si è in effetti portati a chiedere come sia potuto scomparire nel nulla un popolo in grado di edificare simili costruzioni. La più grandiosa è quella che gli spagnoli chiamarono "Convento delle Monache", immaginando che dovesse ospitare le vergini dedite al culto delle loro divinità, esempio di quell'eleganza architettonica che distingue i maya da ogni altra civiltà precolombiana. Chichén Itzá è invece più imponente e marziale, sovrastata dalla Piramide di Kukulcan la cui scalinata, vista dal basso, dà le vertigini al solo pensiero di arrampicarsi fino al tempio eretto sulla sommità. Questo si spiega con l'influenza dei toltechi, popolo guerriero che nel X secolo conquistò Chichén Itzá e ne proseguì l'edificazione, aggiungendovi aquile e serpenti piumati. I toltechi si fusero con i maya, convertendoli però al culto di Quetzalcóatl, che tra le altre cose chiedeva ai suoi fedeli frequenti sacrifici umani. Sembra che prendessero estremamente sul serio anche il gioco, almeno stando al bassorilievo sul muro che delimita il campo della pelota: il capitano della squadra perdente ha la testa mozzata, che viene sorretta cerimoniosamente da un giocatore avversario.

La mancanza di sorgenti renderebbe assurda la presenza di tali centri urbani, ma la spiegazione sta nelle immense cavità sotterranee chiamate *cenote,* veri e propri serbatoi naturali formatisi nella roccia calcarea, in alcuni casi venerati come luoghi sacri. Lo Yucatán è un infinito reticolo di grotte e gallerie, solo in parte esplorate. A pochi chilometri da Chichén Itzá è possibile visitare quelle di Balancanchén, un dedalo di corridoi che immettono in tre gruppi di ambienti, usati dai maya per cerimonie e anche come magazzini inaccessibili agli eventuali nemici. Accanto a stalattiti e stalagmiti che formano colonnati e alberi di pietra, restano quasi intatte le effigi del dio Tláloc, i troni dei sacerdoti officianti, e un vasto campionario di vasellame, oggetti in osso, madreperla e giada, da cui si desume che i riti dei maya richiedessero una complicata e lunga esecuzione. Poco più a nord di Uxmal ci sono invece le grotte di Calcehtoc, il cui nome significa "la testa del cervo di giada". Oltre ai reperti archeologici, offrono la presenza di inaspettati giardini sotterranei, formatisi grazie a fenditure nel calcare che permettono alla luce di insinuarsi in alcuni punti. Dirigendosi a sud-est, nei pressi di una cittadina dal nome impronunciabile e che sulla carta figura come Oxkutzcab, sono state scoperte quelle di Loltún, "fiore di pietra", considerate le più importanti del Messico. I bassorilievi sulle pareti risalgono a circa duemilacinquecento anni fa, cioè al periodo preclassico dei maya.

Anche sull'altro versante, scendendo a sud di Cancún, rovine di città fortificate, parchi naturali e barriere coralline sono in grado di sconvolgere tutti e cinque i sensi. Tulum, oltre ai templi e agli affreschi, ha una vista sul Caribe che spiega perché certi figuri come Drake, Morgan e Lafitte venissero qui a riposarsi dopo le fatiche della pirateria. Cozumel, l'isola delle rondini, rappresentava indubbiamente un rifugio "esclusivo". Dicono che sia ancora il tratto di mare più limpido e trasparente di tutto il pianeta, quella che separa Cozumel da Playa del Carmen, con visibilità fino a settanta metri. Poco più a nord, nell'Isla Mujeres così chiamata dagli spagnoli per le statue di figure femminili, barche dal fondo trasparente permettono di esplorare El Dormitorio, un cimitero di navi pirata quasi intatte e nitidissime sul fondale di poche decine di metri.

Tutto questo merita di essere visto, non c'è dubbio. Solo che, il Messico, è *altro*. Lo Yucatán, poi, se raffrontato a Cancún o a Cozumel, sembra addirittura un paese estraneo.

Per tentare di scalfire quella crosta impalpabile, quel velo che la "messicanità" mantiene per difendersi da chi non potrebbe capirla, c'è solo un modo: cominciare dalle *cantinas*. E più il locale è sgangherato, piccolo, umido di alcol sudato e col pavimento scivoloso per l'impasto di polvere e bicchieri perduti a metà strada, più sarà facile sentirsi "accettato". Per cogliere il *sabor* di un luogo, non c'è altro modo che trascorrere un pomeriggio in una cantina a parlare di niente e di tutto con chiunque.

A Progreso ci sono arrivato dopo un viaggio a singhiozzo, sorretto dagli interventi tra il magico e l'esilarante di meccanici che hanno in pratica creato un nuovo radiatore all'asfittica Malibù di un amico, disgraziatamente offertosi per darmi un passaggio da Felipe Carrillo Puerto fino all'altra costa. Lui ha deciso di trascorrere le ultime ore di luce nel cortile di un demolitore: il quale, prima di mettersi a cercare i vari pezzi fra le carcasse, ha dato una lunga occhiata circolare dentro il cofano e poi è esploso in una risata. Così mi sono infilato nella cantina che c'era due isolati più in là, dove ho scoperto una bottiglia di tequila Cazadores, rarissima a queste latitudini. Il resto è venuto da sé: brodo di *camarón* bollente e piccantissimo, offerto dalla casa al posto di noccioline e salatini; una birra Indio per spegnere il fuoco in gola, e subito dopo è arrivata una ciotola di *chapulines,* microscopici grilli sotto sale. La seconda Cazadores me l'ha offerta un tizio di fianco, probabilmente ammirato da quanto poco ci ho messo a finire i chapulines. Le presentazioni sono venute più tardi, proprio mentre la moglie del *cantinero* ci porgeva due piatti di pesci fritti. Nelle cantine si paga solo il bere, e lasciare sul banco le *botanas*, come viene chiamata qualunque cibaria utile ad aumentare la sete, è segno di scarso apprezzamento per l'ambiente.

Jacinto parla nel suo spagnolo arrotondato, con questa cadenza yucateca che fa tanto ridere i *chilangos,* cioè gli abitanti di Città del Messico, a loro volta visti da tutti gli altri come curiosi ibridi metropolitani. "Per i chilangos siamo gente un po' tonta, ritardata," dice ruotando l'indice davanti alla tempia, "e ci considerano così lenti, da usare il termine 'yucateco' come sinonimo di rimbambito." Ride, e subito ordina un altro giro di birra e tequila. "Sul fatto che siamo lenti, hanno ragione: loro hanno imparato a vivere di fretta come i gringos, ma ancora non ci hanno spiegato dove credono di arrivare, con tutto quell'agitarsi per niente..." Poi entra un ragazzetto a vendere delle gomme, e Jacinto ne compra un pacchetto. Mi mostra la scritta: Chiclets. Guardo, e aspetto di capire perché. "Anche questo ci hanno fregato," mormora stringendosi nelle spalle. Dopo una lunga pausa, il tempo di sudare fuori la birra precedente, Jacinto sospira e si decide a raccontare il frammento a sua conoscenza sulla singolare storia del chewing-gum. Perché il fatto che i messicani lo chiamino *chicle* non deriva dall'ennesima spagnolizzazione di un termine inglese. Al contrario. *Tzictli* è una parola maya, e ancor oggi gli indios yucatechi hanno l'abitudine di masticare l'estratto gommoso che ricavano dai frutti acerbi di un albero originario di questa penisola, il *chicozapote*. A sud di Felipe Carrillo Puerto ci sono ancora grandi piantagioni di chicozapote, anche se la maggior parte della gomma che mastichiamo è ormai prodotta sinteticamente. "Cioè dal petrolio," sottolinea Jacinto scuotendo la testa. E inghiotte la tequila in un colpo, come per considerare chiuso l'argomento. Che invece mi incuriosisce tanto da farmi ripromettere di approfondirlo appena torno a Città del Messico e alle sue sterminate biblioteche.

Poi mi parla di Progreso, delle spiagge che secondo lui non hanno nulla da invidiare a Cozumel o a Isla Mujeres, dei turisti chilangos "che purtroppo se ne sono accorti da qualche anno" e in tempo di vacanze trasformano Progreso in un *bordel* di macchine e rumore, di Cuba che è a una notte di lancia e di come la gente di qui si senta più antillana che messicana. A un certo punto se ne esce addirittura con un: "È tutta colpa della Malinche". E finiamo col discuterne, perché la storia della concubina di Cortés merita a mio avviso una difesa in appello che a lui non convince del tutto.

Malintzin era una giovane bellissima, forse appartenente a una tribù maya del Tabasco, la regione a sud-ovest della penisola yucateca, o secondo altri originaria del Jalisco, dove venne rapita e, venduta da un cacicco all'altro, giunse in schiavitù fino alle terre dove sarebbero sbarcati i conquistadores. Di famiglia nobile, parlava i vari dialetti maya e la lingua degli aztechi, i precedenti conquistatori della sua terra. Un naufrago castigliano, Jerónimo de Aguilar, che conosceva il maya, faceva da traduttore fra lei e Cortés. Ma in pochi mesi, Malintzin apprese lo spagnolo e non ebbe più bisogno di alcun tramite per comunicare col suo nuovo signore. *Malinche* è la pronuncia spagnola del nome datole dai maya, però i conquistadores l'avrebbero ben presto "cristianizzata" con tanto di battesimo chiamandola doña Marina, conferendole il titolo nobiliare di "donna" in riconoscimento non solo delle origini ma anche dei suoi modi aristocratici e della fine intelligenza. Forse la Conquista non avrebbe avuto lo stesso corso, senza di lei. O quanto meno, si sarebbe svolta con minore rapidità. Perché doña Marina fu guida preziosa e interprete insostituibile, così apprezzata da Hernán Cortés che, dopo averla "donata" al fido Alonso Hernández Puertocarrero, alla partenza di questi nel 1519 se la prese per sé, e in seguito riconobbe il figlio da lei avuto, Martín Cortés, inviandolo in Spagna e nominandolo suo unico erede. L'aiuto concreto di doña Marina, che non solo traduceva i colloqui con i capi delle tribù yucateche prima e con gli aztechi di Tenochtitlán dopo, ma forniva consigli e impressioni su come aggirare ostacoli e ingannare il nemico, l'hanno trasformata nel simbolo stesso del tradimento. Ci sono struggenti ballate che ancor oggi narrano con infinita malinconia, e anche con rancore, la crudeltà della Malinche che permise agli spagnoli di capire come meglio uccidere e depredare. *...Maldición de Malinche, enfermedad del presente, cuando dejarás mi tierra...*

Eppure, nel comportamento di doña Marina vedo in fondo una certa coerenza. Non poté "tradire" gli aztechi, perché da sempre erano suoi nemici: contribuire alla distruzione di Tenochtitlán e dell'impero era per lei una vendetta verso un popolo che aveva assoggettato il suo. Ma aveva validi motivi anche per odiare i maya del Tabasco, che non esitarono a trasformarla in "regalo" quando ci fu da ingraziarsi i nuovi padroni. Se poi consideriamo che il patrigno di Malintzin l'aveva a suo tempo "ceduta" ai capi di quelle tribù, il suo disprezzo per l'intero genere umano doveva raggiungere abissi di odio che spiegano qualsiasi gesto. Mettersi dalla parte dei conquistadores era per lei l'occasione di vendicarsi delle umiliazioni patite fin da adolescente. In cambio dei servigi resi, Cortés l'avrebbe fatta sposare più tardi con uno dei suoi capitani, Juan Jaramillo, gentiluomo di corte nonché facoltoso proprietario di terre conquistate. E un intero paese l'avrebbe disprezzata per quattro secoli di seguito, e ancora non la dimentica. Come Jacinto, che alla fine ribadisce: "Qualsiasi motivo avesse, poteva starsene zitta, e limitarsi ad andare a letto con tutti gli spagnoli che le pareva... In fondo, non è che l'abbiano trattata meglio degli altri: due volte l'hanno *regalata* i maya, e due volte loro. Ma lei l'ha fatta scontare solo ai primi, *pinche vieja traidora...*".

Un signore dall'aria austera sta seguendo la nostra discussione, e a un certo punto, con un gesto cerimonioso, chiede il permesso di intervenire. Si presenta come don Alvaro, e vedo il cantiniere e sua moglie confermare con ampi cenni del capo il rispetto goduto dall'attempato gentiluomo. "La sua tesi è molto interessante," esordisce rivolgendomi uno scintillio dei suoi occhialini senza montatura. Ordina un giro di tequila da mettere sul suo conto, e riprende: "Quanto meno comprensibile, sì, ma... lei sa cosa sia un *aperreamiento*?".

Penso che *perro* vuol dire cane, ma non riesco ad andare oltre.

"L'aperreamiento era una punizione inflitta dagli spagnoli agli indios colpevoli di mancanze gravi," spiega don Alvaro. "E la *gravità* dipendeva ovviamente dal loro insindacabile giudizio... Dunque, il malcapitato veniva legato per i polsi e issato, dopodiché il carnefice gli aizzava contro un cane, presumo un mastino da guerra, che lo sventrava."

Resto col bicchiere a mezz'aria, mentre Jacinto fa una smorfia e inghiotte la sua tequila con un gesto rabbioso.

Don Alvaro annuisce per qualche secondo, assaporando lo sdegno dei presenti. Poi racconta: "Esiste un dipinto nel quale uno scellerato pittore ritrasse il supplizio dell'aperreamiento, dove compare Hernán Cortés in pompa magna che presenzia allo scempio di sei indios. Bene... al suo fianco, c'è lei, doña Marina, la sventurata Malinche, che assiste al massacro con tanto di rosario nella mano".

Rinuncio subito a qualsiasi replica, e dalla Malinche la discussione passa all'Italia e quindi a Garibaldi, che a queste latitudini gode ancora di notevole carisma.

Quando ci salutiamo, fuori è ormai buio, e il ragazzetto delle chicles è seduto sul marciapiede a chiacchierare con un coetaneo che vende pannocchie bollite. Parlano una lingua per me incomprensibile, immagino uno degli oltre venti dialetti maya dello Yucatán.

L'indomani prendo una corriera per Mérida, mentre l'amico della Malibù ha deciso di tornare a Città del Messico in aereo, dopo aver venduto la macchina al demolitore per una cifra che gli è servita appena a pagare albergo e colazione.

Mérida è la città più importante della penisola, i cui abitanti agli inizi del secolo amavano definirla "la Parigi del Messico". Più che alle bellezze architettoniche, comunque apprezzabili solo la mattina presto o al tramonto per via del clima torrido che toglie motivo a qualsiasi gesto, il paragone con la capitale francese deriva dall'esagerata ricchezza dei suoi cittadini: se non riuscivano a ricostruire in Mérida i fasti della vecchia Europa, per lo meno potevano permettersi di trascorrere a Parigi buona parte del loro tempo. L'origine di tanto benessere si chiama *henequén*, fibra tessile ricavata dall'agave e conosciuta come *sisal*, dal nome del porto sulla costa nordoccidentale. Con l'henequén si costruiscono soprattutto cordami, e nel secolo scorso la richiesta sul mercato internazionale si decuplicò nel giro di pochi anni. Per i discendenti dei maya, che ne avevano inventato la lavorazione e l'uso, l'henequén si trasformò in una maledizione. Trattati come schiavi prima dagli spagnoli e poi dai nuovi proprietari messicani, gli indios dello Yucatán hanno scritto col sangue la propria storia degli ultimi quattro secoli. Nuño de Guzmán iniziò la "pacificazione" della penisola, portata a termine da Francisco de Montejo solo dopo quindici anni di guerra. Mai del tutto soggiogati, gli ultimi maya ripresero le armi in forze all'avvento dell'Indipendenza. Le loro condizioni, se mai era possibile, peggiorarono sotto il dominio dei latifondisti bianchi e meticci. Nella seconda metà del XIX secolo la rivolta incendiò l'intero Yucatán. Nel nome di Jacinto Canek, leader indigeno che cento anni prima gli spagnoli avevano squartato legandolo a quattro cavalli, i maya misero a ferro e fuoco fattorie e villaggi, arrivando ad attaccare Valladolid i cui abitanti superstiti fuggirono a Mérida e Campeche. Per la prima volta tutte le comunità indigene si unirono nella lotta contro l'oppressore, dove non sarebbero stati però risparmiati neppure i missionari. La profezia di riscossa era già annunciata nel *Chilam Balam de Chumayel*, il codice maya tramandato dagli avi, e il machete, simbolo della schiavitù nelle piantagioni, si trasformò nell'arma con cui decapitare qualsiasi bianco a portata di lama. Per spiegare l'esplosione di ferocia degli indios, basterebbero certe sculture coloniali sulle facciate dei palazzi, che raffigurano conquistadores bardati di armatura reggersi in piedi su teste di indios mozzate. Tanto disprezzo non poteva che sfociare in un bagno di sangue. Ma quando i maya erano ormai alle porte di Mérida, e i bianchi lanciavano disperati appelli a Europa e Stati Uniti, accadde un fatto incredibile: gli indios presero a ritirarsi rapidamente verso l'interno, rinunciando alla possibilità di sconfiggere definitivamente i loro nemici. La spiegazione era nella comparsa delle formiche alate, che preannunciano la stagione delle piogge. Essendo contadini, e non guerrieri, tornarono precipitosamente ai loro campi per la semina, altrimenti non avrebbero avuto raccolti per un intero anno. Così, con altrettanta rapidità, giunsero dal mare cannoni e fucili, qualche migliaio di mercenari americani e truppe fresche da Città del Messico. La vendetta si risolse in una carneficina: nel 1850, un terzo della popolazione indigena era stato cancellato. Con Porfirio Díaz, al potere ventisei anni più tardi, il genocidio non solo proseguì, ma aumentò in efferatezze e crudeltà. Forse il destino della penisola si può racchiudere nel suo stesso nome: Yucatán deriva dalle parole maya *ciu-than*, e significa "noi non vi capiamo". Era la frase più sentita dagli spagnoli, che anche qui erano venuti in cerca di oro senza trovarne nemmeno un'oncia, e alla loro reazione violenta gli indios avevano solo il tempo di dire "non riusciamo a comprendervi"...

La gomma dei maya

Il Quintana Roo è l'estremo lembo della penisola yucateca che finisce al confine con quell'Honduras britannico che da qualche tempo si chiama Belize. Nonostante possieda le località turistiche del Messico più note all'estero, il Quintana Roo viene raramente citato dalle agenzie che continuano a preferire il generico termine di Yucatán quando descrivono le meraviglie di Cancún o Cozumel. Poco più a sud della celebrata Tulum, c'è la Baia Emiliano Zapata: come padre dell'ala libertaria della Revolución, il malinconico ribelle del Morelos affida l'eterna memoria delle sue gesta al golfo più remoto e meno conosciuto dell'intera federazione messicana. E nessuna guida al mondo troverà mai un motivo per spingere il turista a visitare l'unico paesino che si affacci su questa baia, Vigía Chico. Per arrivarci in auto occorre scendere fino a Felipe Carrillo Puerto, nonostante Vigía Chico si trovi in linea d'aria molto più vicina a Tulum, da nord. A Felipe Carrillo Puerto c'è se non altro la certezza di poter riempire il serbatoio, per poi avventurarsi su una strada non abbastanza larga per due mezzi alla volta che attraversa una giungla che spesso assomiglia a un delirante giardino botanico, e si spegne cinquantanove chilometri più avanti, praticamente contro i resti di quella che era la stazione ferroviaria. L'ultimo treno è partito da qui almeno ottant'anni fa. Vigía Chico è uno dei rari punti di attracco nella costa caribica centrale del Quintana Roo. Sorta come avamposto di vigilanza, sembra che dal 1915 non vi sia più nulla da controllare, tanto che la ferrovia si è autoestinta. La sua costruzione fu voluta da Porfirio Díaz, ufficialmente per togliere dall'isolamento una regione raggiungibile allora soltanto via mare. Ma nel nome, Ferrocarril Militar, era già rivelata la vera motivazione: trasportare truppe e armamenti per combattere gli ultimi maya ribelli, i cruzobs.

Uno dei capi leggendari di quella lunga guerra senza speranza fu un bianco cresciuto tra gli indios che finì per guidarli nelle rivolte contro gli invasori della sua razza. Nel 1896 un missionario sbarcò a Tulum per compiere delle ricerche sulle rovine preispaniche. Con lui c'erano tre marinai e il figlio adottivo di uno di loro, Juan Bautista Vega, di dieci anni. Il gruppo fu attaccato dagli indios, che risparmiarono solo il bambino. Lo portarono al villaggio di Chumpón, dove il capo della tribù, Florentino Kituk, notò che il piccolo Juan Bautista aveva conservato un libro: si trattava di una bibbia, e la curiosità di Kituk finì col trasformare il bambino nel suo maestro, da cui apprese a leggere e scrivere. Juan Bautista acquistò grande rispetto nella comunità, e con gli anni ne divenne il nuovo cacicco: dopo la sconfitta di Porfirio Díaz, il governo di Venustiano Carranza gli riconobbe il grado di "generale", accettando l'autonomia degli ultimi maya da lui guidati verso una zona inaccessibile della selva dove le truppe non si erano mai spinte a ingaggiare battaglia. Juan Bautista Vega, *el general de los mayas libres*, morì nel 1969, all'età di ottantatré anni.

Quella che oggi è una striscia di spiaggia candida, stretta fra le onde verde smeraldo e il muro di vegetazione compatta, agli inizi del secolo scorso veniva descritta come "accozzaglia di caserme, lupanare e miserissimi tuguri per soldataglia e mano d'opera di criminali". Questi ultimi erano i condannati ai lavori forzati, che quaggiù finirono falcidiati da malaria, serpenti, attacchi degli indios e, soprattutto, dalle crudeltà dei guardiani. Di lì a poco Porfirio Díaz avrebbe annunciato alla nazione che "la guerra contro le tribù ribelli ha conseguito un indubbio successo". Piegati dunque i maya grazie anche all'importazione di fucili Mauser e mitragliatrici Gatlins, per la sperduta regione del Quintana Roo sarebbero venuti i tempi delle "esportazioni". E per una strana ironia della martoriata storia centroamericana, risulta che proprio in questa zona cresceva in abbondanza l'albero del *chicozapote*: cioè il responsabile di quello che sarebbe diventato il simbolo più diffuso e immediato degli Stati Uniti, il chewing-gum.

Tutto ebbe inizio quando un certo Thomas Adams venne a sapere che gli indios dell'estremo Sud messicano avevano l'abitudine di tenere sempre nella borsa un grumo di materia gommosa, da cui ogni tanto staccavano un pezzetto per masticarlo. Il sapore era buono, vagamente definibile come *fruit flavour.* Nella testa imprenditoriale del signor Adams dovette suonare qualche campanello a distesa, perché avviò subito le opportune indagini scoprendo che la sostanza veniva estratta dai frutti acerbi del chicozapote: importatene circa due tonnellate, iniziò la lavorazione di quella che si sarebbe rivelata la scoperta del secolo. Il fatto che oggi in Messico si chiami comunemente *chicle,* una volta tanto non è dovuto all'ibrida trasposizione di un termine anglosassone alla pronuncia ispanica: infatti *tzictli* è la parola náhuatl che indica la più antica delle usanze messicane, il masticare chicle. Dunque un cammino inverso per arrivare al celeberrimo Chiclets. Il primato di Thomas Adams venne poi insidiato da un certo Philip Wrigley che, illuminato dalla necessità di non farla attaccare ai denti, ideò la miscela con la gomma estratta da un'altra zapotacea, la *achras-zapote,* che cresce sempre in Messico ma molto più a nord e sul versante opposto, nello stato del Jalisco.

Da tempo la resina gommosa viene estratta incidendo l'intero tronco, anziché i soli frutti acerbi. Il mestiere del *chiclero* è tutt'altro che gratificante: nove mesi all'anno in un accampamento nel cuore della giungla, armato del solo machete per il lavoro e per la sopravvivenza, dall'alba al tramonto scalando alberi altissimi aiutandosi con una corda ai piedi. Cinque giorni a riempire borse di lattice, e i sabati e domeniche dedicati alla "cottura": due ore di bollitura e un'altra di raffreddamento, per poi marchiare ogni pane ottenuto con le proprie iniziali, affinché la compagnia, che paga a cottimo, possa saldare i conti. La fauna umana che viene a perdersi in quest'angolo di mondo dimenticato è alquanto variegata: non pochi sono transfughi di chissà quali disastri personali o "sociali", ricercati e *desperados* dell'ultima frontiera. La maggior parte è costituita da indios maya, veracruzani della costa, e belizegni. Ma c'è anche un certo numero di "biondi con gli occhi azzurri", *güeros* che parlano a malapena lo spagnolo o più spesso non parlano affatto, singolari personaggi che conferiscono una strana parvenza di legione straniera allo strampalato esercito dei chicleros.

Fin dagli anni quaranta del secolo scorso, però, è iniziata a diffondersi lenta quanto inesorabile la fabbricazione di gomma con procedimenti sintetici, il che significherà la condanna del chicozapote a tornare a essere soltanto un albero maestoso, che fornisce un frutto tropicale difficilmente conservabile e per questo sconosciuto in Europa. Dimenticando il punto di vista dei chicleros, ci si può consolare pensando a un pezzetto di selva che, ridiventando vergine, fornirà un po' di ossigeno in più al pianeta. In quanto al nostro ruminare placa-angosce, ci accontenteremo di masticare altri derivati del petrolio, come diceva imprecando Jacinto in quella *cantina*.

"*Los muchachos* vivevano proprio nella casa qui accanto," dice doña Rosamaria servendo un altro giro di *torito*. Da almeno trent'anni le tre sorelle Andrade gestiscono la più antica *cantina* di Boca del Río. E prima di loro c'erano i genitori, che in questo locale dalle pareti azzurre e le mezze porte a molla hanno contribuito a perfezionare la più famosa bevanda veracruzana, appunto il *torito*. Doña Rosamaria non ha problemi a rivelarne la "formula", "tanto come nel mio Centro Boqueño non lo bevete da nessun'altra parte," aggiunge col suo sorriso picaro: il *sabor natural* va dal cocco alla guayabana, comprendendo i frutti di stagione come per esempio il *jobo*, sorta di oliva gialla vagamente aspra e fibrosa, quindi una parte di latte e zucchero, e ovviamente una robusta dose di *cañita*, l'*aguardiente* di canna che a Veracruz si usa in versione raffinata per i cocktail ma si vende anche in farmacia come disinfettante. *Los muchachos* di cui mi sta raccontando con gli occhi che le brillano di orgoglio si chiamavano Fidel, Albertico, Miguel, Ernesto detto El Che... Hanno vissuto nella casa accanto alla cantina El Centro Boqueño fino al 1956, e lei ogni giorno bussava alla loro porta per consegnare il pranzo preparato dalla madre. "Avevo solo vent'anni, e per me, allora, la cosa che più mi attraeva di quel gruppo... be', erano proprio dei gran bei ragazzi." Socchiude gli occhi e inclina la testa, con un gesto che la riporta indietro di cinquant'anni. "Certo, erano strani, e non solo perché passavano le notti a pestare su quelle rumorosissime macchine da scrivere: per esempio, avevano messo in giro la voce che nella casa c'erano i fantasmi, e questo bastava a tenere lontani i curiosi. Una volta mi sono azzardata a chiedere spiegazioni a uno di loro, così, solo per sapere chi fossero e a cosa si dedicassero... Mi ha guardato serissimo, e ha detto: tu sei una cara *chica,* ma devi continuare a non fare domande e a tenere per te quello che vedi. Un giorno, spero molto presto, capirai perché." Cambia bottiglia, doña Rosamaria Andrade, e serve un giro di torito al *cacahuate*, cioè noccioline frullate. "Per quel che ne so, di vivo c'è rimasto solo Fidel. Gli altri sono morti tutti durante la rivoluzione. Ricordo che per mascotte avevano un formichiere che un giorno si è ammalato e non c'è stato verso di curarlo. Quelli gli hanno fatto una tomba come se fosse un cristiano, e ci hanno messo persino i fiori. Erano strani, davvero... Ma tutte le donne del quartiere non si sono dimenticate di loro, puoi giurarci." Dopo un ammiccare complice, si decide ad aggiungere: "Chissà, magari hanno lasciato addirittura qualche ricordo...".

Figli di Fidel nel porto di Veracruz?

"No, Fidel era troppo serio. Non si faceva vedere quasi mai in giro, l'unica immagine che conservo di lui è quella gran barba e gli stivaloni sempre lucidi. Però gli altri... insomma, ce n'erano alcuni che sapevano proprio godersela, la vita." Si stringe nelle spalle, e torna dietro il bancone per servire un cliente che ha seguito il dialogo con frequenti assensi e sospiri di rimpianto. Ma per doña Rosamaria l'argomento è chiuso, e adesso prende a raccontarmi delle feste del paese, delle scommesse sulle corse dei gatti, della gara ad acchiappare un maialino unto di grasso, delle interminabili serate nella cantina più antica di Boca del Río.

Un tempo questo era solo un piccolo villaggio sul golfo a pochi chilometri da Veracruz, ma negli ultimi anni la metropoli con oltre un milione di abitanti si è estesa fino a risucchiarlo e farne il suo quartiere più a sud. Il sole sta finalmente calando, e a malincuore saluto le tre sorelle Andrade per tornare verso il centro della città.

I suoi stessi abitanti hanno definito Veracruz "il più grande manicomio del mondo con vista sul mare", e ogni notte l'inspiegabile sortilegio si ripete puntuale. Principale porto del Messico, caldissima per il clima tropicale eppure laboriosa e frenetica, col buio Veracruz si trasforma in una festa smisurata, migliaia di persone sciamano nelle strade e gli antichi portici vibrano di voci e suoni. *Los portales,* il colonnato che circonda la piazza principale, è un formicaio di tavolini, chitarre, *congas*, *marimbas*, ma soprattutto *jaranas*, le piccole chitarre ricavate da un unico pezzo di legno pregiato, con le quali si accompagna il "Son Jarocho". Qui il termine *jarocho* comprende tutto: la regione, i suoi abitanti, la cucina tipica, i famosi sigari che contendono il primato agli Avana, e così si chiama anche il treno che ho preso da Città del Messico per venirci, un mezzo di trasporto che in questo paese rappresenta da solo un evento indimenticabile. Lentissimo, lussuoso nel suo barocchismo postporfiriano, dotato di comodi e grandi letti sui quali nessuno dorme perché la notte va trascorsa per intero nella carrozza bar, dove si beve stravaccati in vasti divani di consunto velluto rosso e si intonano canzoni struggenti che perdono intonazione con l'aumentare delle bicchierate, e se proprio uno si decide a riposare qualche ora, un addetto in divisa impeccabile passa ad avvertire di tenere abbassate le tendine, perché sulla linea c'è sempre qualche banda di ragazzini che prende a sassate questo strano animale che viaggia a cinquanta chilometri l'ora ululando come un mostro dolente...

E *son jarocho* sono le lunghe ballate di uno, o tre, o magari dieci *jaraneros,* che cominciando dalle strofe di una vecchia canzone finiscono col misurarsi inventando ballate in rima, coinvolgendo spesso qualche *porteño* alla decima birra che alza la bottiglia e si lancia nella sua parte di improvvisazione. E la *parranda,* come dicono qui, non si estingue mai prima delle tre o le quattro, ma per chi vuole fare l'alba c'è sempre una cantina aperta a ciclo continuo. È vero che il calendario messicano comprende circa tremilaseicento feste all'anno, cioè una media di dieci paesi in delirio per ogni giorno, ma Veracruz sembra non avere bisogno di date precise. L'apice lo raggiunge senza dubbio in febbraio, con la settimana del carnevale che per fama e follia è secondo soltanto a quello di Rio. L'amico Néstor, che di notte mi è guida insostituibile e di giorno dirige una Casa della Cultura, mi ha mostrato un idolo zapoteco che in un certo senso rappresenta il patrimonio genetico tramandato nel sangue dei jarochos: è una divinità dal volto sorridente, allegro, emblema dell'esatto contrario delle altre religioni precolombiane che volevano gli dèi severi e vendicativi. "È un dio che se la ride del mondo, epicureo e godereccio, *suavemente encantado de la vida,*" assicura Néstor. Eppure, quando Hernán Cortés sbarcò il 21 aprile 1519 sull'isolotto al centro della baia, iniziando così la Conquista e fondando la prima città della Nuova Spagna, trovò dei resti umani e la battezzò Isla de los Sacrificios, nome in stridente contrasto con l'essenza delle genti veracruzane.

Le mura che difendevano la città sono state abbattute da qualche decennio. Gli sbarchi dei pirati le avevano rese indispensabili alla sopravvivenza degli abitanti, ma le esigenze del traffico ne hanno decretato l'esecuzione sommaria. In fondo, quello delle auto è stato solo un colpo di grazia: perché ci sono poche città al mondo che abbiano subito tanti bombardamenti e assedi quanto Veracruz. Fra i corsari di Drake, Hawkins, Gramon e del famigerato Lorencillo, le truppe spagnole cacciate e ritornate per domare gli indipendentisti, i francesi di Luigi Filippo e i marines nordamericani, vanno calcolate nell'ordine delle decine di migliaia le cannonate sparate su Veracruz in meno di quattro secoli. Oggi resta qualche rocca convertita in museo o sala per concerti, e il maestoso forte di San Juan de Ulúa, che sorge all'entrata del porto e deve il suo nome all'incomprensione linguistica fra i conquistadores e gli indios locali: quando gli spagnoli chiesero il motivo dei resti umani sull'isola, si sentirono rispondere con una parola che alle loro orecchie suonava più o meno come "ulúa". In realtà, gli indios dicevano Aculhuacan, riferendosi al nome dei signori che li dominavano, alleati degli aztechi della provincia di Texcoco, che erano appunto gli autori di tali sacrifici umani. Come ogni fortezza, San Juan de Ulúa sfoggiava bocche da fuoco sui bastioni ma custodiva all'interno i pericolosi sovversivi ed eretici che ogni nuova fase storica partoriva. Qui fu incarcerato l'*historiador* Francisco Javier Clavijero quando venne sciolta la Compagnia di Gesù, e fu uno dei pochi a non morirci di febbre gialla o vaiolo nero, epidemie che si diffondevano facilmente fra i detenuti per le proibitive condizioni di insalubrità delle segrete al di sotto del mare, poiché Clavijero ottenne in tempo l'esilio nella lontana Bologna. La leggenda narra che l'unica a non poter essere trattenuta da queste mura di pietra spesse vari metri sarebbe stata la Mulata de Córdoba, fattucchiera accusata di stregoneria e fuggita niente meno che su una barca da lei disegnata sulla parete della cella.

Ma un'evasione clamorosa e senza ricorsi a poteri magici avvenne, ed ebbe per protagonista Jesús Arriaga, il popolare Chucho el Roto, un Robin Hood locale che rubava agli spagnoli ricchi per donare ai veracruzani poveri. Anche questa leggenda è in sintonia con l'indole della città: niente sbarre divelte, né guardie assalite nel cuore delle tenebre, bensì uno stratagemma che risultò senz'altro efficace ma alquanto imbarazzante per essere tramandato sui libri di scuola. Siccome i prigionieri vuotavano a turno i loro buglioli in grandi barili comuni, i quali ogni mattina venivano rovesciati in mare, Chucho el Roto riuscì a immergersi in una botte di escrementi e resistette, non è noto se con l'aiuto di una cannuccia o con lunghe apnee, finché non volò in acqua e raggiunse poi a nuoto la riva. Dopo una comprensibile parentesi di riposo, riprese a combattere gli invasori con maggiore ardimento, ma il suo destino si sarebbe dovuto compiere a San Juan de Ulúa: ricatturato, tentò una seconda fuga che venne scoperta, e la condanna fu la flagellazione fino alla morte.

Veracruz, "la quattro volte eroica". E le ultime due, contro *"esos malos vecinos que tenemos allà"*, dice Néstor indicando vagamente verso nord. Nel 1847 il governo degli Stati Uniti mandò settanta navi con tredicimila uomini, e la città fu sottoposta a cinque giorni di cannoneggiamento ininterrotto. Nonostante ciò, allo sbarco delle truppe i messicani opposero una resistenza accanita, che non poté comunque impedire ai marines di occupare Veracruz e restarci fino al luglio del '48, quando il presidente Santa Ana firmò la resa e cedette agli Stati Uniti la California, il Texas e il New Mexico. Nell'aprile del 1914 si verificò il secondo sbarco, dovuto ufficialmente a un banale incidente fra marinai statunitensi e la polizia portuale messicana. Il pretesto per una nuova invasione si verificava in un momento critico per il paese, con Huerta autoproclamatosi presidente dopo l'assassinio di Madero e le truppe di Villa e Zapata tornate a combattere per una rivoluzione tradita. Ma il frangente di confusione politica, che si ripercuoteva anche su Veracruz, non consentì ai marines un'occupazione indolore: i cadetti della scuola navale aprirono il fuoco di loro iniziativa, e subito l'intera popolazione della zona portuale prese a sparare da finestre e balconi e a lanciare mobili in strada per costruire barricate. La città non sembra affatto volersene dimenticare: i monumenti in bronzo eretti proprio all'entrata del porto di sicuro non contribuiscono alla distensione, con quei ragazzi dal volto fiero e gli attempati signori in palandrana che brandiscono mitragliatrici e moschetti verso il mare, puntati sui moli dove sbarcarono i marines. E a riprova che i rancori sono tutt'altro che sopiti, capita di vedere sulla porta di alcune cantine popolari cartelli con la scritta: *No hay servicio para los yanquis...*

La vena di sarcasmo riaffiora invece nel ricordo della seconda volta che Veracruz si guadagnò l'alloro di eroina, cioè nel 1838, per la cosiddetta Guerra dei Pasticcini. In quell'occasione furono i francesi a stringere d'assedio San Juan de Ulúa, reclamando il risarcimento di duecentomila pesos preteso da un pasticciere francese che aveva perso i suoi bignè in uno dei frequenti moti di piazza. L'allora presidente Anastasio Bustamante, venutone a conoscenza, dichiarò formalmente guerra alla Francia, e solo nel marzo dell'anno successivo i due paesi avrebbero stipulato un altrettanto formale trattato di pace.

Se la martoriata fortezza è adesso un museo conservato con grande cura, al centro della città ho notato una lunga costruzione coloniale in stato di totale abbandono, e Néstor mi spiega che si tratta dell'antico ospedale spagnolo, in attesa di futuri restauri che tardano a concretizzarsi. Nonostante l'ora tarda, assicura che non c'è alcun problema a entrarci per dare un'occhiata. Sua moglie Adolfina conferma con un cenno possibilista, e aggiunge: "Basta fare un po' di rumore, così i topi scappano prima che li veda io...".

Dopo aver attraversato un vasto patio con tanto di fontana al centro, ci avventuriamo nei meandri dell'edificio che ha tutto l'aspetto di una prigione in disuso. Ogni porta è dotata di inferriate, che curiosamente sembrano di tipo moderno, e quando provo a scostarne una si rivela di legno verniciato in grigio ferro. Néstor sorride divertito, e mi chiede se non ricordo di aver già visto un posto simile in qualche film. "È qui che hanno girato *Il console onorario,*" interviene Adolfina tirandomi verso il fondo del corridoio, dove la luce dei lampioni esterni ci riporta al pulsare della città. "Doveva sembrare un posto al confine tra Argentina e Paraguay, ma si trattava di Veracruz e dintorni." Néstor indica la strada: "Fra una ripresa e l'altra Richard Gere e Michael Caine bevevano torito proprio lì sotto, in mezzo ai camion che mi hanno bloccato la strada di casa per un mese".

Visto che la notte sta per finire e i ruderi dell'antico ospedale spagnolo favoriscono il clima da caccia ai fantasmi, Néstor propone di recarci nel luogo che detiene il primato in quanto a fenomeni paranormali. Quando vede che lo prendo sul serio sembra avere un attimo di indecisione, poi saltiamo tutti e tre sulla sua Vollswagen prima che passi l'euforia da contagio.

La villa diroccata della contessa di Malibram si erge sulla sponda del fiume, a pochi chilometri dall'abitato. Per quanto siano in molti a giurare sulla presenza in bande di *chaneques* dispettosi, cioè una specie di gnomi indigeni, addentrandoci fra i ruderi siamo troppo impegnati a difenderci da legioni di zanzare per accorgerci di eventuali spettri. La contessa era ovviamente bellissima, garantisce Néstor, e deve la sua fama sinistra al numero di amanti che sembra abbia liquidato nel pozzo del cortile. La leggenda vorrebbe che dai sotterranei della villa si diramassero gallerie attraverso le quali poteva raggiungere la città con tanto di carrozza, cosa che si verificava a ogni sbarco di pirati. Fu proprio in uno di questi frangenti che sarebbe nata una delle più famose canzoni caribeñe, *La Bamba*. Durante un'incursione un menestrello si avvicinò a queste mura in cerca di scampo, e gli armigeri della contessa, scambiandolo per un pirata, si apprestavano a impiccarlo senza dar peso alle accorate proteste di innocenza. In un estremo tentativo di dimostrare quale fosse la sua vera attività dichiarando a squarciagola che "non veniva dal mare", il menestrello impugnò la *jarana* e prese a cantare: "*Yo no soy marinero...*". Col passare dei secoli il testo ha subito sostanziali modifiche, ma la prima strofa è rimasta identica. Leggenda a parte, nessuno a Veracruz ha il minimo dubbio sul fatto che *La Bamba* sia nata qui, alimentando l'annosa diatriba con Cuba che peraltro investe buona parte dei più noti ritmi e balli.

I sotterranei della contessa di Malibram si sono ostruiti da tempo, in parte per frane naturali ma soprattutto per il lavoro di cercatori clandestini che si dice abbiano razziato vasellame e suppellettili. Resta viva la convinzione che esista un favoloso tesoro nascosto qui attorno, mentre qualcuno sostiene che sia stato saccheggiato da tempo. Comunque c'è sempre chi è disposto a ricominciare il gioco passando una notte tra i ruderi armato di pale e picconi. La vegetazione tropicale si sta ingoiando le mura dell'insaziabile contessa, ed è probabilmente grazie alle continue spedizioni se nelle vaste stanze la terra battuta non riesce a far spuntare alberi e cespugli. Un particolare conferma che la signora divoratrice di amanti aveva fatto il possibile perché la sua dimora fosse all'altezza del personaggio: come pietra da costruzione fece impiegare blocchi di corallo bianco, che alle prime luci del giorno brillano tra il verde del muschio.

Torniamo in città, all'ora giusta per una colazione al Café de la Parroquia. Adolfina garantisce che il caffellatte non ha niente da invidiare al cappuccino italiano. Al centro del bancone troneggia una specie di centrale geotermica anteguerra, costituita da mastodontiche caldaie con intrichi di tubi in rame e placche in ottone dove campeggiano scritte in italiano. È sicuramente la più complicata macchina del caffè a sud del Río Bravo, e il manovratore, che armeggia ai numerosi bracci da cui sgorgano fiotti di liquido nerissimo, più che un barista ricorda il fuochista di una torpediniera. Al tavolo ci portano il caffè in bicchieri capienti, se vogliamo il resto non dobbiamo far altro che batterci contro il cucchiaino. Quando Néstor me lo spiega, capisco finalmente il motivo dei tintinnii che si levano continuamente dai tavoli. Prendo a picchiettare sul bicchiere anch'io, e al richiamo arriva l'instancabile *lechero,* cioè un cameriere con due bricchi di latte caldo che poi versa da un'altezza pari al suo braccio teso. È di una precisione impressionante, non ne schizza fuori una sola goccia: con la caduta da un metro e mezzo, l'effetto cappuccino è assicurato. E considerando che fra il salone interno e i tavoli sotto il portico ci sarà almeno un centinaio di persone, il frastuono di cucchiaini sui bicchieri sovrasta persino l'immancabile marimba, che alle otto del mattino ha già attaccato a suonare furiosamente davanti all'entrata.

La flor de los muertitos

Se il tabacco è la pianta che lo rende famoso, attraversando lo stato di Veracruz la vista è talmente catturata dalle distese di fiori d'ogni colore e forma da far dimenticare che qui la "cultura del sigaro" si contende il primato con L'Avana. Capita spesso di sorpassare camion stracolmi di fiori gialli, specie se il periodo è vicino alle festività dei morti, fiori a tonnellate, ammassati nei cassoni come ortaggi, tanto è il consumo che ci si appresta a farne. Carnosi, dai petali arruffati e fitti che ricordano i garofani, ma più concentrati, più "robusti", considerando che sopportano di essere trasportati a quel modo, quasi li caricassero a palate. È il *cempasúchitl,* il fiore dei morti per eccellenza, tramandato dalle cerimonie azteche e coltivato allora sui giardini galleggianti di Xochimilco, dall'odore indefinibile, un misto di amaro e dolciastro che qualcuno assicura esser simile a quello dei cadaveri. Non so se davvero profuma di morte, il cempasúchitl. Certo non evoca nulla di triste, considerando che la ricorrenza dei defunti, in tutto il Messico e ancor più nel Veracruz, è ben altro che dolore e rimembranza. Ricordo, sì. E anche rimpianto. Ma non lutto, perché l'arrivo di novembre è salutato come una festa attesa un anno intero, e i cari estinti, da queste parti, non amano il silenzio e ancor meno il digiuno...

Si comincia addirittura il 18 ottobre, per accogliere i defunti di "pallottola, incidente o affogamento", cioè quelli che non hanno avuto il tempo di confessarsi e quindi si presume soffrano di più nell'aldilà. Per loro i festeggiamenti durano quasi un mese e mezzo, anime in pena per le quali si preparano *tamales* di carne, fagioli e mais, e che vengono intrattenute fino al 30 di novembre fra pranzi, canti, scoppi di mortaretti e bevute dell'altro mondo. Perché nei giorni dello Xantolo, come viene chiamata la festività di Ognissanti, è credenza diffusa che i morti tornino fra i vivi per accettare le loro offerte, per ritrovare il calore della famiglia e degli amici. È dunque un obbligo non farsi trovare tristi e affranti, ma gioiosi della loro visita. Basta vederla sotto questa luce, e non risulta affatto strano che si accolga un ospite tanto atteso sparando fuochi artificiali e cucinando quanto di meglio offre la tradizione culinaria veracruzana. E nelle domeniche comprese fra il 18 ottobre e il 30 novembre, dette *domingos grandes,* le case vivono una frenesia di rinnovamento che investe persino stoviglie e suppellettili, poiché i "visitatori" rimarrebbero male al ritrovarsi i soliti piatti sbrecciati o le stuoie lise. Il 30 ottobre si raggiunse l'apoteosi del cempasúchitl: è "il giorno degli archi", e gli uomini del villaggio si dedicano a costruire archi di fiori passando da un'abitazione all'altra, ricevendo al compimento dell'opera una bevuta di mezcal o rum, e una scarica di petardi che ne annuncia a tutti l'avvenuta costruzione. Gli archi hanno una struttura di *otate,* un legno flessibile simile al bambù, ricoperta con cempasúchitl alternati a *manos de león,* fiore rosso cupo che in lingua náhuatl si chiama *cuapeleche,* "cresta di gallo". Poi si appendono frutti e pani dalle forme umane, pupazzetti che portano incise le iniziali dei defunti "ospitati". Infine, al centro dell'arco, con la Vergine e i santi sullo sfondo, si depongono in abbondanza bottiglie di liquore e sigarette, ovviamente del tipo e marca amati dall'estinto. Perché se una volta abbandonato questo mondo, la persona non dimentica i piaceri della tavola e la gioia di rientrare in una casa linda e fiorita, non si capisce perché debba rinunciare ai suoi vizi...

Anche sulle tombe, oltre ai fiori, si portano bottiglie di birra e cibarie, trasformandole in tavole imbandite dove i parenti pranzano in un clima di naturale allegria, contenti di ricongiungersi alla persona cara. Se questi è un *angelito,* cioè l'anima di un bambino, la carne dei tamales è sempre di pollo, ovvero di un animale che non spaventa i più piccoli.

Le scariche di mortaretti sulla soglia di casa hanno un compito ben preciso: richiamare l'attenzione degli spiriti e indicare loro la strada per ritrovare i propri familiari. E passando da un villaggio nell'entroterra del Veracruz in uno di questi giorni, ci si ritrova con i timpani che fischiano per l'assordante sparatoria. Parte della santabarbara viene conservata per il giorno fatidico, quando i cimiteri sono invasi da una moltitudine festosa. Dalle quattro del pomeriggio alle otto di sera, il crepitare dei fuochi d'artificio fa da contrappunto ai gruppi di musici che intonano canzoni a richiesta, secondo i gusti dei singoli defunti quando erano ancora in vita. Spesso, nelle vicinanze del cimitero o sulla piazza del paese, si esibiscono i *voladores* di Papantla, una cittadina nota in tutta la Repubblica per la produzione di vaniglia e patria di questi singolari acrobati. Piantato un palo alto trenta metri alla cui sommità è fissata una specie di "ruota" quadrata, un sacerdote e quattro voladores si arrampicano uno dopo l'altro e si legano alla caviglia il capo di una lunga corda avvolta alla ruota. Poi, accompagnati dal flauto del sacerdote che suona un'antica nenia malinconica e ossessiva, cominciano a girare a testa in giù, librandosi nel vuoto a mano a mano che la corda si srotola, fino a vorticare vicinissimi al suolo, con le teste che sfiorano il selciato o la polvere della piazza. Il tutto continuando a fissare il sole, apparentemente immuni alla forza centrifuga che li tiene in volo, ripetendo un rito ancestrale del popolo totonaco che solo sfidando la morte in volo poteva guadagnarsi il diritto di rivolgere il volto alla divinità solare.

Nel giorno dei morti è consuetudine invitare sulla tomba apparecchiata il primo estraneo che passa, e a me è capitato di essere chiamato dai sorrisi e i gesti gentili di un gruppo di donne, una madre e le sue cinque figlie. Mi sono seduto in un angolo, di fianco alla croce di ferro non ancora arrugginito, immaginando che non fossero trascorsi molti mesi dalla morte del loro congiunto. "Mio padre ci ha lasciate l'anno scorso," mi ha detto una delle ragazze, che avrà avuto circa sedici anni. La madre ha annuito, con espressione serena. "Per un calcio di cavallo in fronte," ha aggiunto un'altra. Poi la più grande, sui vent'anni o forse meno, ha raccontato che al principio volevano venderlo, quello stallone assassino, ma alla fine hanno deciso di tenerlo in memoria del padre, che lo considerava il suo favorito. "Al mattino lo liberiamo nel recinto grande, e lui scarica il diavolo che si porta dentro scalciando e correndo come un ossesso. Ieri è accaduto che a un certo punto si è bloccato al centro del campo, e ha annusato il vento. È rimasto così, immobile, piantato con le gambe dritte e il collo rigido e la coda levata, aspettando qualcosa. Poi, dopo una decina di minuti, ha abbassato la testa e si è messo a camminare in circolo, tranquillo, e a un certo punto ha preso a muoversi al galoppo trattenuto, quello che faceva tanto faticare mio padre per insegnarglielo... Era tornato. Per il giorno dei morti, il suo cavallo si è lasciato montare senza ribellarsi. Nessuno gli aveva più messo una sella, da quel giorno. Ma ieri, era come se avesse anche il morso e le redini..."

Ho guardato l'immagine ovale di ceramica al centro della croce. Un volto bonario, più giovane dei cinquant'anni dichiarati dalle date sulla tomba, che ho visto scostando un lembo della tovaglia. Forse la foto era stata scattata anni addietro, col vestito buono messo per la cresima di una figlia, o per il matrimonio di un *compadre.* Le donne hanno brindato sorridendo verso l'uomo, con le loro bottiglie di bibite dai colori accesi. A me hanno offerto una birra, che era lì nonostante nessuna di loro ne bevesse. Verso la fine del pranzo, è passato un uomo che ci ha salutato togliendosi il sombrero. Gli hanno offerto uno dei tamales rimasti, poi lui ha ricordato l'amico morto parlando di episodi felici, come la festa per la nascita dell'ultima figlia, o di una volta che avevano bevuto un po' troppo e si erano accompagnati a vicenda l'uno a casa dell'altro, per buona parte della notte. La vedova ha riso, ricordando che alla terza o quarta volta che l'avevano svegliata si era affacciata alla finestra lanciando loro un secchio d'acqua. Anche le figlie si sono messe a ridere, quasi che il padre fosse lì a riderne con loro. Parlavano di qualcuno che era tornato per qualche giorno in famiglia, e l'unica cosa triste era pensare che alla fine del mese se ne sarebbe andato via, per un altro anno di lontananza.

Da Bonampak a Yaxchilán

Sottrarsi alla chiamata alle armi nella seconda guerra mondiale per l'opinione pubblica statunitense doveva rappresentare un'infamia imperdonabile. Inseguito dalle dure sanzioni del codice militare, oltre che dal disprezzo dei propri concittadini, il giovane Charles Frey non si limitò a "fuggire in Messico", come vuole la tradizione cinematografica dei *desperados*, ma scese sempre più a sud fino a scomparire inghiottito dalla foresta Lacandona. I legittimi abitanti di quelle terre montagnose allora pressoché sconosciute all'uomo bianco, ignari dei massacri in corso tra chi li aveva massacrati per cinque secoli, accolsero quello strano individuo con la benevolenza che offrono sempre ai reietti, intuendo che Charles Frey aveva un sacco di guai alle spalle da cui scappare. Gli indios lacandoni lo accettarono nelle proprie misere capanne, e passarono così i mesi e gli anni: la guerra era finita, ma ormai il giovane "disertore gringo" sembrava essersi talmente ambientato in quel mondo di penuria e sentimenti veri da comportarsi a sua volta come un indigeno, cacciando e pescando con loro, imparando a riconoscere le erbe medicinali e, chissà, forse condividendo anche le sostanze che da millenni gli indios usano per prendere contatto con l'*inframundo*.

Correva l'anno 1946, e i lacandoni si fidarono a tal punto di lui da mostrargli un luogo sacro dove svolgevano le loro cerimonie. Frey, che ormai tutti chiamavano Carlos, non credeva ai propri occhi: dal fitto della giungla, tra gigantesche *ceiba* e pregiate *caoba*, spuntavano i resti di una città maya ricoperti da dodici secoli di vegetazione rigogliosa, in cui si scorgeva a malapena una grande piazza, templi, palazzi, e ogni collina celava una piramide. Frey, che ai tempi del Far West sarebbe stato considerato un "rinnegato" per aver scelto di vivere con gli indios, e per i suoi contemporanei era un "traditore della patria" da arrestare, decise che una simile scoperta doveva far parte del patrimonio culturale messicano, forse anche per un debito di riconoscenza verso il paese che lo aveva accolto senza chiedergli giuramenti alla bandiera. Una "scoperta" che era tale solo per bianchi o meticci, cioè il governo del Messico, perché, in quanto ai lacandoni, Bonampak era da sempre un luogo conosciuto, che grazie alla sua selva e agli spiriti degli antenati che l'abitavano li aveva protetti dalle incursioni dei conquistadores.

Vennero organizzate spedizioni archeologiche e, nel 1949, proprio nel tentativo di salvare un archeologo caduto nelle acque turbolente del grande Río Usumacinta, Charles Frey morì annegato, dimostrando con il suo gesto generoso che il rifiuto di impugnare le armi non era stata una scelta dettata dalla codardia ma da convinzioni morali.

Curioso destino, che la scoperta di Bonampak sia dovuta a un obiettore di coscienza: perché Bonampak ha infranto il mito della civiltà maya pacifica e dedita esclusivamente alle scienze, facendo vedere che le città stato del periodo classico si scontravano in conflitti sanguinosi e che proprio la casta dei guerrieri le avrebbe infine ridotte in rovina.

Fino a pochi anni fa, per visitare Bonampak e l'ancor più suggestiva Yaxchilán occorreva noleggiare un'*avioneta* e sperare nella maestria del pilota, che atterrava dove – volendo – si atterra tutt'ora, cioè in una radura tra gli alberi. Oggi la strada da Palenque è asfaltata e agevole, e partendo all'alba si possono visitare entrambi i siti, che restano comunque i meno frequentati rispetto ai celeberrimi Chichén Itzá, Tulum, Palenque stessa o Tikal nel vicino Guatemala. Le strade, però, sono anche il mezzo più rapido per distruggere un ecosistema, ed è stata una decisione encomiabile bloccare il traffico a nove chilometri dal sito, affidando ai lacandoni il servizio di "navette ecologiche": niente inquinamento nel cuore della selva, e un po' di pesos che entrano nelle tasche degli indios grazie ai biglietti d'ingresso che gestiscono autonomamente. Quest'ultimo tratto di sterrato si insinua fra maestosi esemplari di caoba (mogano) alti fino a settanta metri, e cedri, e altrettanto pregiati *mulato*, il cui tronco si sfoglia di continuo per lasciare gli insetti perniciosi con un palmo di naso ogni volta che ricascano a terra attaccati a brandelli di corteccia, pronta a rigenerarsi: il mulato ha un legno che fa gola alle termiti perciò madre natura lo ha dotato di questa difesa ingegnosa. Ognuno di questi tronchi, se arrivasse in una segheria nostrana, varrebbe milioni di dollari o euro, e infatti si combatte una lotta quotidiana per impedirne il taglio clandestino. Anche in questo caso, la relativa autonomia delle comunità indigene garantisce una difesa costante, e lo dobbiamo a loro se questi monumenti viventi restano alberi e non si trasformano in mobilio.

Qui non mancano neppure i ruggiti: non è uno scherzo del potere evocativo di questo odore inconfondibile che emana il tropico, ma non è neppure un giaguaro che viene a rendere onore ai due sovrani che regnarono al culmine dello sviluppo artistico e scientifico delle città stato, Scudo Giaguaro e Giaguaro Piumato. No, è semplicemente un grosso *saraguato* che allontana un altro maschio in cerca di frutta sugli alberi, cioè un *mono aullador*, la scimmia "urlatrice" che in realtà non urla ma ruggisce proprio come un felino arrabbiato. Il vero nome sarebbe *alouatta pigra*, e in effetti si muove pigramente di ramo in ramo, forse accaldata per l'incongrua pelliccia nera che la ricopre. Per quanto si avvicini, niente problemi: a rubare il panino di mano al turista è sempre la scimmia ragno, dispettosa e pestifera, nonché capace di mordere come un pittbull se si oppone resistenza, mentre il mite saraguato si limita a emettere ruggiti cavernosi senza conseguenze.

Bonampak, "città dei muri affrescati", abbaglia con il suo biancore di stucchi e pietra chiara, ma quando era un centro cerimoniale abitato, cioè oltre dodici secoli fa, rifulgeva di rosso intenso, il colore dello Xibalba, l'aldilà che i maya immaginavano rosso fuoco. Bonampak è stata definita "l'enciclopedia della civiltà maya", perché solo dopo la sua scoperta si è potuto fare qualche passo avanti nella decifrazione della scrittura, e soprattutto "vedere" come vivevano, come combattevano e celebravano le vittorie, come si svolgevano i loro riti ancestrali e con quale sfarzo. Tutto ciò è dovuto a un singolare incidente: non è chiaro se fu lo stesso Carlos Frey o un archelogo che ispezionava le tre sale del tempio principale a inciampare con quella benedetta lattina di benzina in mano, fatto sta che un getto di carburante si sparse su un muro, e... comparve l'incredibile. Ravvivato dopo un sonno millenario, l'affresco per pochi istanti si mostrò a colori vivaci, di uno splendore che lasciò ammutoliti gli scopritori. Che, presi poi dall'entusiasmo, rischiarono l'irreparabile, dato che si misero a gettare benzina su tutte le pareti, ammirando le scene che riaffioravano dallo strato di calcare in uno stupefacente quadro d'insieme. Negli anni, anzi decenni, successivi, si è dovuto lavorare alacremente non solo per riportare alla luce gli affreschi, ma anche per riparare i danni prodotti dal liquido corrosivo. Inoltre, in questa zona tropicale del Chiapas l'umidità continua la sua opera demolitrice, e per limitarla si consente l'ingresso soltanto a tre persone per volta, perché l'anidride carbonica di troppi aliti concentrati acuirebbe i già presenti problemi di conservazione.

Le tre sale di Bonampak sono le uniche a essere rimaste quasi intatte, a dispetto della giungla e della terra che le ricopriva, grazie a tecniche pittoriche talmente sofisticate da resistere per un tempo così lungo; va però ricordato che tutte le pareti sia interne sia esterne di templi e palazzi erano sicuramente affrescate, ed è purtroppo inimmaginabile il patrimonio artistico che i secoli hanno disperso. C'è almeno questo capolavoro superstite, che, come mi ha detto un amico messicano con malcelato orgoglio, "è stato realizzato circa otto secoli prima che Michelangelo Buonarroti affrescasse la Cappella Sistina, da una civiltà che conosceva il principio matematico dello zero e narrava la propria storia con una complessa forma di scrittura nella stessa epoca in cui Carlo Magno era analfabeta e i suoi sudditi contavano fino a venti, cioè sulle dita di mani e piedi".

Sfilate di nobili al cospetto del sovrano, orchestre di musici con tamburi e trombe di varie dimensioni, sonagli e altri strumenti a noi sconosciuti, danzatori e attori agghindati con maschere, pendagli, copricapo sontuosi, vesti cerimoniali, ma soprattutto la straordinaria plasticità della scena di una battaglia, una mischia rappresentata con eccezionale drammaticità e dinamismo, e la successiva celebrazione della vittoria, con i guerrieri in parata, i prigionieri che sembrano implorare una pietà che verrà loro negata, e su tutte le figure primeggia quella di un nemico sconfitto, forse un ribelle indomito, che le ferite e il soverchiante numero degli avversari ha costretto ad adagiarsi su una scalinata: l'anonimo artista lo ha ritratto con una dignità che i vincitori non possiedono, consegnando ai millenni l'unico particolare dell'affresco che trasmette un senso di tridimensionalità.

I messicani hanno risolto il dilemma tra restauro "invasivo" che ridona i colori ma cancella l'originale, e semplice conservazione che non permette di ammirare come fu un tempo l'opera d'arte: conservano al meglio ciò che rimane, e riproducono perfettamente il tutto come doveva essere. Così, se si vuole vedere come furono davvero un tempo gli affreschi di Bonampak, e anche i suoi bassorilievi, al Museo di antropologia e storia di Città del Messico – non per niente il più grande del mondo – hanno ricostruito l'edificio e riprodotto i dipinti, con una tale maestria da ingannare chiunque non sappia che si tratta di una copia: persino le pietre usate sembrano consunte dai secoli.

I maya, dunque, erano anche guerrieri; ma, a differenza degli aztechi, non concepivano i conflitti come mezzo di conquista: il loro non era un impero ma una costellazione di città stato con una fitta rete di scambi commerciali. Eppure, con il declino della civiltà maya, le caste dei guerrieri presero il sopravvento, e secondo molti studiosi l'ascesa dei "militari" avrebbe portato al caos amministrativo e allo scoppio di insurrezioni devastanti: forse fu proprio così che scomparvero come civiltà. I maya odierni infatti sono i discendenti non dei matematici, degli astronomi, o dei sovrani accecati dal proprio potere, bensì dei contadini ribelli che li rovesciarono e li dispersero per sempre, insorgendo contro un'élite divenuta troppo esosa e indifferente ai sacrifici del suo popolo. Anche gli affreschi di Bonampak sembrano confermare il dissidio fra potenti e umili: la battaglia ci mostra un esercito ben armato ed equipaggiato contro uno stuolo di uomini inermi, e fa pensare a un assalto notturno a villaggi di contadini. Se così fosse, le scene di sfarzosi festeggiamenti per la vittoria su quei poveracci

– destinati al sacrificio – hanno il sapore sinistro di un futuro beffardo: i vincitori saranno spazzati via dalla propria miope arroganza, e i discendenti dei sacrificati, senza un artista che ne tramandasse le gesta, travolgeranno dignitari e sovrani, lasciando inghiottire dalla selva tropicale i loro sontuosi palazzi e templi, già indistinguibili nel fitto della vegetazione quando i conquistadores rinnoveranno soprusi e angherie.

Da Bonampak il viaggio prosegue fino a Frontera Corozal, imbarcadero sulle rive del maestoso Usumacinta, il più grande fiume del Messico che segna buona parte del confine con il Guatemala, dove nasce, sulla Sierra di Cuchumatán, per sfociare nel golfo dopo aver attraversato gli stati del Chiapas e del Tabasco. A Frontera Corozal sorge un piccolo complesso di bungalow con annesso ristorante sotto l'immancabile *palapa*, la grande tettoia di palme intrecciate che, vista da sotto, appare come un'ingegnosa opera di artigianato che si tramanda da millenni. Quest'avamposto sull'Usumacinta si chiama Escudo Jaguar, come uno dei re della vicina città stato, e qui si ingaggia un barcaiolo per compiere il viaggio di circa un'ora per Yaxchilán, raggiungibile solo per via fluviale.

Discendere e poi risalire l'Usumacinta è forse la parte più suggestiva dell'intera escursione: specie nella stagione delle piogge, non ha nulla da invidiare ai grandi fiumi amazzonici, quanto a vastità e forza della corrente. Sulla sponda opposta, è Guatemala: a un certo punto si sfila sotto una possente *ceiba* in territorio guatemalteco con annesso posto di controllo frontaliero che si chiama, appunto, "Ceiba de Oro". Si calcola che quest'albero abbia almeno cinquecento anni. La ceiba era sacra ai maya, che la consideravano simbolo della "croce cosmica della vita", *wakah chan*, e nella loro cosmogonia quattro ceiba sorgevano ai confini estremi del mondo, corrispondenti ai quattro punti cardinali, ma rappresentava anche la fertilità femminile, simboleggiata dalle protuberanze sul tronco simili a seni di donna. Sacro era anche l'Usumacinta, il cui nome significa "serpente infuriato": sulle sue rive e su quelle dei tanti affluenti, sorgevano molte delle principali città che vissero l'epoca di massimo splendore dei maya. I loro architetti e ingegneri realizzarono su questa immensa massa d'acqua un ardito ponte in pietra di cui rimangono soltanto alcuni piloni, visibili nella stagione secca, quando il livello scende di svariati metri; collegare le due sponde fu un'impresa titanica, se si considera la forza della corrente e la profondità del corso d'acqua, oltre alla notevole distanza da coprire.

Yaxchilán non è visibile dal fiume, né da nessun altro punto. Per accedervi bisogna percorrere un angusto tunnel, sotto una volta a "falso arco", la struttura usata dai maya in varie epoche e luoghi – a riprova degli interscambi che legavano città oggi sparse in ben cinque paesi, dal Messico al Salvador, passando per Guatemala, Belize e Honduras –, anche se una vera e propria comunanza di stili architettonici riguardava essenzialmente l'area nord (Yucatán) e quella centrale (Tabasco, Chiapas e Petén guatemalteco). Il tunnel di pietra e stucchi aveva probabilmente una funzione difensiva, ma soprattutto costringeva i visitatori che accedevano al centro cerimoniale ad avanzare chini e uno alla volta, in segno di umiltà e rispetto. Tornati all'aperto, la vista spazia all'improvviso su templi e palazzi che sovrastano il vasto piazzale, costellato di stele con bassorilievi la cui finezza di lavorazione resta un miracolo di bravura, se si considera che non usavano metalli ma pietra e ossidiana per scolpire simili capolavori. E tutto ciò è solo un *avanzo* del saccheggio: le stele più belle e più grandi sono al British Museum, portate là in tempi in cui si smontavano templi interi per ricostruirli in Europa; pure francesi e tedeschi hanno fatto la loro parte in quest'opera di trafugamento alla luce del sole. Poi, anche quando finalmente il Messico è diventato *abbastanza* indipendente da poter dire ai razziatori stranieri di starsene alla larga – ci sono volute alcune rivoluzioni e circa un milione di morti, per ottenerlo – qualche tentativo di furto c'è stato egualmente: lo testimonia un'enorme stele che giace adagiata a un lato del piazzale, a ridosso della fitta boscaglia; i predatori l'hanno trascinata fin qui con l'intenzione di imbarcarla su una chiatta e, via Usumacinta, consegnarla a chissà chi, ma fortunatamente sono stati presi in tempo. A causa dei danneggiamenti subiti, si è deciso di lasciarla com'è, per non rischiare di frantumarla rimettendola in piedi.

Dalle opere scultoree e pittoriche arrivate fino a noi, emerge l'enorme importanza del *pok ta pok*, la "pelota", nella società maya, come sarebbe stato più tardi per gli aztechi, basti considerare che fino a oggi sono ben millecinquecento i campi da gioco riportati alla luce dagli archeologi in Messico, alcuni dei quali con le dimensioni e la struttura di uno stadio. Si delegavano al responso di una partita le dispute territoriali, i dissidi tra città stato, persino i torti da riparare fra sovrani e dignitari di opposte schiere. Tanto che la pelota sembra rappresentasse una sorta di "giudizio divino" a cui affidarsi per evitare scontri sanguinosi sui campi di battaglia e devastazioni. Da come venivano raffigurati i campioni di pelota, se ne deduce che costituissero una vera e propria casta, in certi periodi più importante di quella guerriera, atleti che suscitavano profonda ammirazione da parte dei nobili mentre il popolo arrivava a venerarli come semidei. La pelota è tuttora avvolta da un mistero su cui si sono scervellati innumerevoli studiosi; neppure le regole del gioco sono state chiarite a fondo, si sa soltanto che i giocatori si esibivano in virtuosismi che mandavano in visibilio gli spettatori, riuscendo – in casi rari, ovviamente – a far passare la pesante palla di caucciù attraverso un cerchio di pietra posto a diversi metri di altezza, colpendola unicamente con i fianchi o con il petto, mai con mani e piedi. La pelota era ammantata di sacralità, si avvaleva di un lungo e complesso rituale, era una cerimonia che simboleggiava lo scontro fra luce e tenebre, sole e luna, mondo dei vivi e dei morti, forze del bene e del male, propiziava la fertilità e mirava a ingraziarsi le energie del cosmo. Non a caso, nella lingua locale uno stesso termine, *k'ik*, significava sia "sangue" sia "caucciù", il "sangue dell'albero" con cui si facevano le palle da gioco. Il campo era anche un'allegoria dell'inframundo, il regno dei morti, e nella lingua maya quiché la parola *hom* significava sia "campo da gioco" sia "tomba". Questa sacralità ha indotto alcuni a un'ipotesi azzardata: la squadra vincente – o quanto meno il suo capitano – sarebbe stata sacrificata al termine della partita, con le vittime ansiose di rendere l'anima al cielo. Ma anche l'interpretazione più comune, che vorrebbe immolata la squadra perdente, lascia perplessi.

I campioni di pelota erano dunque una casta di privilegiati, questa è una delle poche certezze che oggi abbiamo, e per arrivare a giocare con tanta abilità occorrevano anni di pratica, allenamento, forse si veniva instradati alla disciplina fin da bambini, costituendo dinastie di giocatori al pari dei nobili e dei sovrani. Possibile che tanta esperienza e tanto carisma venissero cancellati da un sacrificio umano? I vincitori non potevano certo finire così, altrimenti non vi sarebbero mai stati dei campioni, eliminati ben prima di raggiungere fama e bravura. Ma neppure lo potevano i perdenti di una singola disputa, perché comunque si trattava di uomini votati a una missione quasi divina; e se mai sia stato così, si trattò di casi rari, come quello di una partita che sostituiva una battaglia, dove i giocatori erano una sorta di gladiatori, e allora sì che venivano sacrificati, i perdenti, non certo i vincitori. Inoltre, va ricordato che i maya, a differenza degli aztechi, praticavano principalmente l'autosacrificio, erano cioè i sovrani a versare sangue in nome e a rappresentanza dell'intero popolo, con procedimenti dolorosissimi, trafiggendosi lingua, orecchie e persino i genitali, per ricompensare la madre terra del dono prezioso del mais donandole ciò che di più prezioso aveva nelle vene l'eletto dagli dèi. Solo nel periodo di decadenza, il cosiddetto "postclassico" che va dal 975 al 1200 d.C., l'influenza dei toltechi venuti dal Nord diffuse la pratica dei sacrifici umani come tra gli aztechi. Quindi, tornando alla pelota, se in precise occasioni vennero immolati degli uomini, come sembra di capire da certi bassorilievi, allora è probabile che si trattasse di prigionieri di guerra, non certo di campioni venerati: agli sconfitti era concessa la dignità di simboleggiare le forze divine che, ciclicamente, soccombono a nuove forme di energia cosmica, in attesa della rivincita, in un ciclo infinito di alternanza, come il rincorrersi del sole con la luna e il reciproco annullamento durante un'eclissi.

Se di Bonampak si presume che sia stato strappato alla selva solo un quaranta per cento del suo patrimonio archeologico, di Yaxchilán possiamo ammirarne a malapena il dieci: tutto il resto è là sotto, colline che celano piramidi e scalinate, alberi che affondano le radici in palazzi e tombe, milioni di tonnellate di terra e pietrisco che nascondono chissà quali splendori. Eppure, anche così, Yaxchilán offre un panorama di struggente bellezza, dispersa com'è nella giungla; e sarebbe un delitto arrendersi alla fatica e al caldo umido che fiacca le gambe e accorcia il respiro, e rinunciare a risalire sentieri scivolosi di fango e incerte scalinate fra rami e radici, sino a raggiungere una dopo l'altra le svariate costruzioni invisibili dalla piazza principale, arrivando infine all'edificio 41, il più alto di tutti, e da lassù smarrirsi nel mare verde solcato dalla striscia bruna del Serpente Infuriato, senza null'altro che permetta di distinguere la selva messicana da quella guatemalteca. E forse, a questo punto, riprendendo fiato poco alla volta, l'odore di vegetazione macerata, di muffe tropicali e legname imputridito dal fiume vi sembrerà il più carezzevole dei profumi, il più evocativo che vi sia al mondo, pregno com'è di millenni di storia...

Camino Real

Panamericana: basta nominarla per evocare l'idea stessa del viaggio, giorni, settimane o mesi di strada – spesso interrotta o malandata – che dalla Patagonia arriva in Alaska, 25.600 chilometri, con il tratto messicano che risulta uno dei più agevoli e sicuri. Pochi, invece, sanno cosa fosse il Camino Real: una strada più o meno parallela all'odierna Panamericana che conduceva dal Guatemala al cuore del Messico, passando dalle province del Chiapas. I conquistadores la trasformarono in una via di grande comunicazione, ma non furono loro a tracciarla, perché già le civiltà maya del periodo classico – tra il VII e il IX secolo d.C. – la usavano per importare ossidiana, giada e conchiglie marine giganti dal Sud, creando diramazioni che collegavano l'odierna Antigua fino all'Istmo di Tehuantepéc, una rete viaria che attraversava la Depresión Central arrivando alla costa del Pacifico. Gli spagnoli, a partire dal 1524, decisero di sfruttarla battezzandola Camino Real, con il fine di colonizzare – ed evangelizzare – le popolazioni di ceppo maya, e senza neppure immaginare quali splendori nascondesse la selva, dove terriccio e vegetazione avevano completamente ricoperto le grandi città stato e i centri cerimoniali che andavano da Tikal a Palenque. Quando Hernán Cortés, proprio nel 1524, si avventurò in un arrischiato viaggio attraverso la selva Lacandona e lungo i grandi fiumi del Chiapas, nel suo resoconto *Quinta carta de relación*, scrisse:

"Tanto eran fitti gli alberi che non si vedeva altra cosa se non la terra dove poggiavamo i piedi e porzioni di cielo alzando lo sguardo, alberi così alti che, arrampicandosi fin sulla cima, non si udiva dove una pietra cadesse".

L'ambizioso conquistatore della Nueva España non poteva sapere che, nel mezzo di quella foresta impenetrabile dove persino le guide indigene a un certo punto si erano smarrite (o avevano finto di smarrirsi per non rivelare allo straniero i loro luoghi sacri), sorgevano templi e palazzi affrescati, nonché osservatori astronomici usati dagli scienziati maya per mettere a punto il calendario di 365 giorni. Gli scienziati europei avrebbero superato in esattezza quei calcoli soltanto un millennio dopo: rispetto all'attuale calendario, i maya avevano fatto un errore di appena 27 secondi all'anno. E conoscevano i cicli lunari, quelli di Venere, Marte, Giove e Saturno, studiavano gli spostamenti delle costellazioni come le Pleiadi (che chiamavano Tzab, "sonaglio di serpente") o i Gemelli (Ac, "tartaruga"), e sapevano prevedere anche le eclissi nell'arco di un trentennio.

Gli spagnoli decisero dunque di costruire lungo il Camino Real una serie di chiese – spesso concepite come vere e proprie fortezze – in prossimità di ogni villaggio maya, nel tentativo di realizzare un'opera di sottomissione che non avrebbero mai portato a termine: se da un lato lo spiccato bisogno di spiritualità di quelle genti favorì l'accettazione di una nuova religione che apportava una miriade di santi a cui raccomandarsi, d'altra parte non rinunciarono mai – né lo fanno tuttora – alle proprie credenze e tradizioni, sapendo abbandonare via via quelle superate dall'umano progresso e amalgamando le "nuove" con le ancestrali.

Uno splendido esempio di tutto ciò è la cattedrale costruita nel nulla di Copanaguastla. Siamo in territorio tzeltal, nella vasta vallata del Río Grijalva, dove a partire dal 1989 è stato avviato un progetto di recupero delle vestigia che sorgono ai lati del Camino Real, e la chiesa in stile plateresco di Copanaguastla si erge nella piana con una maestosità degna d'altri tempi – visto che oggi è rimasta solitaria e deserta a rimpiangere l'epoca che sancì lo sviluppo economico dell'Europa a scapito delle inestimabili ricchezze delle Americhe. Il restauro è quanto di meglio si possa sperare per un luogo così suggestivo: chiunque può visitarla com'è attualmente, senza il tetto – e gli ornamenti trasferiti altrove fin dal 1645 –, ben ripulita e affidata alla coscienza dei viandanti, sicuramente sporadici, che possono salire lungo una tenebrosa scala a chiocciola fino alla sommità delle mura alte una ventina di metri e larghe un paio. Si sconsiglia a chi soffre di vertigini – nessuna transenna né corrimano – ma la vista da lassù è incomparabile, con la sterminata pianura e le foreste che si congiungono al Guatemala, le catene montuose sullo sfondo, e un cielo che soltanto il Messico può donare agli occhi. Qui sorgevano templi e piramidi maya, e con le loro pietre – *xac* per i maya, *cantera* per gli spagnoli – i domenicani costruirono questa cattedrale a forma di croce, lunga settanta metri e larga dodici. Erano stati mandati laggiù da monsignor Bartolomé de las Casas, a tutt'oggi considerato un benefattore degli indios. Purtroppo, i suoi buoni propositi furono vanificati dall'ottusità "urbanistica" degli spagnoli: anziché rispettare la saggia tradizione maya di lasciare grandi spazi fra un'abitazione e l'altra, concentrarono il villaggio di Copanaguastla intorno alla chiesa, e nel giro di pochi decenni ottennero epidemie e carestie.

Ogni abitazione ospitava anche gli animali domestici, e ben presto la mancanza di salubrità e di acqua corrente provocò il disastro. Ma fu un "disastro annunciato", come narrano gli annali della Conquista: i maya di Capanaguastla abbracciarono la fede cattolica senza però rinunciare alle proprie divinità, e presero l'abitudine di celare all'interno di ogni effigie sacra un idolo della propria tradizione religiosa. Così, inginocchiandosi davanti alla statua di un santo cristiano, in realtà stavano invocando l'aiuto anche di Kinich Ahau, il Sole, o Chaac, dio della pioggia, o Itzamná, divinità che incarnava l'energia feconda del cosmo, o scongiuravano clemenza a Kisin "il fetido" e Ah Puch "lo scarnificato", demoni della morte che abitavano l'*inframundo*. Il vescovo di Copanaguastla se ne accorse, e lanciò anatemi a profusione: "Il castigo divino colpirà questo villaggio e lo disperderà con pestilenze e biblici flagelli". La sua non fu una premonizione destinata ad avverarsi, ma una subdola constatazione di ciò che stava già avvenendo. Copanaguastla moriva di colera perché, là dove i maya avrebbero fatto convivere poche famiglie, gli spagnoli costrinsero diecimila persone ad ammassarsi nello spazio ristretto di una moderna cittadina, senza però fognature e acqua potabile. Fu l'incapacità di rispettare gli equilibri della natura a condannare quelle genti, non certo la frode degli idoli nascosti dentro il torace ligneo di un sant'Antonio o di un san Francesco.

Nel giro di un secolo, i diecimila abitanti della zona si ridussero a sole dieci famiglie e la cattedrale fu abbandonata: la statua della Vergine del Rosario, "patrona" del luogo, fu trasferita a Socoltenango, e tutto è rimasto così, cioè un deserto verde, fino a oggi, ora che il Camino Real è stato finalmente rivitalizzato negli itinerari della Secretaría de Turismo del Chiapas, nella speranza di portare il viandante poco lontano dalla Panamericana, dove, con una breve deviazione, può ammirare le suggestive cascate di El Chiflón, formate dal Río San Vicente, che precipita dai crepacci della Sierra dando vita a spettacolari giochi d'acqua con nomi poetici come Suspiro, Ala de Ángel, Nube de Algodón, fino all'ammaliante Velo de Novia: la cascata più grande è esattamente questo, un immenso, cangiante, evanescente velo da sposa di acqua e vapori, che si infrange in pozze calcaree profonde e cristalline, color della giada, la pietra preziosa prediletta dei maya.

La perla del Soconusco

Prima che i conquistadores ne storpiassero il nome, si chiamava Tapachol-atl, "terra irrorata d'acqua". Clima perennemente caldo e umido, pianure con piantagioni di giganteschi alberi di mango a perdita d'occhio, ma soprattutto caffè sulle alture, che attira silenti eserciti di raccoglitori dal Guatemala: la frontiera è a pochi minuti, e il mesto pellegrinaggio di braccianti che varcano il Río Suchiate si disperde nei mille rivoli delle *fincas cafetaleras*, a porre l'eterna domanda *hay trabajo?* I poveri più poveri dei poveri vengono qui in cerca di lavoro, nel paese che detiene il record di migranti verso la frontiera opposta.

Tapachula è detta "La perla del Soconusco", dal nome di questa regione lussureggiante e feconda all'estremo sud del Chiapas. Lungo la strada che porta al vulcano Tacaná, colosso di lava nera che si staglia solitario sul panorama di un verde intenso, vale la pena fare una sosta per conoscere un fatto poco noto della travagliata storia chiapaneca. Al centro di un parco, sorge una mastodontica villa in legno di mogano dall'aspetto assurdo: sembra un innesto di castello bavarese su base tropical-imperiale. Era la dimora del padre di Eva Braun, stabilitosi qui molto prima che la figlia diventasse l'amante di Adolf Hitler. La sua "tenuta" era grande quanto una regione italiana, e gli indios che vivevano qui erano considerati da Herr Braun sua proprietà: schiavismo assoluto, frustate e un colpo di pistola alla nuca al minimo accenno di insubordinazione. Con la guerra mondiale, il presidente Lázaro Cárdenas approfittò della fittizia dichiarazione di belligeranza alla Germania per requisire questi immensi territori coltivati a caffè e cacao e assegnarli ai contadini in frazionamenti. Ma neppure lui riuscì a scalfire lo strapotere delle famiglie di *terratenientes*, che si sarebbero spartite quasi tutto. Ancor oggi alcuni discendenti dei tedeschi coetanei di Braun – ammiratori di sua figlia – si riuniscono per brindare commossi alla ricorrenza del compleanno di Hitler.

Tapachula non è bella, ma ha il fascino particolare e insondabile delle città di frontiera. La comunità cinese è molto più numerosa di quella tedesca, i diseredati centroamericani sgattaiolano poco prima dell'alba in alberghi sordidi, i benestanti guatemaltechi vengono a fare la spesa quando, per gli incomprensibili cataclismi monetari dovuti a questo caos che chiamano beffardamente "legge di mercato", la loro moneta, il quetzal, si ritrova avvantaggiata rispetto al peso messicano, e in giro non si vede un turista nemmeno per sbaglio. Peggio per gli assenti: non scopriranno mai l'immensa, infinita e deserta spiaggia sul Pacifico a mezz'ora da qui.

Nonostante il passaggio di cocaina a tonnellate, si respira un'aria paciosa: le cose sembrano chiare e ben distinte, il Barrio Obrero è il quartiere della mala, e le camionette della polizia fanno la ronda tutto intorno senza neppure sfiorare il confine non segnato. Ma la violenza si consuma ogni notte, ed è la più feroce e ripugnante, perché le vittime sono gli ultimi della terra. Valanghe di immigrati clandestini puntano su Tapachula nella speranza di salire su uno dei convogli ferroviari che raggiungono la frontiera nord, cinquemila chilometri in varie settimane, e poi ancora più su, fino a Los Angeles. Masse di affamati che sognano un lavoro a Gringolandia, e vengono puntualmente ripulite da bande di assassini della peggior specie. Queste sono formate da ex militari del Salvador o del Guatemala, o da ex contras antisandinisti: la schiuma residua della guerra sporca che ha insanguinato il Centroamerica.

Uno di loro, con un passato nei corpi speciali salvadoregni, è stato fermato dalla polizia e ha dichiarato: "Da ragazzo sono stato addestrato dai consiglieri nordamericani, ci dicevano che per prima cosa bisognava terrorizzare il nemico. Per esempio, ogni volta che ammazzavo qualcuno, gli tagliavo un orecchio, infilandolo nella catenina della piastrina. Ben presto mi sono fatto una collana di orecchie, e la sola vista... serviva a spaventare i sovversivi. O almeno, così volevano i miei superiori gringos".

I clandestini tentano di nascondere i pochi risparmi nelle cuciture dei vestiti, e indossano cinque o sei camicie e tre pantaloni, per affrontare l'interminabile viaggio aggrappati al tetto dei vagoni ferroviari o tra i respingenti: in simili condizioni, nessun bagaglio è trasportabile, e ogni avere lo si porta addosso. Ma gli *ex freedom fighters* di Reagan e Bush conoscono certi trucchi e arrivano al punto di spogliare completamente gli immigrati che catturano, tagliuzzando ogni minimo brandello di stoffa. E se non trovano nulla, stuprano le donne e uccidono gli uomini. Con l'entrata in vigore del Nafta, il trattato di tutt'altro che libero scambio di merci, gli Usa hanno energicamente chiesto al Messico che freni il flusso di immigrati da Tapachula. In fondo, gli ex mercenari, oggi banditi, continuano a lavorare per gli interessi dello stesso padrone di un tempo, anche se senza un lauto stipendio.

La notte in cui prendo una corriera diretto a ovest, lungo la costa del Chiapas e poi dell'Oaxaca, neppure un'ora dopo la partenza ci fermiamo in una cittadina, Huixtla, e l'autista dice: "Aspettiamo qui finché non ci saranno abbastanza corriere da formare un convoglio, poi, con la scorta armata, speriamo di proseguire". Pare che le bande di "tagliaorecchie" addestrati dagli Stati Uniti e poi abbandonati al proprio destino – che purtroppo incrocia il destino di quanti finiscono nelle loro mani – abbiano alzato il tiro, e non si accontentino più dei poveracci, ma mettendo un albero di traverso sulla strada depredino i passeggeri. Molto più tardi, quando ormai una ventina di mastodonti su ruote intasa il centro attonito di Huixtla, arriva una pattuglia di poliziotti, giubbetto antiproiettile e fucile d'assalto imbracciato, che si mette alla testa dell'assordante convoglio, e finalmente si riparte.

Todo cambia, dice la vecchia canzone che l'autista ascolta alla radio ritmando con le mani sul volante. Per il Chiapas, qualcosa è certo cambiato dai tempi di Eva Braun, ma la strada è ancora lunga, prima di vedere l'alba.

Huautla sopra le nubi

Bruma tiepida, che si muove a matasse sfilacciate e rotola verso le gole a valle. I polmoni si riempiono a fatica di quest'aria greve di foglie macerate, di sottobosco che emana umori densi, quasi liquidi. I colori si stemperano nella foschia, tra la pioggia fine che pare eterna, immutabile, e attutisce i rumori della selva trasformandoli in echi, rende diafane le presenze vive che sembrano materializzarsi dal nulla. Se non fosse conosciuta per i motivi che la rendono misteriosa e impalpabile, Huautla, "dimora delle aquile", sarebbe un luogo magico anche solo per l'immagine che offre arrivandoci un mattino presto, col sole che è un chiarore incerto. "Le montagne sopra le nubi" come qualcuno ha definito queste vertebre verdissime della Sierra Madre orientale, dalla vegetazione indomabile che ricopre ogni porzione di spazio lasciato alla natura, anche tra una casa e l'altra del paese. Avvicinandomi all'abitato, il verdore scuro e lucido di umidità rivela improvvise macchie di azzurro intenso, grappoli di fiori sulle chiome delle jacarande. Credo sia per questo, che si usa dire "jacarando" a chi è tanto allegro da risultare spaccone, perché quando la jacaranda fiorisce diventa un albero chiassoso, che attrae l'attenzione relegando sullo sfondo ogni altra pianta.

Cammino per i viottoli in salita e il rumore dei passi mi sembra una profanazione, in questo silenzio ovattato, e gli uomini che incrocio e mi salutano con un annuire lento non producono che un fruscio di tela cerata, quasi che il loro modo di appoggiare i piedi sulle pietre levigate fosse diverso dal mio: più leggero, più esperto nell'evitare il fango e i ciottoli smossi.

Sulle soglie delle case siedono donne dalle vesti variopinte e orlate di ricami, che puliscono il mais e chiacchierano tra loro nella soave lingua mazateca. Mi sfiorano con sguardi divertiti, presagendo il solito motivo per cui gli stranieri si spingono fin quassù. Alcune fumano grossi sigari ritorti e dalla forma imprecisa, sicuramente confezionati in casa, e se il tabacco di Oaxaca è poco rinomato, in fondo il confine con lo stato di Veracruz è a meno di cinquanta chilometri in linea d'aria, e là ci sono le migliori piantagioni del paese.

Questa è la terra di María Sabina, il cui corpo è morto da pochi anni ma il suo spirito era già leggenda da molto tempo. *Curandera* e sciamana, discendente da tre generazioni di officianti della conoscenza, era rimasta orfana all'età di sei anni. Gli *hongos, 'nti-si-tho* in mazateco, i funghi della percezione che noi occidentali volgarizziamo col miope aggettivo di "allucinogeni", lei cominciò a mangiarli fin da bambina, quando trascorreva interminabili giornate sulle montagne "sopra le nubi" custodendo il suo gregge di capre. "Li mangiavo per avere la forza di sopravvivere, di crescere, li mangiavo per lottare con lo sfinimento, e per sopportare le dolorose pene della vita..." disse in un giorno della sua lunga vecchiaia. María Sabina parlava un linguaggio esoterico, incomprensibile ai più, e dalle sue labbra fluiva un'inesauribile concatenazione di immagini, una melodia, un incessante poema di metafore e giochi di parole, doppi sensi, nomi di animali sconosciuti ed erbe curative, citazioni colte e inspiegabili per lei che era priva di qualsiasi istruzione. Ma sapeva spingersi a tali profondità nell'animo degli uomini da poter vanificare ogni spiegazione razionale. "Tra il mondo dei suoni e il nostro udito, c'è un velo di silenzio." E i funghi esistono per questo, per ristabilire quel "contatto" smarrito attraverso millenni di educazione all'insensibilità. Però servono anche a curare i mali del corpo, non solo dello spirito, e da María Sabina venivano a consulto personaggi di ogni genere, che si spinsero fino a Huautla per avere da lei anche solo un consiglio. Chi ha avuto fede in quell'india austera, dalla dignità antica eppure sempre disponibile al dialogo, giura che non avrebbe potuto fare a meno di quell'incontro nella propria vita. Perché María Sabina era, ed è, parte di quel Messico, *el verdadero México,* che va accettato o rifiutato senza la pretesa di spiegarlo, e forse neppure di raccontarlo.

Tre giorni dopo, lascio Huautla diretto alla città di Oaxaca, sempre più convinto che certe sensazioni, qui vivissime e concrete, siano destinate a perdere consistenza già al momento di mettere piede sulla scaletta dell'aereo, e si dissolvano del tutto poche ore più tardi. È giusto che sia un oceano, e non un semplice confine, a separare due mondi così estranei l'uno all'altro. Non si tratta di capire, ma di accettare che possano ancora esistere dimensioni senza tempo, immuni allo scorrere dei secoli, dove i nostri valori perdono di senso. Bisogna crederci, nient'altro. A volte con rabbia, la rabbia di sentirsi estranei e comunque lontani, anche di un solo passo. E con infinita passione. Ma soprattutto con l'abbandono di chi rinuncia a cercare spiegazioni.

Nostra Signora della Solitudine

"È alta, umida e fredda, quello stesso freddo che sentono nelle ossa gli eroinomani..." scrisse William Burroughs descrivendo Bogotá. Anche Oaxaca è alta, e certe notti può essere umida e fredda, ma non gelida, e Burroughs l'ha preferita a molti altri luoghi del suo vagabondare inquieto. Forse c'è soltanto passato per qualche giorno durante il viaggio che lo portò prima in Colombia e poi in Perú, ma sembra aver lasciato una traccia nell'aria, perché qualcuno tra i molti "forestieri" che di Oaxaca si sono innamorati per il resto della vita lo cita come se la presenza dello scrittore bastasse a spiegare il motivo di un'attrazione inspiegabile.

È la sua atmosfera, questa dimensione rarefatta eppure densa di contatti e vicinanze, sentirsi parte di un insieme indecifrabile, un'armonia che si avverte ma rimane eterea e impalpabile: è tutto questo e molto di più, che affascina e cattura fin dalla prima volta. Oaxaca è silenziosa e immota, capace all'improvviso d'avvampare di voci e suoni, frammisti agli echi di realtà non ancora perdute ma impossibili da afferrare, città di ricordi, di rimpianti, coloniale e barocca nei palazzi e nelle chiese paralizzati in un'epoca ormai morta, accogliente e allegra nei volti e nei gesti che ti ubriacano di sensazioni attraversandone il mercato labirintico.

Qui, un giorno, ho rivisto qualcuno che avevo conosciuto in un'epoca che oggi appare remota, in un'altra *era,* precedente a quella della glaciazione che ha eretto il vuoto a sistema di vita. Quando le nostre città, che pur non sono alte, divennero in poco tempo freddissime, lui scelse di comprimere tutte le illusioni in un centimetro cubo per farle passare attraverso un ago. Da anni non mi ero più chiesto se fosse sopravvissuto ai suoi eccessi di sensibilità, e incontrarci all'improvviso davanti a questa basilica che si chiama Nostra Signora della Solitudine ci ha fatto sentire meno soli. Poi, senza fretta, raccontando l'uno all'altro frammenti di presente e di passato prossimo, abbiamo preso ad attraversare la città lentamente, ripassando a volte dalla stessa piazza e dallo stesso vicolo privi del bisogno di chiederci dove stessimo andando.

Così ho saputo che venne qui anni addietro, all'inizio e al termine di una fuga estrema, l'ultimo tentativo di capire se valeva la pena riprendere a camminare. A un certo punto, senza che glielo avessi chiesto con le parole, si è fermato e mi ha risposto: "No, non è che il Messico sia la soluzione immediata. Lo sai anche tu: qui hai l'impressione della libertà totale, specie se vieni da dove vieni... e in un certo senso è vero, perché qui puoi raggiungere tutti gli estremi. Nel mio caso, potevo arrivare al fondo, quello assoluto, e lì decidere se risalire o restarci. Laggiù, da noi, potevi soltanto continuare *di lato,* né verso il basso né verso l'alto...".

Sorridendo, ha ammesso con un po' di orgoglio di non aver ottenuto nulla di ciò che conta altrove, semplicemente perché sentiva di non dover dimostrare nulla. Ma adesso vive in un pezzetto di realtà che esiste, ritaglia i giorni in uno spazio di materia, di carne, di emozioni piccole e per molti insignificanti, eppure così immense rispetto al vuoto annichilente che si è lasciato dietro. "Quando ti si sgretola il pavimento sotto, resistere o arrenderti sono due facce della stessa voglia di distruggerti. Per un po' ho resistito, e poi mi sono arreso... Finché non ho pensato che c'era anche una terza strada: fuggire, andarsene per sempre, smettere di prendersi in giro con la speranza che domani qualcosa possa cambiare..."

Dopo aver vagato per un paio d'anni, ha deciso di fermarsi a Oaxaca, chissà per quanto tempo ancora. E quando gli ho chiesto perché proprio in questa città, lui ha risposto semplicemente: "Ma l'hai respirata bene, l'aria?".

Ho intuito, cosa volesse dire.

E poi ha fatto un gesto strano, come di abbracciare quell'aria sapendo di non aver bisogno di nient'altro, che non fossero le pietre delle stradine che portano al mercato, la nube di polvere che si leva al passaggio di una vecchia corriera rumorosa, la risata acuta di una donna che lo saluta da una bottega di formaggi, le note dell'orchestrina al centro della piazza, il cielo striato di rosso dietro le mura di Nuestra Señora de la Soledad...

Indice

Ultimi volumi pubblicati in "Universale Economica"

Imre Kertész, *Essere senza destino*
Amos Oz, *La scatola nera*
Ryszard Kapuściński, *Shah-in-shah*
Pablo Tusset, *Il meglio che possa capitare a una brioche*
Elena Gianini Belotti, *Voli*
Alan W. Watts, *Natura uomo donna*
Richard Ford, *Sportswriter*
Max Frisch, *Don Giovanni o l'amore per la geometria*
Michael Walzer, *Esodo e rivoluzione*
Carlo Maria Martini, *Verso Gerusalemme*
Alessandro Dal Lago, *Non-persone*. L'esclusione dei migranti in una società globale. Nuova edizione
Michel Foucault, *Scritti letterari*. A cura di C. Milanese
Reinhard Schulze, *Il mondo islamico nel XX secolo*. Politica e società civile
Mariateresa Aliprandi, Eugenia Pelanda, Tommaso Senise, *Psicoterapia breve di individuazione*. La metodologia di Tommaso Senise nella consultazione con l'adolescente. Presentazione di P.F. Galli
Paolo Rigliano, *Piaceri drogati*. Psicologia del consumo di droghe
Frédéric Beigbeder, *Lire 26.900*
Gianfranco Bettin, *Nemmeno il destino*
Emily Dickinson, *Sillabe di seta*. Traduzione e cura di B. Lanati. Testo originale a fronte
Simonetta Agnello Hornby, *La Mennulara*
Cristina Comencini, *Matrioška*
Pino Cacucci, *La polvere del Messico*. Nuova edizione ampliata
Manuel Scorza, *La Vampata*
Will Ferguson, *Felicità®*

Giovanna De Angelis, Stefano Giovanardi, *Storia della narrativa italiana del Novecento*. I volume (1900-1922)
Umberto Galimberti, *Il gioco delle opinioni*. Opere VIII
Barbara Ehrenreich, *Una paga da fame*. Come (non) si arriva a fine mese nel paese più ricco del mondo
Alexander Lowen, *Bioenergetica*
Vandana Shiva, *Le guerre dell'acqua*
Amos Oz, *Fima*
J.G. Ballard, *Crash*
Isabel Allende, *Il mio paese inventato*
Banana Yoshimoto, *La piccola ombra*
Dario Fo, *Il paese dei Mezaràt*. I miei primi sette anni (e qualcuno in più). A cura di F. Rame
Josephine Hart, *Ricostruzioni*
Witold Gombrowicz, *Cosmo*
Nina Berberova, *Alleviare la sorte*
Manuel Rivas, *Il lapis del falegname*
Eduardo Mendoza, *Il Tempio delle signore*
Giorgio Bettinelli, *Brum brum*. 240.000 chilometri in Vespa
Alex Roggero, *Australian Cargo*
Eva Cantarella, *Itaca*. Eroi, donne, potere tra vendetta e diritto
Gulag. Storia e memoria, a cura di E. Dundovich, F. Gori, E. Guercetti
Massimo Mucchetti, *Licenziare i padroni?* Edizione ampliata
Robert L. Wolke, *Al suo barbiere Einstein la raccontava così*. Vita quotidiana e quesiti scientifici
Maurizio Maggiani, *È stata una vertigine*
Paul Watzlawick, *Il linguaggio del cambiamento*. Elementi di comunicazione terapeutica
Edoardo Sanguineti, *mikrokosmos*. Poesie 1951-2004
Witold Gombrowicz, *Bacacay*. Ricordi del periodo della maturazione
Stefano Benni, *Achille piè veloce*
Daniel Pennac, *Ecco la storia*
Manuel Vázquez Montalbán, *Assassinio al Comitato Centrale*
J.G. Ballard, *Il mondo sommerso*
Paolo Rumiz, *È Oriente*
Pino Cacucci, *Tina*
Paul Smaïl, *Ali il Magnifico*
India Knight, *Single senza pace*
Yu Miri, *Oro rapace*
Witold Gombrowicz, *Trans-Atlantico*

Max Frisch, *Biografia*. Un gioco scenico
Alex Zanotelli, *Korogocho*. Alla scuola dei poveri. A cura di P.M. Mazzola e R. Zordan. Postfazione di A. Paoli
Michel Foucault, *Antologia*. L'impazienza della libertà. A cura di V. Sorrentino
Salvatore Natoli, *La verità in gioco*. Scritti su Foucault
Erich Auerbach, *Studi su Dante*. Prefazione di D. Della Terza
Kevin D. Mitnick, *L'arte dell'inganno*. I consigli dell'hacker più famoso del mondo. Scritto con W.L. Simon. Introduzione di S. Wozniak
Jesper Juul, *Ragazzi, a tavola!* Il momento del pasto come specchio delle relazioni familiari
Paolo Pejrone, *In giardino non si è mai soli*. Diario di un giardiniere curioso. Illustrazioni di G. Alfieri
Cristina Comencini, *La bestia nel cuore*
Calixthe Beyala, *Gli onori perduti*
Richard Ford, *Infiniti peccati*
Giorgio Bocca, *Partigiani della montagna*
Guglielmo Petroni, *Il mondo è una prigione*
Ryszard Kapuściński, *La prima guerra del football* e altre guerre di poveri
Umberto Galimberti, *Il tramonto dell'Occidente* nella lettura di Heidegger e Jaspers. Opere I-III
Ernst Bloch, *Ateismo nel cristianesimo*. Per la religione dell'Esodo e del Regno. "Chi vede me vede il Padre"
Renato Barilli, *L'arte contemporanea*. Da Cézanne alle ultime tendenze. Nuova edizione
Tomás Maldonado, *Reale e virtuale*. Nuova edizione
J.G. Ballard, *Foresta di cristallo*
Amos Oz, *Una storia di amore e di tenebra*
Banana Yoshimoto, *Arcobaleno*
Erri De Luca, *Il contrario di uno*
Kurt Vonnegut, *Mattatoio N. 5* o La crociata dei bambini
Rossana Campo, *L'uomo che non ho sposato*
Giuseppe Montesano, *Di questa vita menzognera*
Isabel Losada, *Voglio vivere così*. Una donna alla ricerca dell'Illuminazione
Francesco Piccolo, *Allegro occidentale*
Witold Gombrowicz, *Pornografia*
Giovanni Bollea, *Genitori grandi maestri di felicità*
Marcel Rufo, *Le bugie vere*. Per imparare a dialogare con i propri figli

Gilles Deleuze, *Logica del senso*
Vanna Vannuccini, Francesca Predazzi, *Piccolo viaggio nell'anima tedesca*
Anthony Bourdain, *Kitchen Confidential.* Avventure gastronomiche a New York
Pino Cacucci, *Oltretorrente*
Péter Esterházy, *Harmonia Cælestis*
Eugenio Borgna, *Le figure dell'ansia*
Luciano Ligabue, *La neve se ne frega*
Frederic Ewen, *Bertolt Brecht.* La vita, l'opera, i tempi
Miguel Benasayag, Gérard Schmit, *L'epoca delle passioni tristi*
Mikael Niemi, *Musica rock da Vittula*
Kader Abdolah, *Il viaggio delle bottiglie vuote*
Paul Bowles, *Il tè nel deserto*
Paul Bowles, *La delicata preda*
Carlo Ginzburg, *Il giudice e lo storico.* Considerazioni in margine al processo Sofri
Martin Luther King Jr, *Il sogno della non violenza.* Pensieri. A cura di C. Scott King
Banana Yoshimoto, *Presagio triste*
Simonetta Agnello Hornby, *La Zia Marchesa*
Vinicio Capossela, *Non si muore tutte le mattine*
J.G. Ballard, *Millennium People*
Alejandro Jodorowsky, *La danza della realtà*
Umberto Galimberti, *Parole nomadi.* Opere X
Franco Rella, *L'enigma della bellezza*
Manuel Castells, *Galassia Internet*
Serge Tisseron, *Guarda un po'!* Immaginazione del bambino e civiltà dell'immagine
Paola Santagostino, *Guarire con una fiaba.* Usare l'immaginario per curarsi
Isabel Allende, *La città delle Bestie*
Isabel Allende, *Il Regno del Drago d'oro*
Isabel Allende, *La foresta dei pigmei*
Banana Yoshimoto, *Il corpo sa tutto*
Marco Archetti, *Vent'anni che non dormo*
Nagib Mahfuz, *Canto di nozze*
Paolo Pejrone, *Il vero giardiniere non si arrende.* Cronache di ordinaria pazienza. Illustrazioni di G. Alfieri
Bruno Gentili, *Poesia e pubblico nella Grecia antica.* Da Omero al V secolo. Nuova edizione
Renato Barilli, *Prima e dopo il 2000.* La ricerca artistica 1970-2005

La realtà inventata. Contributi al costruttivismo. A cura di P. Watzlawick
Salvatore Veca, *Dell'incertezza.* Tre meditazioni filosofiche
Krishnananda, *A tu per tu con la paura.* Un percorso d'amore attraverso le relazioni dalla co-dipendenza alla libertà
Osho, *La mente che mente.* Commenti al Dhammapada di Gautama il Buddha. A cura di Swami Anand Videha
Per Olov Enquist, *Il medico di corte*
Erlend Loe, *Naif.Super*
J.G. Ballard, *L'Impero del Sole*
Enrico Calamai, *Niente asilo politico.* Diplomazia, diritti umani e *desaparecidos*
Alessandro Baricco, *Omero, Iliade*
Marcela Serrano, *Arrivederci piccole donne*
Doris Lessing, *Le nonne*
Antonio Tabucchi, *Tristano muore.* Una vita
Manuel Vázquez Montalbán, *Millennio.* 1. Pepe Carvalho sulla via di Kabul
Sandro Pallavicini, *Atomico Dandy*
Nadeem Aslam, *Mappe per amanti smarriti*
Chico Buarque, *Budapest*
Maurizio Maggiani, *Il viaggiatore notturno*
Adam Fawer, *Improbable*
Oliver Sacks, *Diario di Oaxaca*
A.M. Homes, *Los Angeles*
Hannah Arendt, *Antologia.* Pensiero, azione e critica nell'epoca dei totalitarismi. A cura di P. Costa
Françoise Sand, *I trentenni.* La generazione del labirinto
Cheng Man Ch'ing, *Tredici saggi sul T'ai Chi Ch'uan*
Ahmadou Kourouma, *Monnè, oltraggi e provocazioni*
Antonio Prete, *Il pensiero poetante.* Saggio su Leopardi. Edizione ampliata
Stefano Benni, *Margherita Dolcevita*
Stephen Jay Gould, *Risplendi grande lucciola.* Riflessioni di storia naturale
Kahlil Gibran, *Scritti dell'ispirazione.* Un'antologia

Stampa Grafica Sipiel
Milano, ottobre 2006